U0443688

中学语文互动系列

激情作文点击

——来自高三实验基地的报告

邓虹　编著

商务印书馆

2004年·北京

中学语文互动系列编委会

目　录

注：文章前加星号(＊)者，表示推荐阅读指数。最高为“推荐阅读指数三颗星”——“＊＊＊”。

序言

裴显生

当前，以电子计算机和网络为核心的数字化现代化技术正前所未有地影响和改变着我们的社会生活。在写作领域，也发生着重大的变化，不仅是书写、呈现、传播工具的改变，更带来了写作习惯、写作思维、表达手段、文本形式等的改变。在新的挑战面前，有的教师和家长担心孩子在各种游戏和聊天室里误了青春，尽量劝阻学生上网；有的教师意识到利用网络进行作文教学，是时代的呼唤，但未能进行具体的实验，心里没有底。北京师范大学附中邓虹老师经过缜密的思考，勇敢地跨出了这一步，并大胆地在高三毕业班实验，取得了令人瞩目的成功。商务印书馆的编辑同志慧眼识珠，决定出版实验基地的报告《激情作文点击》，推广邓虹老师的成功经验，推进作文教学改革，做了件大好事。作为一个长期从事写作教学研究的教师，读这部书稿获益甚多，对邓虹老师的勇于探索和科学求实的精神深表钦佩。

从全书的内容看，邓虹老师实验的基本思路是正确的，符合写作教学的规律。邓虹老师网上作文教学的着眼点是“人人得提升，个个有发展”，“点燃学生心灵之火，促进每个学生个性发展”。这样的指导思想体现了“新课标”的“由精英主义向大众主义”转型的新理念，关注的不是个别精英学生，而是关注每一个学生，尊重每一个学生的人格和个性，促进其健康成长。这在传统的课堂作文教学中往往难以做到，而在网上却收到出人意料的效果。在师生交往、生生交互的作文活动中，学生的主体意识得到强化，在心灵的碰撞中激发感情、展示才华，在“你追我赶”中，每个学生的写作能力和水平都得到提高。在具体教学思路上，邓虹老师提出的“将写作还原为过程，在互动中寻求突破，借助互联网实现提升”，也是正确的，符合写作教学规律。传统的作文教学，往往注意学生交上来的作业的批改和评讲，忽视了写作全过程的指导，“将写作还原为过程”的提法，抓住了关键。只有深入写作全过程，及时掌握学生的思维动向，有针对性地加以点拨，才能收到良好的效果。文章是人写出来的，电脑不可能完全代替人脑进行创造性思维，不可能进行人类所特有的思想和情感的表达。目前在市场上出现的“作文快手”、“作文克星”、“魔术作文”等所谓号称“三分钟写出一篇文章”的作文软件，实际上不过是传统的剪刀加糨糊的另一种形式而已。只有按照写作规律，抓住写作过程中的各个环节，借助互联网，在互动中使人人得到提高，才是正途。

书中的"作文现场"，收入大量的学生文章。这不是一般书店里能买到的"作文选"，而是学生在网上的"激情作文"。它让我们看到网上作文教学的真实情景，看到学生在写作上的进步。好比一台戏，学生是演员，教师是导演，一起演出了一台精彩的好戏。在这个过程中，学生主动、自由地"我手写我心"，感受到写作的乐趣和重要性，并在全身心投入"演出"的过程中得到提高。我想特别指出的是：邓虹老师这个"导演"，在整台戏中起到重要的主导作用。她在网上教学中，不仅有基本知识、作业布置、模拟试题……而且处处注意"导悟"，在与学生亲切、平等的对话中，进行有针对性的指导。在"老邓简评"中，倾注了教师对学生的真挚的爱，总是努力找出学生作文中的"亮点"，给予热情的赞许和鼓励，肯定学生的点滴进步，然后指出"斟酌之处"，要求学生"精益求精"，有时还要"教你一招"。从中，我们可以看到邓虹老师的博学、敬业、爱生、尽责，值得我和同行们学习。而这一点，也是实验取得成功的保证。

网络确实能为作文教学开辟一个新的天地。充分发挥网络功能，可以不受时间、空间、人数的限制，做到老师见文即改，学生互学互改，连学生家长也参与其中。在"问卷调查"中，学生和家长都表示"非常欢迎"这种教学方式，热情肯定了这个"十分成功"的实验。现在，"实验基地的报告"，已由商务印书馆正式出版了，我相信会引起全社会广泛的关注。邓虹老师迈出坚实的第一步，取得了宝贵的经验。她没有就此止步，正在从高一做起，继续进行这个实验，以求积累更多的网络教学和作文教改的经验，使之更系统、完善。我希望写作学界、语文学界有识之士，能关注这场具有革命性意义的变革，参加到这个实验中来，在有条件的学校开展网络作文教学实验。大学共同努力，把作文教学改革推进到一个全新的阶段。

2003 年月 12 日 10 日

写于南京大学北阴阳营宿舍

序言

顾德希

指导学生作文的书，已数不胜数。但邓虹老师这本《激情作文点击》，无疑属于其中很成功的一本，也是最别开生面的一本。

这样说，主要基于两点理由。一是它最大限度贴近高中生的写作实际——它本身所集结的就是北京师大附中高三各类学生生动丰富的写作指导案例，真实反映了不同学生怎样提高作文水平的具体过程，亲切，有趣，会使急于提高自己作文水平的同学感到解渴，管用；二是它记录了把信息技术用于作文教学的阶段性的成功探索——这为热衷于语文教学改革的同志打开了一个全新的参考界面。

作文教学能不能真正贴近学生实际，一直是亟待解决而不容易解决的难题。大多数有经验的语文老师都知道，要使作文教学对学生真正"管用"，绝不能把系统写作知识的传授当作教学的出发点和落脚点，而必须充分尊重学生的写作实际，进入学生的写作过程。提升学生写作能力最有效的办法，是"面批"、"面改"，即紧密结合学生的迫切需要，真正帮他们克服一个个具体障碍，再从而上升到规律的高度，使之内化为学生的能力。但遗憾的是，长期以来的作文教材，囿于"知识立意"的编写思路。一部分同志也就因此而误以为按照写作知识系统讲授，是亘古不易的当然之法；误以为学生的作文能力，是由书本上那些写作"知识点"逐项迁移所形成的。于是，先讲关于选材的知识，然后让学生按照所讲的知识去选材作文；先讲论证方法的知识，然后让学生用那种论证方法去发表议论等等，就成了通行的作文教学模式。纳入这种模式的作文教学，即所谓"知识立意"的教学。其最大弊端，是把作文知识放在了第一位，而忽略了学生的主体地位。当然，让学生对那些知识有点了解，也并非无益。但以学那些知识为"纲"的作文教学，历来罕受学生欢迎，更难激发学生主动写作文的热情。

这本《激情作文点击》，真实反映了邓老师作文教学成功的实验。她之所以取得成功，就是她完全冲破了知识立意的禁锢，而旗帜鲜明地遵循了"能力立意"的教学观。她的实验，以解决学生写作过程中的实际问题为纲。学生在一个较长时段(譬如一学期)，需要不断进行作文练习，这是学生作文的一段过程；具体到某篇作文，还需要解决触发动机、打开思路、选材立意、布局谋篇等一系列问题，这也是学生作文的一段过程。所谓作文能力，正是学生在这些过程中努力实践的结果。走“能力立意”的作文教学之路，就要既有针对性而又比较系统地、恰当地解决学生在写作过程中的一系列实际问题。邓虹的实验，反映了她对这一规律的深刻理解。在她的实验中，我们所看到的不是僵化的知识概念，不是刻板的写作理论，而是对学生作文中常见问题予以及时、恰当、具体解决的“活”的法则的运用。

这是以能力培养为作文教学出发点和落脚点的正确做法，因而不仅深受她所教的学生的欢迎，也一定会使阅读这本书的其他同学获益匪浅。

在怎样把作文教学由“知识立意”转变为“能力立意”的问题上，许多老师都不辞艰辛地进行了或正在进行多方探讨，取得不少宝贵经验。但邓老师的实验，在这条探索之路上却具有独树一帜的价值。这就是前面所说的第二点——她把信息技术成功用于作文教学，甚至可以说，正是信息技术的恰当应用，保证了邓老师实验的成功。

充分利用“网络”，是邓老师把信息技术用于作文教学的突出特点。

“网络”的应用，极大拓展和丰富了作文教学的空间和资源，为突破传统教学模式的局限提供了强有力的支持。凭借网络，师生在任何情况下都能及时沟通。可以同步交互，也可以异步交互。作文“面批”、“面改”这种最便于体现个性化指导的交互方式，过去实行起来诸多不便，但凭借网络，过去的不便不复存在了。不仅师生之间的沟通极其便利，“生生”之间，教师、学生、家长之间，都可畅通无阻。作文教学的空间的拓展，学生作文与学生生活的方方面面便进一步紧密交融，他们作文的主动性、积极性自然能得到空前充分的满足。

从这本书里可以看到，邓老师借助网络创设了多条师生交互渠道，利用网络实现了作文教学由情趣激发到传递、交流，到情感反馈与评价的完整过程。她实验的对象是高三毕业班学生，利用的是双休日时间，学生完全是自愿访问这片实验基地。在二十几个双休日里，学生自愿在网上提交了70万字的作品，他们在这片基地上燃起了强烈的作文激情，直到高考之后并未稍减。在高考负担很重的情况下，如此多的学生自觉自愿积极写作，不能说不是作文教学的极大成功。这不仅说明这个网络作文实验基地确实成为及时交流、及时反馈的教学平台，而且说明这个平台确实起到激发学生作文激情的巨大作用。

从书中还可清楚看到学生个性的充分展示，看到学生的创作热情怎样被及时点燃，看到学生的心灵之火如何越烧越旺。可以说，这个基地打破了传统作文教学所受的条件限制，给每个人以亮出自我、展示自我的充分可能。参加实验的每个人都有权发言，都有各种机会露脸，都能脱颖而出，得到老师和同学的欣赏、赞美、鼓励、鞭策！学生想随时提问、质疑、表达、修改，老师想随时解惑、点拨、评价、鼓励，在传统课堂教学中是难以实现的，而这里却提供了实现的条件和场景。很快看到自己和同学的作业，很快得到老师的评价，经常被其他同学“点击”，这无疑是极具吸引力的事情。学生除了及时从老师那里得到反馈，还可随时了解他人的写作动向、进程、结果，多方获得启示和激励。这个实验证明，利用网络完全可以使师生交互、生生交互构成一个轻松和谐的“场”，一个富含智力与非智力因素的“场”，一个突破45分钟课堂、紧密联系学生周围人群的、引力强大的“场”。构建这样的“场”，无异于为语文教学开辟了一片崭新的天地，说它的构建对语文教改具有革命性影响也并不夸大。

语文教学活动将因网络的这种优势而更符合学生学习母语的规律。

两年来很多老师在凭借网络革除语文教学弊端、改进教学方法方面进行了积极探索，本书所记录的网络作文实验，是其中相当成功的一例。

当然，网络功能与作文教学规律的整合，还需要不断深入探索。数字化语文教学资源的深度开发与建设，信息技术对语文教学方式和学生学习方式的全面优化，在邓老师的实验中还只能说初见端倪。

这方面的探索还有待更多老师的积极尝试，有待进一步推广开来，深入下去！

2003年12月

前　言

——人人得提升　个个有发展

一、实验缘起

多年的教学实践告诉我，传统的课堂作文教学模式只能关注少数人的写作发展，难以解决大部分学生的写作差异性问题。特别是相对学生写作过程而言，课堂作文教学的重点大多集中在对写作结果的评析上，教师很难深入学生的写作全程，而事实上，大多数学生的写作困难恰恰是遍布在过程当中。如何才能扭转作文教学的滞后性？怎样才能让教学与学生写作同步？我想到了极具及时性、交互性的现代化信息技术——计算机网络，构想把学生那几乎完全封闭的静态单向写作过程转变成流变性的动态交互过程。即以网络技术刺激学生的写作欲望，解决写作过程中的个性化问题，着眼于每个教学对象，为每个学生创造自我发展的机会，提供自我发展的空间。就这样，“网络环境与个性化高三作文辅导”实验计划诞生了。

筹备工作千头万绪，好在有一点始终是明确的：作文离不开做人，作文离不开生活，作文离不开阅读。一个人的思想境界上不去，生活经验不丰厚，情感精神太苍白，无论掌握多少写作技巧，其文章终究不过是花架子。为此，我设想为学生建立一个“写作基地”，让阅读与写作同步，让内容与技巧共存，让“文”的提升始终相伴“人”的发展。于是，重点突出了，思路清晰了，栏目明确了，“基地”建成了，这便是：

网络环境与个性化高三作文辅导实验

实验总体思路:

阅读——感受——体会——感悟——抒写——修改——提炼——巩固——展示——再抒写

实验基地栏目构成:

(一)参考模块：本栏目直接受Powerpoint中的“应用模板”启发而设置。具体思路是为学生提供三种主要文体的规范样式或典型样式，以便学生模仿学习，规范行文，避免文体混淆或杂糅。还根据模仿的难易程度将文章范例分为A类(高级)与B类(基本)两种，便于学生由低到高参考学习。

记叙类——集中叙事类文章的各种有代表性的样式。

抒情类——集中抒情散文类文章的各种有代表性的样式。

议论类——集中议论、杂文类文章的各种有代表性的样式。

(二)及时点拨：审题，创新，有个性，一直是作文指导的难点。他山之石，可以攻玉。本栏目力求在高三作文训练时间紧、任务重的特殊阶段，广泛搜集有效的审题方法供学生参考借鉴，加强审题训练，尽可能减少审题失误；从课内课外学生习作中提取创新意识强烈、个性风格突出的作文范例，引导、鼓励学生文有特色。

审题妙方——重点介绍审题的基本方法、不同角度、考察重点、突破口。

创新思维——提供创造性思维的部分形式与视点。

个性培养——展示个性化文章的不同形式与风格。

(三)素材扩充：作文即生活。当今中学生生活范围相当狭窄，生活积累相当有限。高三学生更是一头扎进题海里，很难抽出大量时间关注社会，感悟生活；很难投入大量精力观照人生，提炼生活。表现在作文中则缺乏开阔的视野，缺少丰富的素材，缺少相关的知识储备。本栏目旨在帮助学生快速建立“写作资源库”，及时储备、增添、更换写作题材，以防止资源匮乏造成的创作枯竭。

学以致用——充分利用已掌握的大量的教材资源，活学活用，一举多得。

今日焦点——“文章合为时而作”。每周更替热门话题，社会焦点，使写作始终与时代紧密相连，努力增强文章的现实意义。

世间万象——让写作从生活中来，到生活中去，生动鲜活，具体可感。避免闭门造车，凭空想象。

(四)自我提升：作文即做人。学生道德修养和思想境界的高低差异最终决定了作文水平的不同层级。本栏目试图引导学生用高尚的道德、丰富的心灵、睿智的目光去审视生活，审视人生，构建自己的精神家园，使作文具有一定的文化思考或人文关怀，努力超越思想与情感的平庸。

道德伦理——只有良好的人品才有良好的文品。引导学生树立良好的道德观，人生观，培养高尚的道德境界，力求使作文立意高远，思想健康，情感丰富。

艺术心灵——逐步培养感知艺术的心灵，不断提高文学艺术修养，增强文章的诗情画意，力求使作文具有审美价值。

哲理哲思——让目光变得深邃，让思想变得深刻，让行文更富内涵，让语言变得隽永。

(五)T型展台：本栏目侧重于师生、生生之间相互交流观摩，进一步激发学生的写作热情，充分调动学生的写作积极性。

脱颖而出——给全体学生一个展示写作才华的舞台，为不断进步的学生提供超越自我的空间。

师文师心——让老师的激情感染学生，让老师的才情打动学生，让老师的真情温暖学生，让老师与学生一同进步。有老师陪伴，高三的日子不会孤单!

(六)评改快讯：师生互动第一渠道。本栏目尝试开创作文教学与作文指导的新路。

写作是一个过程。而课堂作文和作文指导大都侧重于结果的指导、检查与分析。特别是作文讲评的滞后性特点决定了它错过了指导的关键时期，遗漏了写作活动中的许多值得教师关注、分析的重要信息。由于一个人面对几十个学生，老师的评析可能显得简单概括，但是及时、热络、鲜活，在学生的思想意识还没有撤离作文的“场”，灵感残存，激情可触之际，及时送上赞赏，鼓励，点拨，指正，会收到令人意想不到的效果。

(七)聊天室：师生互动第二渠道。本栏目及时弥补实验基地缺乏交互性技术支持的不足。为师生、生生提供及时互动的场所。

(八)给邓老师写信：师生互动第三渠道。本栏目专用于及时解答写作过程中的私密性、个性化问题，如不便于公开交流的写作情感、写作心理、能力差异等问题。

(九)公告栏：本栏目专用于布置作业，发布信息。

二、实验重点

综观整个网络作文实验，“评改快讯”作为支柱性版块，最能体现实验与传统教学模式的根本区别，是本实验的主要价值所在，也深得学生及其家长的喜爱与赞赏。老师的及时指导与点拨，学生的快速反馈与回应，使原本静态的作文活动变得动感十足，活色鲜香。

而“给邓老师写信”与“聊天室”作为师生、生生交互的另一类渠道，也紧密配合了“主战场”的战略部署，及时为学生释疑解难、排解压力、加油助威，使写作环境变得宽松、和谐，充满人文关怀。

“素材扩充”与“自我提升”被学生们称为“及时雨”、“营养液”，为开阔学生视野，丰富学生生活感受，提高思想认识能力起到了重要的促进作用。

三、实验小结

本实验共进行了25周，常规实验学生40人，非常规实验学生30—40人不等。半学期的准备(实验思路、栏目设计、步骤筹划、素材积累、基地建设)，25周不间断的实验。由原计划的每周三个小时(两个班)发展到周六、周日两天，最后到隔天进行上网接收、查看、评阅、回复。“基地”总文字量共计1 302773，其中发布作业文字量13 681，作业及评改文字量577 504(加上学生手写作业量近65万字，不包括堂上作文)，信件及回复文字量29 680。

个性化网络作文实验真正激发了学生的写作热情，满足了学生抒写心声的欲望和展示个性与才情的欲望，充分挖掘出学生的写作潜力，成为学生主动写作、竞相表演的学习舞台。根据学生及其家长的调查问卷反馈，许多学生不怕作文了，爱阅读了，爱谈论作文了，爱评价文章了，主动写作了，喜欢写作了，渴望交流、展示文章了，写作速度加快了，作文成绩显著提高……更有不少同学将“实验基地”视为“心灵的家园”，愿意让写作成为生命的一部分，生活的一种特殊方式，相伴一生……

总之，实验使每个实验学生的写作水平都得到不同程度的提高，真正做到了人人有提升，个个得发展。而我认为最根本、最有价值的收获还在于让每个学生真切体会到了写作带来的快乐感、成就感和充实感，使他们走出了厌恶作文的误区，更让一些优秀者掂量出写作给予他们生命的特殊分量，使他们对美好的精神生活有了一种自觉追求。

四、实验反思

这次实验让我深刻地领悟到，点燃学生心灵之火是作文教学的关键，促进每个学生个性发展是作文教学的目的。我们应该有效利用现代化信息技术，充分调动学生写作的自觉意识与积极主动性，为学生创设激情涌动、充满吸引力的写作环境，突破传统的单一性评价模式，建立更加全面、科学的作文评价体系(如老师评价、学生互评、自我评价、家长评价等)，为解决学生学习的个体化差异，为每个学生的终身学习开辟新路，让写作摆脱应试的惟一目的，真正回归写作本原——心灵的栖息方式，这样的作文教学才能从根本上实现“作文”与“立人”的最终结合。

最近颁发的高中语文《新课标》“根据新时期高中语文教育的任务和学生的需求”，创设了“知识与能力”、“过程与方法”、“情感态度与价值观”等三个目标纬度。网络作文实验从容深入学生写作过程，密切关注学生情感态度发展的相关探索无疑是很有现实意义的。针对“表达与交流”的目标，《新课标》特别提出“能独立修改自己的文章，结合所学语文知识，多写多改，养成切磋交流的习惯，乐于相互展示和评价写作成果”。网络作文实验表明，实验学生的写作量远远超过课堂作文量，在交流与展示方面更是呈现出课堂作文教学难以企及的优势。《新课标》要求评价“面对全体学生”，“提倡评价主体多元化”。而网络作文实验中表现出的评价方式的及时性与多样性，应当算作是实现这一目标的有益尝试……

反思这次网络作文实验，更加坚定了我继续进行教学实验的决心。“网络环境与个性化高三作文辅导实验”圆满结束了，实验的不足与疏漏亟待重新审视与弥补，新一轮的“网络环境与个性化高中作文实验”正处于设计筹备之中。这条探索之路注定要走下去，不会停息。

卷 首 语

不可能用一本书将一百多万字的“实验基地”呈现于手中，因为纸质的图书无法追踪学生的随意点击，平面的阅读难以再现学生的灵活选择。然而，实验的灵魂是多方互动，实验的成功来自及时交流。就让我们从中精选出12个镜头，掀开本次实验最富魅力的一角，去领略网络教学的精彩，感受激情作文的心跳!

打开这扇窗，你观察到了什么?

开场啦！

网上作文指导正式启动：2002/12/14
(发布第1次公告)

行动起来 老邓

孩儿们：

演出就要开始了，赶紧操练起来吧！

听口令，预备——起！

动作1：参观“作文基地”，摸清“门道儿”。

动作2：广泛浏览，各取所需。

动作3：添加“焦点”，迅速“建仓”。

动作4：有疑就问，多看勤想。

（背景音乐适时响起）

Wherever you go

Whatever you do

I'll be right here waiting for you.

这篇文章已被浏览 96 次。
记者 wojiger 发表于
2002-12-14
13:37:30

模仿入手，先拙后巧

公告发布：2003/1/25
(网上作文指导第六次活动)

假期第二周作业 老邓

孩儿们：

上网时间照旧，老师一整天都在线答疑、辅导。

今日作业：

1. 照例浏览老师提供的新内容（参考最新日期），及时"充电"。

2. 台湾著名学者刘墉在其《舞剑与戏水》一文中说"怀素曾因夜闻嘉陵江水声而草书更佳，张旭曾见公主担夫争路而笔势愈壮，吴道子曾看裴旻舞剑而作为天宫寺的巨作，王羲之更因见鹅戏水而悟出书法之道。只要我们细心观察体味，由许多平凡的事物中，都可以悟出很深的道理。"

请你仔细阅读此文，然后任选一题作练习（作业难度由浅入深）：

1、以"悟"为话题，随意成文；文章可长可短，但必须完整。

2、模仿原文第一段的句式，尽量多地补充事例（10句？20句？），加上开头结尾，自然构成一篇奇文！

3、模仿原文句式，写出"我"（你自己）那些深藏心中的色彩缤纷、气象万千的"悟"！

心动不如行动，看谁的"悟"最多，最广，最深，最动人！

作业有难度哟，看看谁最勇于挑战自我！

毛泽东主席说得好："天生一个仙人洞，无限风光在险峰。"王安石先生曾总结："世之奇伟瑰怪非常之观，常在于险远……"

就看你的啦！一有佳作立刻巡回展出！开学获大奖！

顶端的起飞

王冰

嫩嫩的绿草，在微风中飘摇。
红红的瓢虫，和着小草晃动。

弱小的身躯，还不足以压弯小小的草苗。
它一步不停地向上攀缘。

风有些大了起来。
小瓢虫从草秆上跌落到坚硬的地面。
弧形的背贴在地面上，纤细的小腿不停地甩着、晃着。
只为转过身子。
黑色的柔弱的肚皮毫不防备地裸露在空气中。
它随时都会遇到致命的打击而断送小命。

筋疲力尽的小虫儿已经转过身子。
它没有多喘一口气，仍继续着它的攀缘。

跌落重复着，可它又爬起。
没有叹息，没有抱怨，没有多余的动作，只是找到
小草向上爬。

你会疼吗？幼年时的我会这样问那个执著小虫。

看着它终于在无数次跌落下爬上高高的小草的尖端，
站在针尖一般的顶端，
我会为它欢呼，为它高兴。
它，打开红红的壳，展开透明的薄翅，飞向天空。
莫名的愉悦充满我的心。

可它还会落回到地面，再次寻找一棵小草，比前次的
要高大一些。
重复着它前次的攀爬、跌落、起飞。
一次一次……

疑惑吗？
不了。
虫儿的努力与坚持不懈是值得我们学习的。
但是，它告诉我们的岂止这些。
它没有蝴蝶美丽的可以炫耀的翅膀；
没有蜻蜓可以迅速冲刺的薄翼；
更没有雄鹰那在高空翱翔的强有力的双翅……
可它也想到高处去领略那开阔的视野，去俯视它生长的土地，去看看它身边的一切。
所以，它爬到比它高的小草上，站在小草的顶端，起飞。
之前那么多的努力，只是换来一刻的低飞。
它不苦闷、不抱怨。
它继续寻找更高的顶端，在那里再次起飞，到更高的地方去看世界。
一次比一次高，一次比一次接近它的梦想……

我们固然有不足、有缺陷，但是，我们可以找到一个让我们攀爬的物件，
在它的顶端起飞，飞得比我们应有的高度要高，一次比一次高。

现在我明白了瓢虫心中的愉悦。

老邓简评

想必你深得法布尔为文之精髓：真切细腻的体察，出神入化的描写，充满温情的人文关照，使我们透过一个细微的片段捕捉到瓢虫激情燃烧的一生。

这样的一“悟”，便使自然的现象昭显哲理；
这样的一“悟”，便让人的精神生命有了高度！
真的是“悟”出了感觉！

精益求精：

1．“虫儿的努力与坚持不懈是值得我们学习的”一句语意过于直白，语言的诗意清减了几分。
2．“一次比一次高”改为“一次超过一次”似乎好些，避免语言重复。

你同意吗？

22岁的老师朋友

未知

我有一个上大四的朋友。

和他认识是在他来我们学校实习时，也许原因正像他自己说的："我在不熟悉的人面前觉得无话可说。"再加上他高大的外形，他总会给同学们留下一些错误的印象，其实他是一个像哥哥般亲切且很健谈的人。在与他的交流中，我总能领悟到很多东西。

举个例子吧！

以前总会说自己很苦，很累。卷子发多了就会抱怨；一提考试便会哀叫；统练时间加长了便鸣不平；秋游取消了便叫不幸，而且我更是认为高三的学生是生活在地狱里的。但听他说了小时候他爸爸逼他练字时发生的事，中学期间他练球时发生的事，高考他父母坚持叫他考北京的大学时发生的事，以及最近他一边努力准备考研，一边四处奔波找工作时发生的事，我便不那么想了，便有了这样的感悟：北京的孩子真是太幸福了；我只要专心准备高考是多么幸运；我所谓的苦与累是何其渺小；我根本没经历过真正的苦与累，却在一个劲儿地抱怨是何其无知，何其任性……

他给我太多太多的感悟，我便不一一说明了。

认识他后，我领悟到很多，也许是因为他大我五岁，经历过的事情和懂的东西都比我多吧！

总之，认识他后，我觉得我长大了。

老邓简评

真遗憾哪，我们多么希望你能具体说明这个教师朋友给你的"太多太多的感悟"啊！这才是文章的主题内容啊，这才是你"长大"的理由啊！你文章中凡是涉及老师特殊经历的地方都被你CANCLE掉了，凡是触及你心灵感受的地方都被你简化掉了，文章还有什么具体内容呢？我们能被什么打动——就像你一样？

没有这些，我们真的进入不了你的精神世界！

想一想看来，自己感动跟感动别人之间有什么联系与区别呢？

这篇文章已被浏览41次。
记者 lakeabc_2001
发表于 2003-1-25
21:19:44

*悟道 李德隆

前言

《舞剑与戏水》寥寥九十四字，上段排比之式，博通古今，并兼文武，将这“悟”的道理蕴于四个例子之中，由读者自行参悟。下段点出“悟”道的关键乃是“细心观察体味”，与上段首尾相照，浑然一体。

这惜字如金的功夫，原是最难得的。题目要求“模仿原文句式”写出我的感受，实在是太难了。这排比句式，必须要得广泛的积累，才能材料迭出，文思泉涌，如滔滔江河东赴狂奔而不绝，有气贯长虹之势。刘先生谈到的这四个人，我认识三个，这四件事情，却一件也不知道。任凭再怎么搜尽枯肠，却也不能凑出如此佳句。再说后面的阐明道理部分，却又一定要求精辟。我刚刚出恭之际，悟了半天，什么也没悟出来。选出恭的时候悟，并非不敬，实因“悟”的最佳环境，便是无人斗室，四面皆壁。君不闻古之僧侣求大彻大悟，皆需闭关参禅?这便是一个道理。可惜百年老僧尚且不能透彻，我又无震烁古今的绝才，悟不通(尚不可言透)也是常理之中。于是这大道理也一定是讲不出来了。

文章本天成，妙手偶得之。我只好接着悟下去，期待着哪一天灵光突现，再重新完成这次作业吧! 今天只能是悟到哪里，写到哪里，没有什么可用的材料，也只好拾一拾刘先生的牙慧了。甚憾，甚憾!

《悟 道》

世间闻嘉陵江水声者甚众，独怀素悟而草书更佳；

视公主担夫争路者何止一人，惟张旭悟而笔势愈壮；观裴旻舞剑者亦非寥寥，独吴道子悟而作为天宫寺的巨作；见鹅戏水者众多，惟王羲之悟而明书法之道。

事物大多是平凡的，世人有目共睹。然而人分圣愚，道分正邪，全在于悟者所感。是以在同时看到海风鼓帆之时，一僧言帆动，一僧言风动，六祖慧能曰："仁者心动。"

故悟道假于悟而本不在物，求于心而本存于心。

亲密聊天室

风之舞者的悟：

任选一题啊……小子不自量力，说什么也得选第三题啊……写得不好是写得不好，但若是没胆量尝试，那便实在是大狗熊了……

本来是写两段的，没悟清楚，为写明白就写了三段。唉！接着悟去了……

老邓简评

迎难而上的追求，好！

对原文精当的评析，好！

清醒深刻的自我剖析，好！

对原文的超越则是好上加好！内容上看，你新增的两段内蕴更加丰富，思想更加深刻。结构上看，虽说是偶得，原文像片段心语，你的却是短小精悍的小文：麻雀虽小，五脏俱全，结构相当完整。语言上看，你的文章隽永而有诗意。

一句话——怎能不称好?!

这篇文章已被浏览45次。
记者风之舞者发表
于2003-1-25
22:31:34

* 欣赏生活 郝琦

生活，是一幅耐人寻味的油画；画中尽现了生活中的一景一物，囊括了生活中的喜怒哀乐。我们每个人都在随时随地看着这幅画。然而由于不同人的眼光不同，看到的景物就会不同，感受到的情致也会迥然不同！

当看到野茫茫的草原上一棵枯败苍老的树时，有人会觉得这棵树是衰败的，已“日薄西山”了；可有人却会感到这棵树一定是穿越了生死，历经了几个世纪的沧桑才保留到现在的，说不定还会听出树中一圈圈年轮中吟唱出的历史的足音。当漫长的冬天来临，四周一片萧条时，有人会感到荒凉，心生寒意；可是过着诗一般生活的人却可以每天迎向那昏黄的阳光，诵出“冬天来了，春天还会远吗?”的诗句。当看到一间地处深山的小屋时，有人会感到住在这里，生活一定是孤苦伶仃的；可有人却觉得那“小屋是眉梢的痣一点”，是他“每天生活的幸福的阶梯”。面对生活中的不同景象，当我们以不同的眼光注视时，看到的是多么不同的世界！

一个从事音乐工作的人却不幸失去听力，有人一定会觉得“时运不济，命途多舛”，而伟大的音乐家却可以奏出“我要扼住命运的喉咙”的生命的强音；一个每天隐没于浪尖的老渔民，多次捕捉同一条鱼而不能成功，有人一定会失去继续捕鱼的信心，而真正的强者却可以“生命不息，奋斗不止”，因为他深感：“一个人生来不是被打败的；你完全可以消灭他，却永远不可能战胜他！”面对生活的不同境况，当我们以不同的心态对待时，活出的是多么不同的人生境界！

生活其实是幅很美的油画，关键在于我们是否有一颗会体味生活的平常之心。我们应时时保有一颗善于感受的心，这样我们才能用欣赏的眼光去看待生活。

当你以欣赏的眼光看待物品，你会感觉它犹如宝贝，而加以珍惜；当你以欣赏的角度看待事情，你会感觉它丰富了你的经历，而非增添了麻烦；当你以欣赏的心态看待别人，你会发觉每个人都有可取之处，而不会自大自傲。

面对一幅画，如果你是观看它，它就只是一幅画；面对生活，我们也不应只作心无他物的旁观者，还应学会欣赏。

欣赏生活，你会发现即便是坟墓也会是世间最美的。

欣赏生活，你会看到万物的另一种景致，世间的另一段风情。

欣赏生活，你每天都会到达心中的美丽天堂，体会到朝思暮想的境界中那份甜蜜的温馨与快乐！

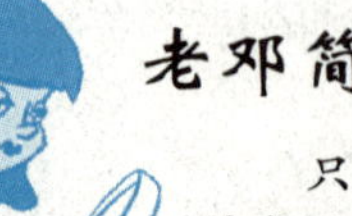

老邓简评

只有生活的强者才能拥有这种“欣赏”的感悟；只有豁达的心灵才能成就一双审美的眼睛！

从现象的纵横联想到内蕴的深入分析，充分显示出作者对生活本质的准确而独到的认识。

文章作为一篇行文规范的散文，文脉清晰，激情荡漾，文采飞扬，特别是在语言上讲究整句、散句的灵活使用，使文章产生出一种动人的旋律美！

课代表就是不一样啊！

＊风雨中的悟 19841216

将军走了，留下了一柄宝剑。

外族的入侵，百姓的鲜血，颓败的家园，战士们沉重的叹息……将军的话犹如车轮，在独闲的心中碾过，留下一道道车辙。

独闲缓步走入院中，额头上染着一丝淡如轻烟的愁绪，步态比往日杂乱。想他独闲，一生爱好淡泊。习惯了月下小酌，花前赋诗，窗边弄瑟。“家国天下”四个字，来得太重了。他最羡慕院墙下的那一只燕子，没有羁绊，没有牵挂，独自拥有一片天空，不需要依靠什么。他希望能过上这样的生活。

天色变得昏暗了，乌云像一只厚厚的笼子禁锢着大地。独闲回到屋内，百无聊赖地抚动了几下琴弦。耳边没有响起幽婉的琴鸣，只有含含混混的闷雷，一声声地炸在他的耳里，心里。窗外已是烟雨蒙蒙。

他点起了灯，如豆的灯火摇曳着淡蓝色的光。他有些不知所措了。迷茫中，独闲听到什么东西塌了。他快步走出屋，不顾雨点如钢针般抽打着他的面颊。一摊碎砖瓦上，倒扣着一个破损的燕巢。风声、雨声中，分明夹杂着燕子的哀鸣。

独闲望着地上的燕巢，若有所思。随即，他转身回屋，步履平稳而坚定。拿起了宝剑，阖上屋门，消失在了烟雨中。

老邓简评

文章构思精妙，化用“覆巢无完卵”的意思，形象而含蓄地揭示出“没有国，难有家”的社会现实和“国家兴亡，匹夫有责”的深刻道理。

最可贵的是文章并没有流露主题先行的痕迹，这应该归功于全文生动而细腻的描写：环境逼真，人物传神，简洁洗练，对比强烈。

精益求精：

“将军的话犹如车轮，在独闲的心中碾过，留下一道道车辙。”将军的话指的是什么？与独闲最后毅然决然的选择有何关系？文章交代不是很清楚。

“步态比往日杂乱”词语搭配不当。

老邓疑惑—— WHO ARE YOU?

悟　王妝

悟像淘金，只不过是不经意而为之；悟像钻研，只不过是在一个别样的环境；悟像佛心，只不过是在喧杂里寻谧静，悟是真水，无香中的神奇！

怀素曾因夜闻嘉陵江水声而草书更佳；张旭曾见公主担夫争路而笔势愈壮；吴道子曾看裴旻舞剑而作为天宫寺的巨作；王羲之更因见鹅戏水而悟出书法之道；汉武帝曾因初闻街巷歌声而开创乐府；曹操曾因亲临沧海而心胸大开；曹植曾因蛙戏荷花而悟出称象之计；陶潜曾因世态炎凉而心飞桃源；太宗曾因先民之苦而行贞观之治；王勃曾因一次离别而悟出天涯若比邻；太白曾因夜游天姥而悟出千古警言；诗圣曾因一登东岳而悟出“众山小”；之涣曾因登楼而悟出更上一层楼；王维曾因一粒红豆而感悟爱情；杜牧曾因阿房之殿而悟出治国之道；稼轩曾因元嘉草草而悟出惊世之语；清照曾因黄花而感悟万事之愁；六一曾因一壶美酒而感悟苍生；安石曾因一游褒禅而悟出“奇伟瑰怪”……我曾因初读《舞剑与戏水》而悟出了许多……

悟像课程，生活中必修的课程，真水中悟理，无香中悟味，生活中悟心，此后，空气清新……

老邓简评

你坚定地选择有难度的题目，显然很有追求，这是写作能力提高的关键。

文章整体感觉极好，开头、结尾语言整齐优美，颇富意韵。主体部分内容比原文充实丰富多了！而且你的拓展、仿写能力明显增强。

祝贺你！

如果能进一步完善，必将成为佳作！具体是否可以从以下几个方面考虑，供你参考：

1. 所有事例都应围绕“悟”的内容及其结果而展开。而像“陶潜曾因世态炎凉而心飞桃源；太宗曾因先民之苦而行贞观之治”这样的例子跟“悟”有何必然联系？是事物内在的因果关系还是人物主观感悟的结果?不准确;又如“太白曾因夜游天姥而悟出千古警言;稼轩曾因元嘉草草而悟出惊世之语;安石曾因一游褒禅而悟出‘奇伟瑰怪’;诗圣曾因一登东岳而悟出‘众山小’;之涣曾因登楼而悟出更上一层楼”等句,人物“悟”出的应该是什么道理?现在的这种表述能分别概括这些深刻的内涵吗?

2. 文章结尾应当是全文内容的自然归结。如果主体部分的材料能够按照结尾中“悟理,悟味,悟心”三方面内容构成鲜明的阐释层次,文章的行文思路会更加清晰,内在逻辑力量立刻增强。
3. 体会老师对你文中几处标点符号的修改:
   A. “悟像佛心,只不过是在喧杂里寻谧静,悟是真水,无香中的神奇!”中“谧静”后面的逗号(,)改为句号(。);
   B. 结尾段“悟像课程,生活中必修的课程,真水中悟理,无香中悟味,生活中悟心,此后,空气清新……”改为“悟像课程——生活中必修的课程:真水中悟理,无香中悟味,生活中悟心……此后,空气清新。”
4. 体会局部文句修改:“此后,空气清新……”改为“之后,一切焕然一新。”

期待你的回应!

记者 wojiger 发表于
2003-1-27
15:24:33

悟真的全在于“遇”吗？

super_f16

悟就像春风在不经意间吹绿的一片树叶，悟就像夏雨在不经意间滋润的一棵小草，悟就像秋日在不经意间照耀到的一朵菊花，悟就像冬雪在不经意间贴在人们窗前的一片冰花。悟实在是一件可遇而不可求的事。可是，悟真的就全在于“遇”吗？

于是我不禁想到《我与地坛》中的史铁生——那个与地坛有着不解情缘的残疾人。那里的荒藤老树、废殿颓檐、残墙断壁，这些在多数人看来衰败不堪的景象恰恰契合了他当时的心境。也正是这样一个地坛给了他躲避尘世喧嚣的处所和思考人生的空间，使他终于认识到了生命的意义，并有了勇敢面对生活的勇气。

不能不说，遇到地坛是史铁生的运气。但是，这一切的一切都归功于地坛吗？或是说史铁生的运气实在太好了吗？其实不然。地坛是一个适合人们静心深思的地方，这不错。但并不是每一个人都能够从中有所领悟。大概多数人都不能吧。那么为什么史铁生就可以呢？那是因为他特殊的经历给予了他比常人更加丰富的情感和深刻的思想。是他自己选择了地坛，是他自己认识了人生以至生命的意义，是他自己唤醒了自己。所以，他才在《想念地坛》一文中说到：“我已不在地坛，地坛在我。”

由此可见，悟不仅在于“遇”，更在于人。要想让春风吹绿自己，夏雨滋润自己，秋日温暖自己，冬雪装点自己，等待是远远不够的，而更要用心去接受。

亲密聊天室

super_f16说：

邓老师，前一段时间我几次提笔，却不知从何谈起，挖空心思也想不出合适的内容。想写记叙文吧，发愁找不到动人的故事；想写议论文吧，又苦于没有足够的论据。无奈之中我放下笔，静下心来读了几篇“基地”中的文章，获益匪浅。于是就完成了这篇《悟》。看来写作必须建立在阅读之上啊。您的评语给了我很大的鼓励，我一定会继续努力的！

wojiger回复：

孩子啊，与感谢相比，你这番发自肺腑的感悟更令我高兴！看来你开始领悟到阅读跟写作的密切关系了。

这是一个良好的开端，望再接再厉！

老邓简评

我等过你。好久都没有看到你的佳作了，就在我失落之际，你终于来了！同时令我们振奋：

对人生的深入思考，使本文呈现出一种厚重；蕴涵丰富的语言，使议论更富哲理；还有形象生动的开头与结尾，不仅使文章洋溢着文采，更使结构浑然一体。

你给我们带来惊喜！

这篇文章已被浏览32次。
记者super_f16发表于
2003-2-15
18:19:27

精彩花絮

收件人：wojiger 发件人：小白 主题：求救

发送时间：2003-2-2 是否已被收件人浏览：True

老师，我真的不大会写散文，希望您在批评的同时给我提点建议，我会感激不尽的。

老邓回复：

散文以抒发情怀、感悟生活为主要特点，你的文章想抒发什么样的感情？你对生活有哪些体悟？不清楚。

题为“我等过你——蓝天”，你是以“蓝天”为抒情对象的吗？为什么在结尾处才引出“蓝天”？最不可思议的是自己竟然一直都没有注意过它，如何能体现“我等过你”？

前面写的三段与“蓝天”是什么关系？衬托“我”的心早有所属吗？既然如此，为何后面却安排蓝天来提醒“我”？

总而言之，文章思路十分混乱——而清晰的文脉恰恰是散文的关键之一！

建议1：多看看“哲理哲思”中的文章，体会散文的情致意蕴，以小见大的写作方法；再看看“参考模块。抒情类”中的文章，学习散文语言诗情画意的特点。

建议2：你的语言表达能力是有相当基础的，有时你对生活的体悟是相当独特的。但是你的最大弱点是懒于尝试和提高。我很希望你有效利用这个假期，快速提高你的写作水平。

让我们就从尝试写好散文开始！我相信你一定会“旧貌换新颜”！

精彩花絮

收件人：wojiger 发件人：没眼睛 主题：能只练议论文吗

发送时间：2003-2-15 是否已被收件人浏览：True

邓老师：我是史久龙。我想问问您，我只练议论文能不能应付高考。我现在好像也不会其他的文体，但议论文也不是那么拿手。我写议论文老找不到好例子来证明论点，是不是写议论文必须得有例子呢?如果我写别的文体，我应该写什么呢?

老邓回复：

收到你的来信既出乎我的意料，同时又特别高兴。因为我看到你过去的进步，更看到你现在的勇气与决心！我最想告诉你的是：有志者，事竟成！高考作文文体不限，所以你只管写好一种文体就可以了。我认为你应当重点抓好议论文，这种文体最好掌握，而且你已经有相当成功的练习了，只不过你必须多积累论据，包括事实与道理两类。我建议你多浏览“实验基地”里的“素材扩充”和“自我提升”两大类，并且有意识地应用到自己的写作中。多练习——作文的法宝！祝你成功！

自由为文，心无羁绊

公告发布：2003/2/15（网上作文指导第八次活动）

开学啦！　老邓

孩儿们：

吃元宵了吗?今天可是正月十五，老邓祝你们心想事成，一切圆满!

两个多星期没跟大家网上交流了，现在就让我们重返“基地”，继续我们的“写作才艺大比拼”!

今日作业：

1. 浏览“今日焦点”，切实感受时代脉搏；
2. 浏览“参考模块”，帮助确定个性风格；
3. 写一篇随笔，想说什么就写什么，想写成什么样就什么样，没有内容、文体、字数等限制。但是有一条要求：语言有特色。或优美流畅，或生动活泼，或犀利有力，或讽刺幽默……总之，语言上要有所追求或突破!

还愣着干什么?开始吧! 我还等着第一时间欣赏呢!

这篇文章已被浏览113次。记者 wojiger 发表于 2003-2-15 16:15:51

羽翼漫想 方圆

“风在不远处的枝头上，轻轻地讲述了一个故事，让所有鸟儿的翅膀，沾染上了向上的欲望。而鸟儿如今，正致力于梳理它们的羽毛，关于自由的传说，在忙忙碌碌的国度，被匆匆忙忙地传唱……”

鸟儿，被认为是世界上最为自由、超脱的生物，是因为它们拥有一对可以带它们飞翔的翅膀；不论那翅膀是大，还是小，是轻逸，还是舒展，都是鸟儿最为珍惜的部位；有了它，鸟儿就可以“背负青天，而莫之夭者”，翱翔于碧空，划落过幽潭，来无影，去无踪。

然而它们却不知道，就在它们尽兴欢娱的时候，另一种生物也在企盼着飞翔，他们没有天生的翅膀，但用自己的双手创造了许多会飞的东西：春日里，朝阳下，五彩的风筝承载着人们的愿望和祝福在云霞边闪烁；草地上，庭院中，简易的纸飞机搭乘着孩子们的欢笑与梦想从彼此身边掠过；然而这些不能使人们对飞翔的渴望得以满足，因为人们依旧只是站在地上，用眼睛向天上遥望——什么时候我们才能像大鹏一样从天上向下看呢?人们做到了，飞机圆了人们的梦：天空、云层、大地，尽收眼底……那么，天的外面是什么样呢?人们又做到了，飞船了却了人们的愿望：太空、大气层、地球，充盈视野……那么，宇宙的外面又是什么呢?……人们就是这样，总在思考、疑问，他们不仅飞上了天，还飞到了天外。

鸟儿虽然长着天生的羽翼，但它终究飞不出地球，挣脱不了引力的束缚；人类虽然没有翅膀，但思想早已带着他们飞出了外太空，飞向宇宙的深处，人哪里来的这拥有巨大力量的翅膀?其实,这也是天生的,那就是人类无穷的智慧和他们无边的想像力,这对翅膀虽无形,却更有威力,它不仅使人类的活动空间更加自由,而且打开了思想的门,让人们在一个拥有无穷自由的精神世界中遨游。

自由,是万物追求的目标,而在这有形世界中只有放飞思想才能获得最大的自由。其实,每个人都有自己的羽翼,只是有的人已经学会了飞,而有的人还没有找到翅膀罢了……

老邓简评

有形的翅膀,无形的翅膀,你的文章无疑给了我们飞翔的渴望。文章语言轻快流畅,长短句变换自如。

能够化平凡为神奇,有你的语言功底,更有你的思想魅力!

这篇文章已被浏览33次。
记者 1221 发表于
2003-2-15
18:03:05

情人节最美的一枝花

pengpeng

在这个属于情人的日子，在这条属于情人的大街上，我慢慢地走着，看着情人们依偎着的甜蜜，听着情人们蜜语的温柔，感受着爱的美丽。

爱的气氛包围着每一个人，爱的温暖融化着每一个人，尽管寒风依然在吹，气温在一点点降低。

我走着，循着花香走进了一家花店，这里已经是玫瑰的海洋，满眼的红色不禁让人心动，在这红色的海洋中我不经意看到了一抹蓝，它是那样的特别，我拿起了一朵，凑近了一闻，那香气就像它的颜色一样神秘，在花瓣的边缘是一圈泛着光的银边，我小心地将它放回了花瓶，因为它100多元一枝，我可不想让它在我的手中有一点闪失。人们微笑着走进这里，带着一束束的幸福从这里离开，我想在这个时刻即使是再冰冷的心也会被这爱的祝福所感动。

商店的货架上摆满了各种各样的巧克力,心形的,星形的……牛奶的,果仁的……事实上这已并不重要，因为即便是一块巧克力的收获，对于情人来说便是世界上最宝贵的财富，它不融在手，只融在心。

巧克力与玫瑰花变成了世界上爱情的纽带，连接着每一对情人的心,它们的货币价值已不再重要,5块的玫瑰被抬到了20块一枝,巧克力也变成了高价的热销品，但这些都已不在考虑之列，因为感情是无法用金钱来衡量的。

在这个美丽的季节,美丽的一天,情人们幸福着,因为他们相爱着，心靠得紧紧的；没有相爱的人也幸福着，因为他们感受到了爱，他们在幻想爱，追求爱，结果对于他们甚至并不重要，重要的是过程。

在情人节，玫瑰花代言了爱，但它并不是这情人节最美丽的花，那朵花开在每一个人的心里，那才是情人节最美丽的花，心花的绽放释放着自己对情人的爱,代表了情人在心中的存在,玫瑰的存在是物质的,但心中的那朵花是只有情人间才可以看到的，它是金钱无法买到的，它的开放见证着美好爱情的存在。

感情无处不在，爱情无处不在，因为在爱情存在的地方盛开着情人节最美的花。

在回家的车上，我看着天色在渐渐变暗，看着情意随着这夜的加深而变浓，我睡着了，在梦中我看到了一枝最美丽的花……

亲密聊天室

pengpeng 说：
终于挤进来了。今天作业是什么？
wojiger 说：
随你便，想写什么写什么，高兴吧？
pengpeng 说：
嗯，我看有同学写情人节，够胆大的。
wojiger 说：
什么意思？
pengpeng 说：
我是说我们能写爱情什么的吗？
wojiger 说：
爱情是生命的一部分，爱情是人类神圣而美好的情感，为什么不能写？怎么，你也想试试？
pengpeng 说：
哦，那有什么要求吗？
wojiger 说：
当然要写出美好来啦，爱情可不能亵渎啊！
pengpeng 说：
知道了，谢谢老师！
wojiger 说：
客气！希望你尝试成功！
pengpeng 说：
您等着，我不会让您失望的。88

老邓简评

果然如你“聊天室”中所言，没有让老师失望。

文章弥漫着浓浓的爱意，浓浓的诗意，脉脉的温情，让人情不自禁端起生活这杯美酒，慢慢品味、陶醉……

精益求精：

从“在这个美丽的季节，美丽的一天，情人们幸福着，因为他们相爱着，心靠得紧紧的，没有相爱的人也幸福着，因为他们感受到了爱，他们在幻想爱，追求爱，结果对于他们甚至并不重要，重要的是过程”，可以看出文章的内蕴已从单纯的爱情拓展到所有情感的大天地中，作者的内心世界也由此从单一进入丰富，可惜，一句“感情无处不在，爱情无处不在”和它引领的下文却重新回到抒情的起点——爱情，作者情感的丰富不见了，胸怀自然随之变窄，文章立意相应缩水。遗憾啊！你感觉到了吗？

不过，瑕不掩瑜，祝贺你！

这篇文章已被浏览35次。
记者 wojiger 发表于
2003-2-15
19:32:22

五彩星星的玻璃盒子
——给步美 郑弘

我们都会笑着摸摸她的脑袋，微笑着听她讲怦怦跳的心事。

她的脸红红的，像昨天清晨那一树樱花，单纯得可以滴出透明的水。她的声音小得听不清楚，但我们还是在害羞的微笑中，听出了那一个反反复复的名字。

于是我们就会继续扮演倾听者的角色，并且有点自豪地想着，自己是怎样一个善良和蔼的人哪。

小孩子的喜欢，我们都会这么定义步美的心事。那小小的幼稚的青涩的喜欢，又怎么会入我们这样成熟的人的眼。六岁的小孩子，懂得什么呢?

是的，懂得什么呢?步美全部的心愿，也只不过是想一直一直待在柯南身边，看着她心目中最最聪明最最厉害的人一次次灵光闪现，一次次把手坚定地指向前方。

真相只有一个。

真相只有一个。最后的结局在最初的开始时就已注定。新一一定会回来，一定会和小兰王子公主般幸福地生活下去。看到这样结尾的我们会微笑吧，这是我们梦想着的童话的结尾，圆圆满满。

不会有人问：那么，步美呢?

那个时候，有谁会想到那个小小的女孩呢?柯南不会，我们也不会。那个时候，会有人想着去告诉步美真相吗?告诉她她身边的男孩转眼间变成了小兰姐姐的新一哥哥?

我们都以为她还很小，并不懂得什么是真正的喜欢。

可是我们忘记了，小孩子也有着做梦的权利，并且比谁都执著，比谁都认真。那个放在手里小小心心地呵护着的天堂，又有谁有权力去抹煞？谁又能说，小孩子的喜欢，就不是真正的喜欢了呢？

所以一直期待，不要有结尾。结束的时候，你要步美怎么办呢？步美又能怎么办呢？哭泣或者微笑着祝福，有什么意义吗？

惟一知道的是，那个装满五彩星星的玻璃盒子，散成了满地透明的水珠，偷偷地在人后静静蒸发。就算是长大了遇到了其他的人，六岁时候的单纯的心情，也不会再有一次了。

步美偷偷地亲在柯南右颊，然后匆匆低下头去，樱花般淡淡的红色飞上她稚嫩的脸，藏不住的幸福。

知道这样的幸福短暂，但还是想祈祷永远永远，就算那是并不存在的。

因为已经不再单纯，所以想一直看着单纯的模样，不要伤害，不要失去。

老邓简评

一贯的纯美风格，一贯的细腻精致，一贯的似水柔情，一贯的清丽流畅——这就是郑弘的招牌！

这篇文章已被浏览52次。
记者 miepoy 发表于
2003-2-15
20:14:39

夜空中的浮士德 陈志强

这是一个突然闪过的灵感(inspiration)。

在无际的太空中，不计其数的星星按照自己的固定的轨道运行着，各自闪烁着灿烂的光芒。可是突然来了一个不速之客，打破了原有的宁静与美，那是一颗小小的流星。它惊讶于那些璀璨、美丽的星星，而自己只是一个渺小阴暗的小流星，默默地向前飞去。它努力追求完美，但那些星星却嘲笑它，认为美丽是与生俱来的，流星没有因为星星的话而停止脚步，它继续往前。

星空看似美丽，却充满了坎坷与危险，时时刻刻流星都要付出代价，随时都可能与其他星星相撞，但它坚持了下来，最后闯入了一个未知的星球，它克服阻力，向前加速，在前进中，它浑身发热，渐渐亮了起来，它在空中划出了一条美丽的弧线，流星也看到了完美的自己，它终于明白，世界上没有美丽的东西存在，只有靠自己的努力才能去创造。

老邓简评

最欣赏文章的题目，那么隽永而富含诗意，又是那么贴切——那颗小小的流星可不就是永不停止追求的浮士德！

巧妙的构思，语言也一改过去的生涩，自然流畅多了。

很高兴看到你在不断进步！

三枝玫瑰 我

今天是情人节，我一大早便出门了，我只希望我手里的花能卖个好价钱。

哎呀，今天街上的人可真多，大多是情侣，肩并着肩，手牵着手，相互依偎着。浓浓的，甜甜的。这真是一个充满爱的世界。可是，我望着手中的花，感觉沉甸甸的。

“先生，先生，买束花送给女朋友吧，玫瑰5元一枝……”我不停地叫卖着。今天不愧为玫瑰的节日，我批来的鲜花基本全卖光了——还剩下三枝。

看着这三枝玫瑰，我觉得心里暖洋洋的，就像我身上的毛衣那么舒服——这是妈妈为我织的。“小妹妹，这花多少钱一枝呀？”我抬头，看见的是一个大哥哥。

“5元一枝。”我回答。

“那这花香不香？”

“咦？大哥哥，人家都是看这花好不好看，你怎么问这花香不香？”

“噢，因为今天大哥哥要送花的人是看不见的，所以买束香香的她才闻得到，才感觉得到。”

“嗯，这花很香的。”我笑着。

“大哥哥，这是要送给女朋友吗？”我多了一嘴。

“不是，哥哥是要送给邻家的小妹，她从来没有过过情人节呢。”

“那哥哥是不是喜欢她呢？”我又多了一嘴。

大哥哥没有说话，只是呆呆地看着远方。

“大哥哥，祝你成功喽！”我把一枝玫瑰塞给他，转身跑开了。

“喂，钱……”

我没有跑回去，因为我知道我应该把这花送给他，不嫌弃身体有残疾的人，而且还爱着她的人，最起码他有一颗很好的心吧。

走着，笑着。摸着鼓鼓的口袋，看着手中的两枝玫瑰，我的嘴可能已经咧到耳根去了。还有两枝，到底卖

"我"的告白：

既然大家都写情人节，我也写，写一个不太一样的情人节。由于时间紧，本人打字又慢，所以……见谅！

亲密聊天室

给谁呢?远处跑过来了一位老爷爷。

"小姑娘……还有玫瑰吗?"他喘得要命。

"有，老爷爷，给你。"我递给他一枝玫瑰。

"老爷爷，你也是要送给情人吗?"我总是改不了多嘴的毛病。

"什么情人呀，老婆子了，一起走过大半辈子了，这还是头一回过情人节呢。"老爷爷准备付钱。

我笑着说："老爷爷，这花送给你了，祝你们白头到老，永结同心。"

老爷爷说什么也要把钱给我，于是我跑开了。

有人说，爱情没有天荒地老，时间会把爱情冲淡，我可不信，所见为凭。

突然我意识到了一件事，转身用我最快的速度向家的方向跑去。路上，有好多人要买我的玫瑰，我无暇顾及，我只是紧紧地攥着手中的玫瑰，这最红的一枝玫瑰，狂奔，奔向为我辛劳的妈妈。

妈妈，我回来了。

妈妈，我爱你！

老邓简评

君君，好样儿的！果然是不一样的视角，不一样的结构，让人耳目一新！

无题

我

降生，罪恶
我带着罪恶降生

“我爱你”
亲吻，拥抱，我透不过气
拿开你的手，离开我的身体

我狂叫着，呐喊着
留下的
还是一群迷恋的目光

罪恶，
我带着罪恶扑向熊熊烈火
也许，消逝
才是我惟一的路

人啊，我只是一张纸呀

亲密聊天室

我对大家说：

啊哈，第一次写诗，够次的吧！

对了，这是写钱……

wojiger说：

我简直要拥抱你了，真是士别一个假期，即更刮目相看呀！好孩子，初次出手，这诗写得够棒的！

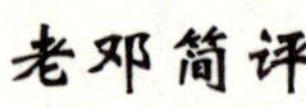

老邓简评

寥寥数语，却将金钱的特点、人性的丑恶勾勒得如此鲜明，耐人寻味呀！

祝贺你成为本周最佳写手！

这篇文章已被浏览31次。
记者赵睿君发表于
2003-2-15
21:15:32

我爷 李睿

过新年，跟一班朋友忙着准备联欢会、准备礼物，还有马上就要到来的期末考试。觉得整个人好像忙得四脚朝天不亦乐乎，每天披星而去戴月而归，心里满满的装的都是我的期待不安和喜悦。

然后突然听爸爸说：

——你爷爷出院了。

——且慢！未有入院，何来“出院”？

妈说：前一阵儿看你挺忙，也没告诉你让你再担心。你爷就是腰疼，老毛病了。

于是期末考试一结束，我就飞奔去了爷爷那里。

我敲开门，屋里只有爷爷一个人，门厅里赫然摆着辆轮椅，差一点没把我吓哭：上次见我爷，老人家行动还利索得很。然后我想起来：上次见我爷，竟然是五个月之前了。

我看着我爷在屋里走，他不愿意坐在轮椅上——打心眼里烦那玩意儿，仿佛坐上了它，自己就真的老了真的不行了真的连路都不能走了。

我觉得我爷从我很小的时候就是这样了。十年前，爷爷和奶奶半夜里推着自行车回家的时候摔进了一个没有井盖的井里，从那时候起爷的腿就开始不好使，后来还起了骨刺——也好像是之前就有。那时我还小，记不住事，只是觉得爷的腿一定很疼很疼，要不然小姑为什么执意要代替爷来接我回家给我做饭呢？有一次小姑上白班，说好了我自己回家，结果爷竟然偷跑出来接我。

我说：爷，我自己能回家，您怎么不在家歇着呢？

爷领着小小的我对我说：爷的腿没事，睿自己回家，谁来给你做饭呢？

好像那时候爷的腿还一瘸一瘸的。好像从那时开始，爷在我小小的心里，就成了最伟大最疼我的人。

后来爷的腿好些了，又开始来接我下学。

那三四年的时间，爷骑着那辆二四的旧自行车，几乎带我走遍了北京城；在爷的那辆自行车后座上，我慢慢长大……

我从包里拿出妈让我带给爷爷的半导体：新式的，全按钮设计，还有液晶屏幕。爷很高兴，可就是使得不顺手。

我手把手地教爷调那些只有英文标记的按钮，努力让爷爷记住那十几个长得一模一样的按钮分别有什么功能。调台的时候，里面传出了说评书的声音。爷说：让我听一会儿吧。

我一刹那想起了小时候爷在我家给我做完饭跟我一起听评书的情景：一平方米的小餐桌，老式的三洋牌录音机里悠悠地响着单田芳或是田连元或是刘兰芳十分个性的声音，我平生第一次记住了精忠报国杨家将的故事，第一次感受到高君宇石评梅凄婉的爱情，和爷爷一同感受那最纯朴的声音和文字里所传达的无尽内涵。

爷收起了新式的半导体，坚持要接着用那个旧得不成样子的老古董。爷从抽屉里摸出一团纸，指着上面的一溜小字儿告诉我那是他找到的半导体维修部的地址，有空的时候去修一修那个旧的，还可以接着用很长时间。我想从爷的手里抢过那团纸，我说我去修，爷却坚持说我一个要高考的学生哪里有时间跑出去。我没办法，我知道这一辈子爷都会在家人都吃完饭的时候坚持把剩菜一一解决，从不浪费。

爷把半导体收好，又从写字台下面掏出了两盒药，听说我现在老是头疼，专门给我买的。我问爷是不是又偷偷跑出去了。爷说没事，骑车的时候腰不疼。我说那下楼的时候呢?爷说那算什么?那几步道儿。

可是我知道，每次我爷下楼都要费很大的劲儿。

后来，奶奶回来了。我奶耳背，看电视的时候声音调得老大。我爷就偷偷地跟我说：你奶的这个耳朵啊，是真不行了。

原来我爷为了电视声音的事总是和我奶理论——他们知识分子吵架只能叫“理论”。我爷说几句什么，我奶一瞪眼，我爷也就只好嬉笑着打哈哈地过去了。这就是我奶脾气那么大，他们老两口还能和和美美地过了一辈子的原因。我爷才是真正的“好好先生”。

我爷原来最爱干活，家里人都坐在那儿看电视，我爷就举个扫帚扫啊扫、扫啊扫，在每个人的眼前晃一圈，直到把我奶、小姑们都晃烦了，她们用尽浑身解数想让我爷老老实实地坐下，可十有八九不会成功：我爷扫完地还要做开水、浇花、擦窗户……

现在我爷干不了那么多活了，有时候拄着拐棍扫扫地，有时候搬个椅子到水池边洗洗衣服。我去了抢着干我爷的活，可我爷总是不让着我……

我走的时候我爷还逞能地要出门送我，我让奶奶把他老人家拉了回去。爷说：睿你在家好好学习，没事儿就别来看我们了。

可我怎么能不知道，爷有多么希望我来呢？

我爷大约是二十年前从那套住了半辈子的单元房里搬出来，我爸妈在那里结婚，我在那里长大直到现在。我爷带着我奶奶、太奶奶、小姑、小叔搬到了一套三居室的大房子，五口人住着，满满当当。后来小姑结婚，爷把房子换成了一套二居室和一间平房。在新的二居室，太奶奶过世。没几年，又搬了新的二居室，小叔结婚分到了新房，离开了爷奶。之后爷奶搬到现在的房子，宽敞，却空洞。

我恨我不能天天来陪我爷。

后来我总想，我去看爷爷，本来是想安慰老人，结果却是老人在处处安抚我的心；我以为身体的痛苦会让爷的精神也很难过，没想到，难过的人却是我。

老邓简评

小小年纪，写出文章来却真絮叨，一点儿家常事儿，没完还没了——可是，我的心为何沉甸甸？我的眼角为何湿润了？

朴实无华的语言，朴实无华的情感，还有你那朴实无华却丰富细腻的心，它们何尝不是最动人的力量?!

想念 Fairy

我的姥爷也是这样的，他腿脚不好上个楼也只能用一边的腿，却从不用一个人扶，总是说："你们先走，别等我。"我们知道他是不想自己变成我们的负担。

姥爷和姥姥就一直住在他们的三间小平房里，在我印象中他没怎么去我们几个家的高楼。听妈妈说姥爷的腿是小时候被国民党打的，姥爷不只有这一个毛病，他还有肠癌，甲亢，现在他八十多了，耳朵又不好使了。每次大声跟他说话时，我心里就好一阵酸，这还是曾经用自己那多病的身躯养活了四个出色儿女的人吗?如今听儿女一句话，就要费好大劲。

姥爷从来不闲着，也是没事就干活，好像有干不完的活在等着他，我妈也遗传了这一点。不过最让我难忘的，是春节! 每年的春节，姥爷总是要做好多的肉食，给各个儿女装点儿回去，如果要是没吃上姥爷做的蒸碗，我会一年都惦记着，好像缺点什么似的。今年春节回姥姥家，中午吃饭的时候，姥爷总是往我的碗里夹丸子，看着姥爷的笑，尽管我再不爱吃都低着头吃完了。再抬头看姥爷时，他开心地笑着像个孩子，连鼻涕流出来了都不知道。我赶忙低下头吃饭，好像碗里被谁放了盐，咸咸的。

想想自从上了高中，我只有放假才难得看他一次，每每姥爷让我住一段时日，我都皱眉。冬天平房像一座冰窖，夏天像一座火炉，我再也不是以前那个小女孩了。但是心中对姥爷的想念却像酒越酿越醇。有时打电话去问问身体，也总是姥姥接的，姥爷耳朵不好只能由姥姥传话。我总是时时怨恨高考，是它让我舍弃了太多。

我总是怕，怕有一天他们会去另一个世界等我，尽管那个世界没有痛苦，尽管在那里，姥爷会是一个健全的人，但是没有了我们他会快乐吗？他还能给我们炖肉吗？他看不到我们吃，他还会笑吗？

人长得越大，亲情就越像婴儿的脐带割舍不下。我只盼，快快度过高考去守着我心灵的港湾，一直陪着姥爷看他那小孩似的笑容。

亲密聊天室

Fairy说：

看了李睿的文章，让我想哭，不禁让我想起了我的姥爷。

老邓简评

世间最美丽的故事是由真情叙写；世间最动人的歌是由真情谱曲。真情浇灌的花朵用不着刻意修剪花枝；真情流淌的文章用不着精心雕琢语言——我希望你的文章永远都有真情在！

这篇文章已被浏览53次。
记者 Y2.s.r 发表于
2003-2-16
10:52:55

月光·广播·我 gpn

拉开窗帘，把收音机的音量开到最小，躺在床上，看着皎洁的月亮，听着隐隐约约的声音。月亮很美，真的。我对她感到了陌生，除了上学时看到过的惨白的残月，似乎已经没有看到过如此美丽的她了。

听着窗外的礼花声一点点变弱，又一点点消失；收音机里播放的歌曲不停地变换，播音员的声音一次又一次出现、消失。任凭思绪在月光下驰骋，就像在一个虚无的世界中。

不知不觉，月光、广播，已经无声地陪我度过了三年。如今，月光依旧，广播依旧，只是没有了当年的那份简单、纯洁——如同这月光。三年，称为花季雨季的年代，能记得的就只有这月光、这广播了。也许我的生活就是为了它们，不是为了写作业而听广播，似乎是为了听广播而写作业，不是为了减轻白天的劳累而去欣赏片刻的月光，仿佛是为了感悟片刻的月光而去劳累一天。

宁静的夜晚，含蓄的月光，平实的广播，这些是我的财富，也是我的避难所。白天充满压力的环境，耀眼的阳光，嘈杂的噪音，不断侵蚀我的身体，只有夜晚、月光、广播让我去面对自己、体味自己的经历、寻找自己的价值。躲在属于自己的世界中，感受着片刻的安宁。这也算是一种逃避吧，虽然逃不掉，还是可以让自己享受的。

现在，能够毫无牵挂地度过一段长长的时间，在我的同龄人之中，有谁会浪费如此宝贵的时间?有谁再和我一样看着深夜的月光、听着为难以入眠的人开设的广播节目?有谁会和我心情一样?

耳边的广播一点点模糊，月亮和星星也变成为许许多多的脸，都是我至亲至爱的人，他们一个个的浮现，都是最灿烂的笑容对着我。

关掉收音机，拉上窗帘，遮住了月光，失去了广播。明天太阳还是要升起，要面对的还是要去面对，我所能做的只有在这夜晚，让月光与广播与我为伴，陪着我，让我平静面对明天带来的一切。

老邓简评

祝贺你交上来一篇美文。

读完你的文章，最深的感受就是平静——心灵的安谧。你的文字别有一种动人的力量，一如静静流淌的溪水，荡涤走焦躁，带给人以清凉；又像一盏心灯，给人温暖的力量。

“耳边的广播一点点模糊，月亮和星星也变成为许许多多的脸，都是我至亲至爱的人，他们一个个的浮现，都是最灿烂的笑容对着我”之类的句子多美！

你的进步令我吃惊！

商榷之处：

“我对她感到了陌生，除了上学时看到过的惨白的残月，似乎已经没有看到过如此美丽的她了”与“不知不觉，月光、广播，已经无声地陪我度过了三年”似乎矛盾；

“如今，月光依旧，广播依旧，只是没有了当年的那份简单、纯洁——如同这月光”中“这月光”与“月光依旧”中的“月光”是同一物吗？

这篇文章已被浏览50次。
记者 wojiger 发表于
2003-2-16
11:58:02

情人节随想

chen 2345

今年的“情人节”让人过得很不舒服。卖花的小贩，媒体的报道，情人的礼节，似乎都有一丝浮躁。

走在西单闹市，看着一对对卿卿我我的情侣，心里很不平静。

说到平静，不禁让人想起了沈从文先生笔下的那个边城小镇。远山在望，月色如银，一叶扁舟，几户人家——这是沈先生对“平静”二字恰如其分的诠释。

十七八岁的翠翠与祖父相依为命，美丽纯洁，情窦初开，爱上了船总的二儿子傩送。船总的大儿子天宝也喜欢翠翠，二人便决定唱歌“决斗”。飘然而来的爱情让翠翠平静的心湖荡起一丝涟漪，在梦里，仿佛听到了远山上传来渺茫的歌声……

天宝为了成全弟弟和翠翠，外出闯滩而死。傩送心怀愧疚，离乡而走。祖父也忧心去世，只剩下翠翠等傩送回来。一切又都恢复了平静，而又平添了一些似乎原本就存在的薄薄的凄凉。一切都是淡淡的。

此起彼伏的叫卖声把我拉回到现实世界。玫瑰的俏销让人惊异，巧克力的包装之豪华令人咋舌。听说新东安的各种优惠券2月14日全天无效，电影票一律120元一张。哎。

总觉得，有些人为了赚钱在炒作，而更多的人，则颇有些附庸风雅的味道了。

似乎有些明白了是什么东西让我的心躁动不安。

又回到了小说的世界……

我想起了十娘。十娘天生娇媚，京城名院中排行第十。虽是行户人家，却义重如山，与监生李甲情投意合，久欲从良。左右凑齐银两不易，却不想李甲贪财负义，一纸文书将自己卖予风流公子。最后一幕让人魂悸魄动：十娘抱持宝匣，向江心一跳，便波涛滚滚，杳无音信了。杜十娘为了追求心中的爱情而肝肠寸断，不惜付出生命，让人震撼不已。那一箱珠宝玉石相比之下也不过是瓦釜石砾罢了。

突然被问到为什么没有准备巧克力。“朋友之间也可以表达友谊嘛”。一席话让我脑海中浮现出两个字：博爱。书中说：“沧桑几许，人生几何，在爱与爱的抉择中，有一种爱叫做‘人间大爱’，重如山，浓于雪。”仔细想来，郁达夫笔下的男女之间，既没有曲折浪漫的爱情故事，也没有缠绵悱恻的爱情，却处处放射出难以掩饰的人性之光，这也许就是博爱吧。

长安大街望不到尽头。翠翠的纯真与矜持不在了，十娘的坦荡与热烈不在了，我们的爱情还剩下什么?除了靓男俊女?!除了四处充斥的浮躁?!

真正的爱情已经不在了，我们所渴望的那一种。

明年的情人节该是什么样子，我不得而知。

老邓简评

你能够从浓情之中看出世俗的浅薄，从爱意之中窥到红尘的喧嚣，这份清醒与冷静令人佩服!

你并非心如止水，感受不到生活的温暖与爱情的甜蜜，只不过一个爱字在你的心中有太重的分量，太纯的品质!

从你的文章中我切实感受到你对真情纯美的执著追求!

精益求精：

“郁达夫笔下的男女之间，既没有曲折浪漫的爱情故事，也没有缠绵悱恻的爱情，却处处放射出难以掩饰的人性之光，这也许就是博爱吧。”这个结论有什么依据吗?有必要形象地阐释一下。

这篇文章已被浏览69次。
记者 wojiger 发表于
2003-2-17
7:45:40

杂感 Shmily 未知

风，在天地间呼啸，卷起漫天黄土，扫落片片秋叶，挥走无数生灵
它狂吼着：我是万物之主，我主宰着所有生命！

水，在海面上咆哮，激起千尺浪头，淹没一切
它高叫着：我是生命之源，我主宰着他们的生死！

大地，在深处闷吼着，猛然撕裂坚硬的地皮，无情地吞噬
它狞笑着：我是全能之神，我主宰着整片大地！

灵魂，在心灵深处激荡徘徊
它没有风的狂猛，没有水的浩荡，没有大地的神威
它只在一块极小的红色器官里跳跃奔腾

可是，够了，够了
它已主宰了整个世界的命运

它把风驯服在身边，它把水掌握在手心，它把大地踩在脚下
它讥笑着风，它轻视着水，它嘲弄着大地
它冷眼旁观地球的衰败
它旋舞着轻盈的身躯，把世界引向了灭亡
它扭曲了，地球毁灭了

老邓简评

强烈的对比，巨大的反差，颇具冲击力的众多意象，将人类的伟力张扬到了极致——可是，我的心为什么满是痛苦与忧伤？

你的诗无疑是对人类每一个灵魂的无情拷问！

这是一次极成功的诗歌创作！祝贺你！

白璧微瑕：

第三节中谁主宰大地？大地主宰大地？

这篇文章已被浏览34次。
记者 wojiger 发表于
2003-2-22
17:52:08

精彩花絮

[19: 31]<柳慈欣>对<wojiger>说：邓老 ~~~~~~ 累死我了 ~~~

[19: 32]<wojiger>对<柳慈欣>说：可我为什么还没有看到你的文章呢?

[19: 33] <柳慈欣>对<wojiger>说：老师，我星期一交您作文!

[19: 34]<wojiger>对<柳慈欣>说：乖! 我等着!

[19: 45] <rk> 对<pengpeng>说：你的文章好长啊!

[19: 46] <pengpeng>对<rk>说：长吗?你觉得写得怎么样?

[19: 48] <rk>对<pengpeng>说：不错，只是我这人太保守，对写情人节不太认可。:)

[19: 49] <pengpeng>对<rk>说：喔，呵呵，那你把主题定在什么方向?

[19: 51] <rk>对<pengpeng>说：不知道，想了好几个，还没定，只知道不写敏感话题。

[19: 52] <pengpeng>对<rk>说：呵呵:)期待看到你的佳作。

[19: 53] <rk>对<pengpeng>说：谢谢，请多指教。

[19: 53] <满月>对<pengpeng>说：嘿，弟兄们好，谁又在那儿拍马 PP 呢?……

精彩花絮

[20: 52] <越腐尸人>对<wojiger>说：我发了两篇作文，一新一旧。好久没上来了，很想你！

[20: 53]<wojiger>对<越腐尸人>说：ME TOO！感动得很啊！

[23: 26] <花自飘零>对<wojiger>说：您不睡觉啊，这么晚还在？

[23: 27] <wojiger>对<花自飘零>说：我都快赶上“夜猫精”了吧?哈哈哈……

有感而发，任情驰骋

公告发布: 2003/2/22(网上作文指导第九次活动)

开学第二周 老 邓

孩儿们:

累了吧?先放松一下，进入“基地”，自由浏览。你可以看看上次同学的作业; 可以看看今天老邓为你们提供的新材料(重点是“今日焦点”、“道德伦理”版块); 还可以各取所需。

然后，我们来做“游戏”:

从丰富多彩的汉语(咱们的母语呀！)词语中选择一个你最喜欢的词儿，任意、尽情联想和想象，写出它非凡独特的意韵和鲜为人知的魅力，充分展示你的思想，你的情韵，你的胸怀，你的志趣，特别是你那或隽永，或深刻，或华美，或清丽，或犀利，或老练……的语言个性!

形式：或抒情，或议论，或讲故事，或诗歌，或杂文……随你啦!

有意思吧?行动!

这篇文章已被浏览117次。
记者wojiger发表于2003-2-22 16:37:43

坎坷　云野精灵

什么是坎坷？路上的水坑，山上的荆棘，河中的旋涡，这都是坎坷。

什么是坎坷？着凉感冒，堵车迟到，路遇扒手，这都是坎坷。

还有许多坎坷：高考失利，亲人去世，生意破产，莫名蒙冤……什么是坎坷？坎坷就是路上的不平！深浅高低皆为坎坷。平坦的路是单调而乏味的，人在乏味中会倦怠。有了坎坷，道路才变得丰富；有了坎坷，人才会警醒。生活因坎坷而充实，人生因坎坷而绚烂。

亲密聊天室

云野精灵对wojiger发出SOS：

我想不出写什么，您给我出个?!

wojiger对云野精灵说：

哈哈，准备接招吧——“坎坷”、“玉树临风”、“梦魇”……别难为你了，先来这几个试试看吧！

云野精灵对wojiger说：

经过研究我发现我特别不擅长这个！不过我决心好好练了，请邓老师多帮忙。下决心了！一个一个写。

写了足足20分钟，似乎非常差！这个有什么窍门吗？

这篇文章已被浏览20次。
记者 wojiger 发表于
2003-2-22
17:30:30

玉树临风

云野精灵

玉树临风，这个词从来就不指玉或树，它是说人的。

屈原在汨罗江边，李白在庐山之顶。

深沉的眼神，俊朗的身姿。

秋风瑟瑟，白衣如雪。

这就是玉树临风，这个词从来就不是指形的，它是说魂的。

纯洁而孤高的魂。

亲密聊天室

云野精灵说：

看，我的第二篇。嘻嘻，不好意思，这个也写了十几分钟。

老邓简评

好极了！

谁说你不会写？有短才有长，有浅才有深，你完全没有必要苛求自己！

其实你一出手已相当不凡：多漂亮的语言！

你想继续写，有了这样的念头，什么样的铁杵不被你磨成金箍棒?!

这篇文章已被浏览19次。
记者 wojiger 发表于
2003-2-22
17:40:31

梦魇　云野精灵

梦魇?不过是一群梦里的野鬼孤魂罢了。

按说一个心智健全的人应是不怕鬼的。譬如说宋定伯，他不单不怕鬼，还能捉鬼，卖鬼。据说鬼怕阳气，遇到活人惟恐避之不及，根本就近不了身!

但有人怕鬼，且怕得要命，甚至吓疯、吓死，这似乎也是确凿的。难道他们身上就没有阳气吗?阳气，正气也。人坐得正，行得直，平日积德行善，自然一身浩然正气，无所畏惧。而人坏事做得多了，心中动了歪念，正气就会大减，而邪气大增。鬼怪心魔在此时便可乘虚而入。

然而到了梦里，小鬼就会变成可怕的心魔。

这样的梦魇才可怕，因为鬼怪已没有畏惧。

这样的人才会恐惧，因为他们已没有屏障。

亲密聊天室

云野精灵向wojiger再次告白：

这个写得时间长了，不过中间打断了几次。

算起真正写的时间大概是20分钟。

其实是表功哦。邓老师！！

老邓简评

哎呀呀，你果然是写顺手啦，这一篇接一篇的着实让人佩服!

你的这一篇尤其出色，借词发挥，很有思想深度。特别是结尾促人思考，令人警醒。

＊示弱藏锋

快捷方式

示弱藏锋，无非就是想利用对手的轻敌，突发制胜。

乍一听总有一点阴阴的感觉。

这样的事例很多，都被说滥了，我就再不说了。

不过如果你脑细胞够用，再深入想想，或许会有意外收获。

示弱藏锋并不一定总用来对付敌人。

最典型的例子就是在封建社会，臣子从不敢超过君王：外出总是不敢超过君王的马头；狩猎总是把机会让给君王；作诗词也要低君王一等……

其实他们不一定真的不如君王，甚至大多数时候是强于君王的。他们之所以故意不如君王是为了保全自己。那时君王就是掌握他们生杀大权的神，而君王的脾气总是很古怪——他们不喜欢别人超过自己。若是惹怒了主子可不是好玩的。所以他们选择示弱藏锋。

示弱藏锋并不一定是为了战胜对手。有时示弱藏锋是避免冲突的一个手段。

当然天下之大无奇不有，史上也有利用示弱藏锋的。

最经典的就要数诸葛亮的空城计了。

给你留个空城，城门打开，我坐下来弹琴，你若攻城我毫无防备。

司马懿也是老手，第一个反应便是其中有诈：诸葛亮乃一介神人，所以他料定诸葛亮一定是示弱藏锋，趁其大意入城时埋伏他。但他没想到诸葛亮正是利用了这一点，示弱藏锋是假，让你不敢进来才是他的目的。

示弱藏锋，真真假假，引申出多少哲理，发展出多少故事。或许这就是汉语博大精深的魅力所在吧？

亲密聊天室

快捷方式说：

关于这个题目，让我想到一点题外话。

汉语确实博大精深，几个词就能联想出一大篇。但回头看看，似乎多数时候联想出来的内容与之关系并不很大。说来说去，起作用的并不是那几个词，而是你那聪明的小脑袋。没事时多用用脑袋，没准真有意外的收获呢！

wojiger回复：

好不容易才找寻到你的这篇文章，不过真的是很值得费这么多工夫！

老邓简评

文章非常有章法！“对付敌人——避免冲突——巧妙利用”，层次十分清晰，过渡尤其自然，整篇文章一气呵成，行文相当流畅！

特别是你的题外话，真的给人启发呀！

好样儿的！

这篇文章已被浏览11次。
记者快捷方式发表于
2003-2-22
18:41:03

如何舍弃——回荡在空中的长啸

冰

狼。

月光下。
深山、旷野、草原，
刺骨的风，从地面冲向天空；
孤独、寂寞、狂傲，
诡异的影，射出两道幽绿的光。

任凭冷风吹，
也不及
那一声寒彻心扉的长啸。

阳光下。
山坡、平原、草地，
强劲的风，在天地间穿梭；
威严、潇洒、不羁，
飘逸的影，迸发闪电般的速度。

任凭劲风阻，
也不能遮蔽
那带有金属光泽的帅气。

不要说它凶残，
只是因为那强有力的臂膀
和尖利的牙齿；
这是它拥有无人能及的力量。

不要怪它贪婪，
只是因为那满是欲望的眼眸
和血腥的钩爪;
这是它与众不同的吞噬天地的雄心。

有谁看得到
它满心的孤寂?
有谁体会得到
它心中的无奈?
又有谁知道
它那一丝淡淡的哀愁?

它的臂膀不是为追逐猎物而有力，
它的牙齿不是为咬断喉咙而尖利;
它的眼里常存的不是欲望，
它钩爪上的血腥不是它的最爱。

夜，静谧中，
那寒彻心扉的长啸，
那望向天边的双眼，
是心中苦闷的宣泄，
是对幸福的向往，
也是永远抹不下去的惆怅。

惆怅、惆怅。

“我是一匹来自北方的狼，
走在无垠的旷野中。
凄厉的北风吹过，漫漫的黄沙掠过。

我只有咬着冷冷的牙，
报以两声长啸。
不为别的，
只为那传说中美丽的草原。”

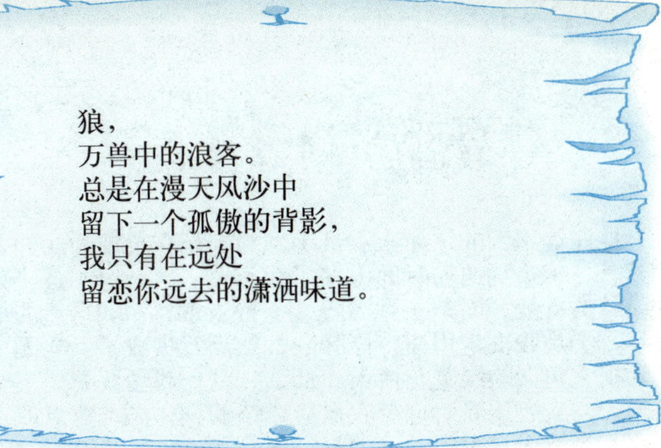

狼，
万兽中的浪客。
总是在漫天风沙中
留下一个孤傲的背影，
我只有在远处
留恋你远去的潇洒味道。

老邓简评

想必在你的心中，那一个“狼”字，就是一个悲情英雄，就是一个遗世独立的身影，一个你挥之不去的痛苦灵魂！

传神啊！

另：

我触动了怎样的一座活火山，让她炽热的才情如滚烫的熔岩冲天而喷发?!

我撞击了怎样的一口心钟，让她豪迈的气魄如雄浑的地音震荡每一个胸怀?!

一个“狼”字引出佳作不断，让人惊喜！

这篇文章已被浏览41次。
记者 Litchi 发表于
2003-2-22
19:12:25

恢弘 李德隆

也许得不到的，才永远最美。当开始在灵魂的深处搜寻时，一个词语霎时间占据了我整个心灵。这不是一种简单的喜爱，而是一种渴望，一种追求，一种自然的崇拜。于是我决定用语言诠释它，然而我失败了。我无法承担它包含的深邃与博大。那么，就让我尝试着用三幅画面，来表达我对这令我血液燃烧的词语的一点点理解——当然还有渴望、追求与崇拜。

一

这不是那种高耸入云的山峰，而是平地而起的绝壁。他孤独地静立在悬崖边上，没有帽子，穿着披风。凛冽的山风吹打着他健壮的胸膛，将披风化为一面迎风招展的旗帜。悬崖下面有一片森林，浓浓的绿向地平线铺过去，一直延到天边；还有一片原野，上面静穆着几个小村落，几缕炊烟升起，渐渐融化于浓浓的暮色中。在悬崖上可以望得很远，一直到天地相交的一线。他静静地望着苍茫的大地，仿佛雕像一般，一动不动。阳光斜斜地从他的背后飘过来，将一切染成了暖暖的橙色。

这里，应该是他守护着的土地。刚刚平定的战乱几乎耗尽了他所有的精力。现在，他只是想这样静静地望着，将广袤的世界容纳于心间。

二

一望无际的海面，不是蓝色，而是金色。海天相交的线上，夕阳尽情喷涌着光亮。太阳贴着海面，倒影在水中拉得很长，仿佛一座由天边伸来的金色长桥。海中没有大浪，只有细碎的波纹，长桥被轻轻地打碎，裂成一个个音符，串成轻悠的旋律。在接近天边的地方，夕阳之中，可以望见一道帆影。因为距离很远，又是背对阳光，看到的只是一个小小的黑色的船型。帆影缓缓地在天边移动，夕阳在一点点地下沉。当最后一缕阳光划过天际的时候，帆影终于融进了无边的黑暗，惟留下海涛的韵律，在宽广的海面上回响。

那应该是一群冒险的勇士，在未知的世界中追寻着年轻的梦。

三

这里是时间与空间的总和。一团斑彩的雾正在缓缓聚合成一个完美的球形。当密度终于突破了那个极限，耀眼的光辉瞬间迸发，如千万把利剑，飞射而出。当它的能量终于因亿万年的光阴而消耗殆尽，光辉将不再亘古的明亮，而变成黯淡的红色。它的体积会急剧膨胀，然后坍缩，成为质量的存在，连光都不能逃脱它的掌握。

时间在恒星的诞生与毁灭中穿梭。茫茫宇宙之中，没有人注意这普通得不能再普通的变化。一切只是按照它们既定的法则运转，然而——谁是法则的制定者？

我遗憾我无法用精确的语言表达我的理解，只得用图画来暗示。然而，一旦将思想寄寓于图画之中，就失去了理性的纯粹，增加了感性的缥缈。因为同样的图画，不同的人看到，会有不同的理解。但是，不论是否有人能够理解，我都将用生命感悟这曲颂歌，继续地，渴望着、追求着、崇拜着。

亲密聊天室

风之舞者无精打采地告白：

最近生病了，创作的欲望低迷，写作文又慢又不顺手，还别扭。文章还是要想写的时候才能写好的吧？积累满胸之言，一吐而快，才能气贯长虹，一气呵成啊。下次努力写得更好吧。

wojiger疑惑：

不是呀！我怎么感觉你今天该是“气贯长虹”了呢？因为我已经从你的文章中强烈感受到你的恢弘气势与齐天豪情了！

老邓简评

理性的纯粹固然能够体现思想的精绝，感性的画面何尝不是另一种荡涤心灵的力量！当我们浩然面对高山大河、宇宙长空，即便不发一语，思想的河流又怎能不从我们心底悄悄淌过？

镜

我

孤独的镜，懒懒地靠在墙上，映着周围的五彩缤纷，留下的，仅是她心中的空白。

到底什么是真实，什么才是虚幻……

“镜子、镜子，你告诉我，在这世界上谁是最美丽的女人……”

这句话我已经听得厌烦了，站在我面前的女人呀，美丽、漂亮难道就真的这么重要吗?你的容貌，你的气质，说实话，的确独一无二无与伦比。我可以映射你美丽的外表，但我无法给予你一颗善良的心呀。我决定要做一件事情，我希望这样做会让你醒悟。

“美丽的皇后呀，就连玫瑰见了您的美丽也要害羞的，但是，白雪公主才是这世上最美的女人。”

……

皇后派猎人去杀白雪，我拜托猎人放了她。皇后知道她和矮人们住在林中的小屋里，于是，装扮成老婆婆用毒苹果害死了白雪。

“镜子、镜子，你告诉我，这世上谁是最美的女人?”

我无言。

“镜子!……”她捶打着我，怒骂着我。惟一让我心动的是从她眼中滚落的泪，洁净透明，如水晶。

“这是什么?”她看着我，触摸着我。

“发现了吗?这是泪呀。”

“我有泪?”她摸着自己的眼睛。“你骗我，根本就没有。”

“没有吗?你杀了白雪，你现在快乐吗?幸福吗?扼杀了一个生命，你高兴吗?”

她无言，瘫软在地上，看着她罪恶的双手，抽咽。

“镜子，我懂了，请你救救白雪，我愿付出一切包括我的美貌，求……”

白雪复活了，而且和王子过着幸福快乐的日子。

王国里少了一位令人惊艳的皇后，却多了一个卖镜子的老婆婆。

老婆婆总爱看着镜子，微微道："原来这镜中的世界才是真实……"

镜中的世界，虚幻?真实。

亲密聊天室

我的独白：

完了，这次写的不到800字，咋办?唉，您就凑合看吧。

这篇自我感觉不好，缺了点什么，又不知是什么，请指点，谢!

wojiger打气：

讲故事不是你最拿手的吗?干嘛没有自信呢?哦，我明白了——谦虚呗！臭孩子！

老邓简评

构思巧妙，一改童话故事人物设置脸谱化的传统，转换角度展示主题——很不错的一篇"故事新编"呀!

不过，还是要提点儿意见呦：皇后的转变是不是快了些?人物塑造有些简单吧?那么歹毒的皇后肯定有着极其复杂的内心吧?该如何表现呢?

动动你聪明的大脑瓜!

这篇文章已被浏览32次。
记者赵睿君发表于
2003-2-22
20:30:42

＊渴 神未知

(一)

渴，在不同的地方，有不同的心境。

(二)

在这里，没有水的世界，漫游者抿了抿干裂的唇。日是火的神灵，把自己的淫威施遍整个土地。静静的，火蔓延着，从脚下那晒开了胶的旧鞋，从头顶那冒着蒸气的“枯草”，从身上那素布白麻的衬衣，燎着，每一寸，每一分，烧遍了他的全身。

渴！漫游者吃力地抬起眼皮，眼光里闪出，海市蜃楼的绿洲。

在这里，充满水的世界，老水手瞅了瞅干瘪的水囊。海是水的荒漠，用自己的胸膛托起片片孤舟。默默的，浪翻腾着，从船底那趴满了贝的木板，从船头那挂着绿藻的铁锚，从桅顶那斑斑黄渍的白帆，拍打着，每一分，每一秒，召唤着他的喉咙。

渴！老水手痛苦地拿起水囊，眼光里闪出，对于水的无奈。

(三)

西北的一座小山村，妮子静静地坐在家门口，手中小心地捏着几张旧纸。没有人知道，纸上写了些什么。因为，那只是她，从山坳里捡来的，希望。纸片上的字，她看了一遍又一遍，背了一遍又一遍。在静静的思绪里，风儿带来的无意义的符号，爬着，爬着，爬遍了妮子的整个童年。西北的风啊，肆虐的风，你肆虐着这片贫瘠土地，吹起了沙，吹走了水分，也吹干了妮子晶莹的眼中——所有的渴望。

渴！在无知的沙漠中，妮子就是这样一个干渴的漫游者。小村中没有人明白，那几片旧纸，就是她眼光里，闪着诱人绿色的海市蜃楼。

海边的一个大城市，老俞头默默地行在街道上，手里吃力地提着个破口袋。没人不知道，口袋里装了些什么。因为，在这文明时尚的大都市里，这样的口袋就足以说明了身份。“可我不是清洁工。”没有人听老俞头的“申诉”，可谁的“文明杰作”都装进了老俞头的口袋。他每天绕着城市一圈又一圈，蹲下去一次又一次，只为了找寻精神的水源。在五光十色的街头，海风带着湿润的雾气，弥漫着浪漫，弥漫着文明，也弥漫着所有的“杰作”悄无声息地进入了老俞头的破口袋。

渴！在“文明”的海洋里，老俞头就是这样一个无奈的老水手。城市里没有人意识到，那一个口袋，就是老俞头眼中，海船里干瘪的“水囊”。

(四)

漫游者，在沙漠中；
老水手，在海舟里；
妮子，在山村中；
老俞头，在都市里；
不同的地方，
一样的
渴。

老邓简评

自豪吧，你的这篇文章真称得上是本周佳作！

内涵丰富、意韵深邃的几个画面巧妙地连缀切换，从不同的视角揭示“渴”字带给人们的种种思索，确实启人心智。特别是文章充满忧患意识，令人动容。

椅子 陈志强

（一把铁的椅子，一把心灵的椅子，一把生命的椅子。只是一个灵感而已。）

在一个湖畔，雪地上空无一人，只有一张铁条钉成的长椅。这是一个静态的、肃穆的画面。它也寄托着一种意味深长的空寂。空空的椅子，它在湖畔经历着什么又等待着什么？

透过积雪，我看见了椅子上斑驳的印记。在这张椅子上曾经发生过什么呢？

也许有过一段轰轰烈烈、刻骨铭心的爱情，也许有过一场撕心裂肺的生死别离，也许有过一次别后重逢的喜悦；或是黑暗中的沉思，秋光里的寂寞，夕阳西下的伤感。

曾经在椅子上坐过的人，有着不同的年龄。它在这里停留一刻，就会在这里留下心灵的芬芳。更多时刻，这铁椅已经融进时间的河流中，它在思考，它在等待着一个人。椅子空空，但它却承纳了一种博大和无限。

在这里有过生命与生命的交织，演变过刀光剑影与金戈铁马的荣辱兴衰……（这里可以写许多，还没有想好，但我一定会变得精彩的）这是一部横卧在时间岸边的史册。在这张椅子上体现着生命的极致。积雪无痕，在心灵的湖畔，留下了缕缕的足迹，清晰的足迹，时间的足迹。（在这里还有后续及我的亲身体验等）

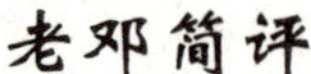

我相信你一定会写得很精彩，因为现有的每个片段都足以带给我们关于人生的种种浮想与思考。同时作者注意到语言的诗意和感染力，很有追求。

不过，正如你所言，“还没有想好”，所以文章思路并不十分清楚，抒情线索也显得凌乱，特别是文章的主旨不够明确。

希望早日看到你精心构思出的“成品”——更希望它一出手即为精品！

这篇文章已被浏览16次。
记者陈志强发表于
2003-2-22
21:33:38

＊道歉 wm

人类的胸怀是这样的宽广、博大，然而人类的情感却又是这样的朴实、羞涩。

今天我看到了一封道歉信，它自称为检查，文中的几句调侃似有意又似无意，淡淡的，欲引人发笑，却给人一种凄凄凉凉的感受，想必作者是要掩饰脸颊上的那一抹微红。

道歉，不是一种妥协，而是一种心灵的沟通。道歉也不是那简单的三个字“对不起”，道歉或许就该在面颊上留有一片红潮，断断续续地吐出沉甸甸的话语，让惊喜与酸涩在心头交替，让两个人的关系在刹那间像水一样清澈、清凉、清爽。

然而这需要琢磨，需要品味，需要细细体会话里话外那流动的情感，然后淡淡地笑，对自己心中的那份理解淡淡地笑。

古人的豪爽是不复存在了，廉颇的负荆请罪在今时今日或许会被当成疯子，然而人性中的纯洁和真实却在用另一种方式表达着，牵动我心。

因为我理解，所以我感叹。真正的道歉不是一种生硬的形式，不意味着亏欠和偿还，只是喧嚣世界、繁琐人际中一种倾情表述，倾情却低垂着睫毛，下面闪动着真诚的眸子。

啊，我竟发现在那封道歉信的尾处若隐若现地有一株动人的含羞草。

老邓简评

好久没有看到你的作品了，今天真有些喜出望外！熟悉的优美文笔，熟悉的低吟浅唱，熟悉的温婉心灵，还有更为熟悉的敏锐与深情！

好好坚守你与众不同的写作风格！

夕阳 19841216

不知道荆卿胸中是否装着易水河畔的美景，但易水的夕阳一定会抹下最浓重的笔墨为英雄饯行，在苍茫之中留下了一个高大的红色的背影。

不知道乌江的浪花是否淘尽了力拔山兮的霸气，但乌江的夕阳一定铭刻住了一位王者无奈的泪水和依旧冲天的豪情。

不知道黑龙江水是否能载尽昭君思乡的愁苦，但黑水的夕阳一定还在用如血的文字控诉朝臣的懦弱，君王的薄幸。

不知道东海的潮水中是否还回荡着盛世的韵律，但海上的夕阳在面对虎门的滚滚硝烟，一定怀念着郑和的巨帆扬起的雄风。

不知道昆明湖的柔波上是否还漂着百年前的胭脂，但那只曾经随着马背纵横天下的太阳撒下最后一缕余晖时，一定忘不了瀛台里那位皇帝中兴的梦想和他的有心无力。

不知道夕阳为什么总是奏着挽歌，如泣如诉。

但黄昏是黎明的前奏，夕阳也是明天的序曲。

老邓简评

一轮夕阳铺展开千年古国波澜壮阔的历史画卷，一轮夕阳映衬着古老民族壮心不已的猎猎风旗。夕阳是过去的悲壮，也寄寓今日的豪壮——作者借夕阳解读史册，抒发感情，新颖别致。

值得斟酌之处："那只曾经随着马背纵横天下的太阳"如何理解？

自尊 CHEN 2354

人皆有自尊，人皆需自尊。

自尊，犹如一面旗帜，赫然凌驾于地位尊卑、家境贫富、能力大小、条件优劣等尘世俗念之上，在人类精神和灵魂的制高点高高飘扬。

自尊就是力量。自尊的力量，足以化腐朽为神奇，变耻辱为光荣。试观寰宇，多少人杰，就是这样高擎着自尊的旗帜，凭着自尊的力量，在厄运中奋起，在挫折中挺进，披荆斩棘，一路豪歌，而最终冲上了事业的巅峰。

自尊是人生杠杆不可缺少的支点，它赋予生命意义。小说《简·爱》所塑造的艺术形象，之所以能够震撼一代又一代读者的心，难道不正是简·爱以自尊精神为人生支点的人格魅力使然吗？人生若失去自尊，生命还有什么价值？

然而，自尊有时也会成为精神的枷锁，灵魂的裹布，如果我们不能正确把握其真谛的话。

当我们把自尊的旗帜只当作一块遮羞布，再横七竖八扎上无数条“自尊”的绳索时，自尊也就走向了反面，失去了它真正的精神和灵魂，必将阻碍生命和人生的发展。

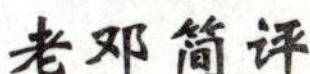

老邓简评

文章总体轮廓不错，搭起了很好的议论文骨架。特别是开头和主体部分中的形象化议论充分展示了你的语言表达力，各个比喻准确精当，增强了说理的感染力。

需要进一步加工的是：

1. 正面说理的分论点可否增加一个，同时统一为整齐的句式：
   A. 自尊就是力量　　　B. 自尊才能自强
   C. 自尊如同支点
2. 为什么全文只有一个例证？论据不充分，影响说服力。
3. “自尊有时也会成为精神的枷锁，灵魂的裹布”比喻传神，可惜缺乏具体阐释，所以内容很空。可尝试分解为：过分自尊要么会走向自负，目空一切；要么容易转向自卑，妄自菲薄。
4. 为什么结尾段不考虑与开头的句式风格统一？这样的结构才能完整严谨，浑然一体呀！
   又忘了？期待你的修改精品！

这篇文章已被浏览33次。
记者 wojiger 发表于
2003-2-23
10:26:34

＊人生 super_f16

在一些人看来，人生无常。昨日还是腰缠万贯，今天已然穷困潦倒。但我想瞿秋白不会这么认为。要是没有他在监狱中的一段经历，那惊世骇俗的《多余的话》从何而来?史铁生更是不会如此认为。如果他不是一个双腿残疾的人，他怎么会从地坛那里得到一双能看透世间的慧眼和一个彻底感悟了人生的灵魂?人生无常，这不假。但当你用一颗坦然与博大的心去面对它时，又有何可惧?

在一些人看来，人生短暂。昨日还是朝气蓬勃，今天却已日薄西山。但我想爱迪生不会这么认为。在他的一生中，有上千件人们当时闻所未闻、见所未见的新发明从他的手中走进人们的生活。人这一生的确没有几年，而能够被利用的时间又是少之又少。可是要换一个角度想，一年就有三百六十五天，每天都有二十四个小时，每小时都有六十分钟，每分钟都有六十秒钟。如果我们在平时都争分夺秒，珍惜时间，人生的短暂又从何谈起呢?

在一些人看来，人生总在经历痛苦。刚刚从困境中摆脱，新的问题又接踵而至。但我想孙中山一定不会这么认为。为了推翻清政府在中华大地上昏庸的封建统治，他发起过无数次的革命运动。但在凶残、顽固的旧势力与奸诈、狡猾的帝国主义列强面前，他屡战屡败，却又屡败屡战，终于在辛亥革命之后建立了中华民国。人的一生注定不是一条平坦笔直的大道，而是会布满荆棘。人人都会经历坎坷，或是误入歧途。但这并不说明人生是痛苦的。一颗坚强、执著的心能够把一切困难都化作继续前进的力量。

我不禁想起了一段歌词："人生就像一场拼争，每天都在攀登。翻过这座山，越过这道岭，眼前又是一座峰。人人都有一个梦想，每天都在圆这个梦。圆上了爱，圆上了情，圆上了一个无怨无悔的人生。"

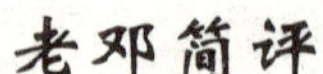

文章论证思路非常清晰，句式整齐的三个分论点显示思维相当缜密，三个论证角度论据充实典型，特别是排比段的准确使用使文章拥有不容辩驳的气势，掷地有声，说服力很强。

进步大大地呀！好小子！

这篇文章已被浏览50次。
记者 super_f16 发表于
2003-2-23
20:45:04

*心境 王正昂

——我的心中每天开出一朵花。

我的心园是一片肥沃的土壤，每天，我都会在那里小心地种上一朵花，并且给它们起一个好听的名字，等待着有一天，能够结出丰盈的果实。

(一)

曾经，在杂志上读到过这样一个故事：从前，有两位梦想成为画家的年轻人，由于家里的贫穷，他们边做工，边练习作画，后来，由于过度劳累，其中的一个人手指变了形，这对一个梦想成为画家的人来说无疑是一个致命的打击，因为这意味着他从此不能再作画了，然而，这位年轻人却没有因此而消沉下去，相反的，他更加努力地做工了，他用自己的劳动养活了他和朋友两个人，为了使朋友能够专心作画，早日画出成绩。后来，朋友果真成了名——在一次巴黎书画展上，朋友的作品得了大奖。当成功后的朋友拿着奖杯来到他们的住处时，推开门，朋友愣住了：他正双手合十，跪在地上，虔诚地为朋友的成功祈祷着……

我国有句古话叫做“己欲立而立人，己欲达而达人”，这位年轻画家的做法正应了我们的这句古话，真诚的待友，将他们的成功当成是自己的快乐，于是，今天，我在我的心园中种下了一朵花，给它起名叫做“真诚”。

(二)

曾经，很喜欢紫罗兰，不仅仅因为它淡雅的颜色和它娇小的外形，更因为它代表了一种精神：有人不小心将脚踏在了它娇小的身体上，弄脏了它漂亮的脸蛋，折断了她纤弱的腰肢，而你一定不会想到紫罗兰会怎样“报复”这个无意中带给自己伤害的人，紫罗兰不会恼，不会怒，不会大发雷霆，亦不会捶胸顿足，而是默默地将它的香气留在了那踩扁了它的脚踝上。

于是，作家马克·吐温说——这，就是宽恕。于是，今天，我在我的心园中种下了一朵花，给它起名叫做“宽容”。

(三)

曾经，被一位邻家男孩的笛奏声深深感动过。那是一位双腿残疾的男孩，他家的后窗正对着小区的街面，在每一个安静而平常的日子里，男孩总是准时吹响他心爱的笛子，那乐声像早晨的光芒，从他修长的手指间倾泻而出，那些像露珠般纯洁、像水晶般剔透的音乐，感动、感染、撞击着每一个匆匆的过路人。而他的生命和他的理想也就在这音乐里面，如一粒折射太阳的泪珠般闪耀着，让我感到，原来生命是可以高过诗、叹息和尘世的。男孩的话又一次回荡在我的耳旁：“我的脚不能走路了，我的音乐，我的理想，我的生命却可以和人们一道走得更远。”于是，今天，我在我的心园中种下了一朵花，给它起名叫做“坚强和乐观”。

……

就这样，我的心园中每天开出一朵小花，我的心境是一个大花园，在每一个阳光灿烂的日子里，心花怒放。

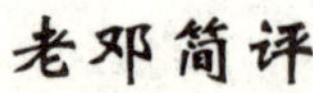

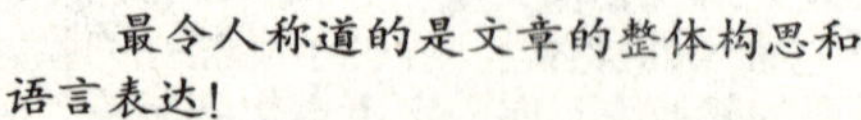
最令人称道的是文章的整体构思和语言表达！

作者巧妙运用比喻手法，把心中的渴望比做一朵朵小花，形象可感，避免了空洞的说教，感染力极强。

开头结尾充满诗意，回味无穷！

这篇文章已被浏览33次。
记者柳浪莺啼发表于
2003-2-23
23:07:27

＊高三 gpn

高三，是春天，我们的生活才刚刚开始；高三，是盛夏，我们如火的激情比太阳更炙热；高三，是深秋，我们三年的友情即将结束；高三，是寒冬，我们面临的挑战比北风还要凛冽。

高三，很纯，我们作着纯度很高的练习，我们有着纯正单一的思想。高三，很慢，我们看着厚厚的参考书，不知什么时候能够让它“寿终正寝”；我们想着试卷上的难题，不知什么时候能够让它漂亮地出现在试卷上；高三，很简单，我们看着满意的成绩有着孩童般的欢乐，我们过着不变的生活，一天又一天。

高三，像一座山，在一遍又一遍相同的旋律之中达到顶峰；高三，像一条跑道，在一圈又一圈的重复之后才能看到终点；高三，像一只船，经历了一次又一次的峰尖浪底之后就能驶向港口。

春天是很美，但只有一次；盛夏是那么热烈，却也如同激情，稍纵即逝；深秋的确感伤，可我们最终也要面对；寒冬的朔风着实凛冽，然而我们还是要仰起脸去迎接它。

纯真年代不再是我们的；缓慢的生活节奏也不再适合我们；简简单单的思想让我们如何去面对复杂的社会?我们已经站在了保护伞的边上，再迈一步，就要独立面对社会。

一道弯又一道弯的盘山路的确熬人，一圈又一圈的跑道肯定是种折磨，一次又一次的跌宕起伏诚然考验人的心理，经过了这番洗礼，我们还会害怕面对未知的苦难么?

高三，一生之中，有谁愿意回头重复?有谁想再经历它的痛苦? 有谁可以接受再一次的磨难?

高三，在我记忆之中，我只愿记得煎熬中你给我带来的苦中作乐，只愿想起患难里你给我带来的真挚友情，只愿记得历经考验后你给我带来的辉煌。

高三，为你，十二年的苦读只是为了片刻的辉煌。为你，六年的奋斗只是为了那一分的骄傲。为你，三年的努力只是为了那一秒的一览众山小。

高三，面对你我无法逃避，所以，我要把你掌握在我手中，用你去换明天。

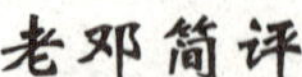

我最怕看高中学生写高三的文章，因为除了累，除了苦，看不到任何希望；因为除了烦，除了乏，看不到一丝笑容。但是，我难以拒绝你的文字，只因为你懂得从咀嚼痛苦中品尝出另一种甘甜！有了这样一种胸怀，平凡自会变为神奇！

推敲之处：“像一座山，在一遍又一遍相同的旋律之中达到顶峰”中“旋律”与“顶峰”有何关系？

这篇文章已被浏览56次。
记者 wojiger 发表于
2003-2-24
14:38:26

*水的联想——旅者手记

解轶男

不要问我从哪里来，我只是一个旅者。我流淌在每一个角落。

千百年来，我旅行在这茫茫世间，亲历了多少人间的感人故事。于是我写下旅者的笔记，以时时感受人生的真谛。

某年某月某日

“风萧萧兮易水寒，壮士一去兮不复还。”

荆轲！

他斩钉截铁地歌唱着，从我身边走过。

我静静地躺在易水之中望着他，为他送行。在我周围是冰冷的河水，还有人们落下的滚烫的泪珠。

但是，我清楚地看到，荆轲没有流泪。我想真的英雄应该就是这样，明知没有归途，忠诚的他依旧勇敢坚强地踏上死亡的征程。

某年某月某日

“我终于明白了！！浮力我明白了！！！”

随着一声狂叫，我感到我所在的浴缸里泛起了波澜。

一个疯癫的白胡子老头，从浴缸里跳了出来，兴奋地跑了，连衣服都忘记穿。

阿基米德！

我可以理解你的兴奋。因为你相信，我也相信在这个世界上，智慧是至高无上的。

某年某月某日

一座宁静的英国庄园，花园里种满玫瑰花。我轻轻地从喷壶里流出。喷壶，在她手里，那个美丽清纯的姑娘。

她正看着我流进土壤。忽然，她的视线移开了，注视着走来的青年。

他，温莎公爵。

“我已经决定了，我要和你在一起，一生一世。”他的话很坚决。

“可是，我们的地位太悬殊，你娶我会失去王位。”

“王位，我从不在意，那只是一个虚无的梦。只有你我的真情才是天长地久的……”

我望着这对有情人。在玫瑰的芬芳中，我懂得了真情无价。

某年某月某日

我打开笔记，提起笔，再一次记下令我感慨的东西。

老邓简评

多么精当的比喻——旅者！世界上还有比这更具漂泊特质的形象吗？充满诗意的想象啊！

多么巧妙的构思——旅行手记！水里流淌着历史，水中记载的更是人类美好的精神旅程，这一切都被你敏锐地捕捉到了，实在难得！

＊泥土 bigxiexi

离捏泥巴的年代已经很远了，但当那个阳光明媚的中午，独自一人在学校的花园里捏泥巴时，心中竟充满着一种儿时没有过的原始的快乐。

仿佛奔跑于一片青草地上，掩不住心的喜悦跳动，对着阳光大喊。又仿佛只是静静地躺在绿中，兴奋而闲适，任阳光在身上游走。

女娲造人也该是这样一片青草地，这样温暖的阳光吧。一个小小的人在草地上跑着，喊着，将身子扑向土地，躺在花木中，与之共同体味着生命的喜悦，生长的激情。

泥土是生命的依托，生长在泥土中的花，就是祖祖辈辈埋首在黑土地里翻耕的人。黑色的静默的土地，是春的青绿，夏的芬芳，秋的绚烂，是生活的希望，是快乐的源泉，是梦想升起的地方。

泥土是死的归依，长得再高的树木，叶子终归要飘落而下，走得再远的蒲公英还是会在土中了却一生。林黛玉懂得生命的真谛，才会执意将要随流水飘逝的落花葬在土中。落花伤情，那使人想到泥土中的具具白骨，往昔的风流，今日的秋风黄叶相伴，便会悟到人生便是一篇文章，无论是跌宕起伏，还是平淡乏味，没有句号的作结都是不完整的，泥土就是句点。

同样的阳光雨露下，却开出了各种各样不同颜色的花。每一株花似乎都有一个不同的灵魂，就在它们扎根的土地下，没有人能够探究到心灵的深处。土地也有着同样的神秘，还多了一份悠久与深邃。土地下是历史是人类的智慧，土地上是农民憨厚的笑，黝黑粗糙的手。过去与未来之间，土地将生与死唱成一首循环往复的赞歌，超越着一春一秋的小生小死，一世一人的荣辱兴衰。

三藏西行取经前，唐太宗用指甲挑起泥土弹入酒杯中递给三藏，说道："宁取家乡一杯土，莫要他乡万两金。”远方回来的游子会深情地捧着一把泥土，仔细嗅着，心就有了家的感觉。有的人则索性合身扑在地上，作最直接的接触，抒发最强烈的情感。在游子的心里，一块泥土就是整个故乡。无论身在何处，灵魂都总扎根于一方土地之中，牵挂着无论走得多远的心。这种强烈的归依感，该是源于那一片阳光明媚的青草地吧。

泥土做的人本就要回到泥土中去的。人与泥土有着千万年不变的缘。

我似乎懂得了那天捏泥巴的快乐，一次与最遥远的自己的对话。

老邓简评

选择了“泥土”，你就选择了深刻！

思接千里，心骛八方。纵横驰骋的联想，挥洒自如的抒写，段段含哲理，句句有诗心。一抔泥土咏唱出一个民族的血脉经络，一次对话开掘出整个人类的生命本原。那么大气，那么深厚，那么悠远……放得开，收得拢，堪称形神俱佳，耐人咀嚼！

听听这句：“生长在泥土中的花，就是祖祖辈辈埋首在黑土地里翻耕的人。”

想想这句：“黑色的静默的土地，是春的青绿，夏的芬芳，秋的绚烂，是生活的希望，是快乐的源泉，是梦想升起的地方。”

品品这句：“土地下是历史是人类的智慧，土地上是农民憨厚的笑，黝黑粗糙的手。”

再琢磨这句：“人生便是一篇文章，无论是跌宕起伏，还是平淡乏味，没有句号的作结都是不完整的，泥土就是句点。”

“泥土就是句点”，神来之笔，绝了！

我还能说什么呢？我只能引用南非诗人乔科的话：我等过你。

大谢曦呀，我实在担心自己的语言在你的文章面前苍白无力——你给了我怎样的惊喜！

这篇文章已被浏览48次。
记者 wojiger 发表于
2003-2-28
20:47:17

精彩花絮

[21: 28] <大大熊>对<wojiger> 说：老师，怎么写呀？

[21: 29] <wojiger>对<大大熊>说：学一休，动脑筋。

[21: 30] <大大熊>对<wojiger>说：我一直动着呢，您提个醒。

[21: 31] <wojiger> 对<大大熊> 说：同志，作弊呀？

[21: 32] <大大熊> 对<wojiger > 说：我知道了，哈哈。

[21: 33] <wojiger> 对<大大熊> 说：聪明！

[21: 34] <大大熊> 对<wojiger> 说：哼哼！

[21: 35] <wojiger> 对<大大熊> 说：快写，好抢头功啊！

[21: 36] <大大熊> 对<wojiger> 说：您等着瞧！

[21: 38] <满月> 对<wojiger> 说：你敢威胁老师？

[21: 39] <wojiger> 对<满月> 说：别假装好人，这半天你构思了吗？

[21: 40] <满月> 对<wojiger> 说：我不是在思索呢吗。

[2: 41] <wojiger> 对<满月> 说：瞧瞧人家的速度，学着点儿。

精彩花絮

[21: 42] <满月> 对<wojiger>说:　学他? 他是我对手吗? 88 (下线写去了)

[22: 05]<满月> 对<wojiger> 说:　老师，我不想写这个题目行吗?我想写别的，特想。

[22: 06]<wojiger> 对<安静> 说:　最好能兼而有之。

[22: 07]<满月> 对<wojiger> 说:　这还真难。现在心中有个特别想抒的情。

[22: 08]<wojiger> 对<安静> 说:　那就先抒后写。

[22: 09]<满月> 对<wojiger> 说:　什么叫先抒后写?

[22: 11]<wojiger> 对<安静> 说:　就是先抒发你那不可不抒的情，然后嘛，就全凭你的能耐和觉悟啦!
(半天不见动静)

[22: 13]<wojiger> 对<安静> 说:　怎么啦，孩儿?怕啦?

[22: 14]<满月> 对<wojiger> 说:　没什么，一会儿您看吧!

精彩花絮

[22: 15] <陈志强>对<wojiger>说: 我是地之火神。赶紧看邮件，送您一句话(我认为比较经典的，刚看的，这两天狂看): 我为了阳光，来到这个世上，我想用这句话，命名我的人生观，怎么样? 赶紧看邮件，拜托了!

[22: 16] <wojiger>对<陈志强>说: 说得这么热闹，倒是发过来看看呀!

镜头 四

沉淀你的思想

公告发布: 2003/3/1(网上作文指导第十次活动)

开学第三周啦 老 邓

孩儿们:

今天过得怎么样? 做题做累了吧?

来，进入“基地”，四处溜达溜达，看到欢喜处，闭想一想; 不免激动时，上网敲一敲。把你的耳朵叫醒，把你心门打开，让你的灵魂沉静，让你的真情轻松告白!

然后,(一) 我们关注一下最近的“今日焦点”;

然后,(二) 我们欣赏还没来得及欣赏的精彩作业;

然后,(三) 我们试着听老邓讲故事:

相传伟大的所罗门王一天晚上做了一个梦，一位圣人在梦告诉他一句话，这句话涵盖了人类的所有智慧。但所罗门王醒后却怎么也想不起圣人的那句话来。于是他召来最有智慧的几老臣，向他们说了那个梦，要他们把那句话想出来，并拿出一大钻戒，说:“如果想出那句话来，我就把它刻在戒面上，我把这颗戒指天天戴在手上。”一个星期过去后，老臣送回戒上面已经刻上了一句简单的话——“这也会过去”。

怎么样?着迷了吧?脑瓜儿如陀螺飞速运转起来了

好,自选角度,自拟题目,文体不限,字数不限…

Let’s go!

＊似水流年 Fairy

似水流年，当我品这四个字的时候，我才猛然发现，孩提时代，豆蔻年华，都已如那连绵的江水弃我而去了。当我站在镜前，竟吓了一跳，那镜中人是谁?她为什么紧锁双眉?她不是我，那我呢?那天天笑着向妈妈要好吃的小女孩呢?那粉嘟嘟的笑脸怎么一下子就不见了。是谁?是谁把流年暗暗偷换?

我看那镜中人掩面叹息，在她的手指间，在那叹息声中，我看见有东西偷偷溜走，是时间。原来是它偷走了我六千多个日日夜夜。于是我决定连夜打造一个世界上最坚固的保险柜，把时间锁起来。当我打造好以后，那一天又悄悄地溜过。我想也许我应该为昨天做点什么。于是我整天都在回忆中写着对昨天的挽歌。在每天的回忆中我仿佛又找回了自己，那依偎在母亲怀中不知世事的婴儿，那干了坏事就只会哭的傻丫头。在追忆似水流年的时候，镜中人在笑，而我却笑不出来。总觉得那镜被施了魔法。为什么我找到了自己，她却还在?终于我完成追忆，我决定把它和时间一起保留在保险柜中。当我打开保险柜时，有些震惊了，今天呢?今天哪去了?难道如水一样蒸发在空气中了吗?还好明天还在，我还可以用明天，为今天写挽歌，不禁有一阵窃喜。

忽然我听到有人在唱，哦! 是柜中的时间在唱:

昨天
都已经过去
就像走过的路 爬过的山
再长 再宏伟
都是昨天的
流在心中是最美的记忆
流在嘴边是最无聊的借口
今天
为了明天你在准备什么
阳光如此明媚
白白错过

难道你要把今天的日子流给来世吗?

明天
最有效而又最无聊的借口
不要为自己把理由设置
自己放弃自己
让谁来拯救你
……

我慢慢锁上了柜门，看镜中的人。那就是我，真实的我。当我再品似水流年时，她告诉我，那不是对往日的追忆，而是对未来的珍惜。我笑了，她也笑了。我背上行囊，跳入了时间的河。未来的两万多个日子，我不再匆匆，也不再彷徨。六千多个日子，已是流年似水，一去不复返了。而未来的日子还在大海中沉默，等着我为它们画上色彩。

亲密聊天室

Fairy对wojiger说：

我不想写那些被历史永记的伟人，即使是在时间的河流中也不曾磨灭光辉；我也不想写那如日升月落一样交替的历史，那是历史学家的事。我只想写出似水流年的另一种味道，不是对往日的追忆而是对未来的珍惜。也许在经历了一些事后，人们很难再回到那个最初的原点，如果能，那恐怕就不是凡人了，所以很多时候，我们总是把事情交给时间去打理。但是时间一去不复返，没有人能两次踏入同一条河流，所以时间又怎能反复冲刷伤口。时间一味地奔流向前，我们也不能停下前进的脚步。即使在很多时候，我们都是在失去了才懂得珍惜，那珍惜的也不是过去，而是未来。

老邓简评

细细品来，用“似水流年”四个字来感悟这个古老的传说是那么巧妙，那么贴切，那么自然。还有那时间的“保险柜”，充满智慧的“魔”镜，锁时间，写挽歌的奇妙想象，这一切都使把握现在、珍惜未来的主旨得到完美体现。

这篇文章已被浏览38次。
记者Y2. s. r发表于
2003-3-1
19:10:33

云淡风清

冰

河岸边，清风拂过，吹起发丝，轻扬裙角，带来阵阵花香。

坐在草地上，眯起眼看头顶的蓝，缕缕阳光悄悄钻入心头。

昨日夕阳的辉煌湮没在随后的宝石蓝天鹅绒中，配上点点晶亮的水钻。

往昔狂风的肆虐退缩到眼前的金色灿烂背后，还飘荡着香甜的棉花糖。

紧张什么？风再大也会停息。

畏惧什么？夜再深也会有朝阳。

贪恋什么？花再美也会凋零。

庆幸什么？山再高也会有裂谷。

没有什么，有了风才会有平静。

没有什么，有了黑夜才会有光明。

没有什么，有了枯萎的伤感才会有盛开的喜悦。

没有什么，有了深邃的峡谷才会有耸入云霄的顶峰。

计较什么？烦恼的背后总会有快乐。

炫耀什么？笑脸的明媚也逃不开哭泣。

逃不开，躲不掉；乐不长，笑不远。

该来的总是会到，在你意想不到的时间，却是早已注定的宿命。

不要烦躁，不要喧闹，不要吼叫。

坐在这里和我一起看看头顶的无限与绚烂。

你可知道，这条河清澈跳跃的涟漪下，沉睡着所罗门王的那枚智慧的戒指。

它说：不要为世俗缠绕；不要被记忆封锁。

什么都会过去。

就像你永远追不上风的脚步；

就像你头顶绚丽过后的静谧。

没有烟雾弥漫，没有狂风暴雨，

有的只是身边的平和。

洒脱、飘逸、祥和、从容、勇敢、果断、坚强，

瞳孔中永远是眼前流过的微风，

在心中弥漫出清新雅致的淡香。

打捞起戒指，变得睿智。

智者该有的气质，千万不要丢下。

深吸一口气，把风的气息带进了身体，还有头顶棉花糖的香气。

站起来伸个懒腰；转身之前别忘了牢记这里的云淡风清。

老邓简评

好一个“云淡风清”，好一种澹定心境！自然让我联想到人生三境：

看山是山，看水是水

看山不是山，看水不是水

看山还是山，看水还是水

想必你所追求的正是这第三种境界吧——我从你的文章中感受到这样的睿智与灵性。只不过一句“头顶棉花糖的香气”又为这一沉静洒脱增添了几许稚气，令人忍俊不禁！

＊风吹过…… 李睿

秦汉时的西北边陲，今天不知名的敦煌小镇，天空中刮着几千年未变的风沙，吹得人耳眼迷离，策马扬鞭梦回疆场——

葡萄美酒夜光杯，欲饮琵琶马上催。

醉卧沙场君莫笑，古来征战几人回?

几千年的豪情——

耳边却传来不合时宜的叫卖声:

“夜光杯——正宗的夜光杯——”

“李广杏——便宜喽——”

李广再世，也会苦笑吧?

几千年前，将士豪情满怀举起夜光杯一饮而尽便赴死疆场。何等残酷何等壮烈。几千年后，夜光杯成了人们掌中把玩的游戏之物。一切都变成了廉价，一切都可以明码标价，几千年也不值几元钱。

风不再是秦时的风，风中飘来的更不再是汉代的沙，杏的香气也不会出自李广手栽之树。

肖铁说“路不直，曲折像巨兽的肠子。肠子边还有消化不良的历史。”

见过耀州宋代瓷博物馆里摆着的那些碗吗?宋代的特产，总算是在那个青黄不接的时代给我们这个“瓷国”的称号涂抹掉了少许遗憾。可是从秦兵马俑到汉代的石人石兽到唐代的乐俑陶马，积累一千年的智慧与创造力的中国泥土，到了此时却只能造些哑口无言的碗，只能把那些立体的雕塑平面地刻印在碗底。千百个碗，如同千百张张圆了的嘴，沉默倒还不算什么，张开嘴却说不出话来则更为可怕。

六千年前，胡夫一声令下，十多万强壮的奴隶不分昼夜不顾死活地干了三十年。胡夫金字塔——肩负着安放法老遗体的重任，连刮胡子的刀片也休想插进塔身一丝一毫——世界上最大的金字塔，所有考古学家的梦想。

在吉萨的众多金字塔间，他傲视群雄地站立着，六十个世纪，所有的风和沙和雨水都在身边慢慢蒸发，时间没能留下半点痕迹。

那个跟他一样充满霸气的王离世之后，便再没有谁的气质与他相配，再没有人有胆量去征服他。他注定要寂寞，只有那个被沙漠掩埋了四千多年的、再没有激情和力气开口提问的斯芬克斯陪着他。

人们能做到的只是竭尽所能地窥视、猜想、渴望和垂涎，用颤抖的声音对他妄加评论。

他只是站着，不动，威慑力却波及整个世界。可也只能任人窥视、猜想、渴望和垂涎，用微弱的声音谈论自己。

一切都会过去。

雅典娜的卫城到头来只剩了那么几根撑门面的大理石柱子；突厥人从抢占拜占庭帝国的一个城市开始，发展到地跨欧亚非三洲的强大帝国，今天却再看不到半点霸主的模样；耗尽了孟姜女所有的爱所有的泪所有的生命的那堵墙，绵延万里，现在也只是“好汉”们的垫脚石……

一切都会过去。

历史的风吹过，吹走了所有的历史。

老邓简评

作者在千古的历史中自由驰骋，信马由缰，感慨古今人世沧桑，使文章充满丰厚感和凝重感，并充分展示了自己的才学。

文章很多语句深刻隽永，耐人寻味，如：“千百个碗，如同千百张张圆了的嘴，沉默倒还不算什么，张开嘴却说不出话来则更为可怕。”“历史的风吹过，吹走了所有的历史。”

这篇文章已被浏览58次。
记者faye_1984发表于
2003-3-2
16:10:22

老臣的劝告　快捷方式

一句话涵盖人类所有智慧，听起来似乎有点儿近乎妄想。

作为伟大的所罗门王，不一定不知道这是一种妄想，却仍热衷于这样的一句话。

“这也会过去”，这肯定不是真正的答案。

然而只这五个字却用了一个星期，其中定然包含了老臣的一番苦心。

“这也会过去”，“这”究竟指的是什么？

是终日的战争夺得的领土？还是整天的剥削得到的财富？抑或只是圣人的那句话？

“这”过去了会怎么样？

终日的战争夺得的领土总会被别人夺去；整天的剥削得到的财富终会化为乌有；圣人的赐言也早晚会被遗忘。

一切终会过去，从哪里来，便回到哪里去。人赤裸裸地出生，也定将赤裸裸地离开。一切曾在人生中追求的名利，终将归为虚有，你什么也带不走。

“这也会过去”。

这是老臣最忠心的劝告。请不要为了夺得领土而终日战争，不要为了财富而整天剥削，更不要为了“圣人”的一句“智慧”的话而日夜愁眉苦脸茶饭不思，甚至让国家重臣只想这些无关紧要的问题。“国不可一日无君”。身为君王，不关心怎么让人民生活得更好，而是研究一句所谓智慧的“圣言”，这实在是有些讽刺。

“这也会过去”。五个字，其中蕴含了多少良苦用心？

亲密聊天室

快捷方式说：

一看到题目便感觉很难，没有一点着迷的感觉，大脑开始飞速运转，向开机时的硬盘一样，嗡嗡直响（我耳朵里）。我并不知道所罗门是谁，所以我猜我是对那五个字曲解了。如真是这样，还请原谅。

wojiger回复：

好聪明的孩子！歪打正着呀！

老邓简评

所罗门是谁并不重要，重要的是你正确体会到那句话的深刻含义，特别令人高兴的是你把这样的含义阐释得相当形象、具体。文章很善于运用疑问句形式，设问、反问恰到好处，使文章充满感染力！

我们大家看好你！

这篇文章已被浏览28次。
记者快捷方式发表于
2003-3-2
16:27:29

一切都会过去 super_f16

我抬头仰望蓝天，看空中片片云彩。自然用它那神奇的力量将水汽捏造成一个个令人惊叹的雕塑品。温顺可爱的绵羊，憨态可掬的熊猫，威风凛凛的雄狮在蔚蓝的天空中漂浮着。忽然，一阵强风吹过，所有的艺术品即刻化为乌有。刚才的天然雕塑展一去不复返了。我不禁心生惋惜之情。

恰在此时，一个声音在我耳边响起："如果上帝将成功与失败摆在你的面前，你会选择哪一个呢?"我不假思索地回答："当然选择成功了。"我想几乎没有人会选择后者。"为什么呢?""因为我们平时所做的一切都是为了获得成功。"一阵沉默之后，声音再次响起："你真的那么在乎事情的结果么?"这次我无言以对，陷入了沉思。

是啊。世间没有永恒的成功，也没有永远的失败。我们又何必过分计较这一时的结果呢? 一切都会过去的。

回想那些在历史的长卷中留下过光辉一笔的人们，没有一个不曾遭遇过挫折与失败。莱特兄弟在遭遇了无数困难与危险之后才创造出人类第一个飞行奇迹。我想，他们在第一次试飞成功之时一定很快乐。但最令他们难忘的，不是那成功的一刻，而是之前遭遇一次次失败而战胜一个个困难的过程。

中华民族的功臣邓小平曾经三起三落，但他毫不畏惧。甚至在他被罢官之后，为了人民的利益，他仍然没有放弃同恶势力作顽强的斗争。他的努力为我们今天的繁荣富强，幸福安康奠定了坚实的基础。而正是他人生中的跌宕起伏赋予了他坚强的性格和昂扬的斗志。他坚信，暴风雨会过去的，光明就在前方。

试想，如果莱特兄弟在一次试验失败后便心生恐惧，驻足不前，那么今天的人类何以像鸟儿一样在浩瀚的天空中自由翱翔? 如果邓小平在两次被迫下台之后就垂头丧气，灰心至极，那么今天的中国怎能令全世界刮目相看？

我们平时所做的一切固然是为了一个结果。但这个结果终究是会过去的。惟有那些在惊心动魄的过程之中积累的宝贵的经验将永远留在我们的心中。

天上的白云又被塑成了新的形象，比刚才的更精巧，更迷人。而片刻之后又被风吹散。我恍然大悟，心中的惋惜之感随之烟消云散。正是风儿的一次次“破坏”，才使那天然的艺术品越来越动人心弦。

耳边的那个声音再也没有响起，取而代之的是我的一声长叹。

老邓简评

看来你是不断地用事实证明自己不可低估啊！

文章思路很特别，以眼前的云聚云散引发心中波澜，以心灵的对话引发生命过程与结果关系的思考，具有强烈的感染力。

斟酌之处：

1. 结尾的“长叹”表达什么感情？欣然抑或失意？不明确。
2. 前文问“你真的那么在乎事情的结果么？”而后文的两个“试想”似乎真的在乎成功的结果，如何理解？

你有同感吗？

＊一切都会过去(改)

super_f16

我抬头仰望蓝天，看空中片片云彩。自然用它那神奇的力量将水汽捏造成一个个令人惊叹的雕塑品。温顺可爱的绵羊，憨态可掬的熊猫，威风凛凛的雄狮在蔚蓝的天空中漂浮着。忽然，一阵强风吹过。所有的艺术品即刻化为乌有。刚才那精妙绝伦的天然雕塑展一去不复返了。我不禁心生惋惜之情。

恰在此时，一个声音在我耳边响起："如果上帝将成功与失败摆在你的面前，你会选择哪一个呢?"我不假思索地回答："当然选择成功了。"我想几乎没有人会选择后者。"为什么呢?""因为我们平时所做的一切都是为了获得成功。"一阵沉默之后，声音再次响起："你真的那么在乎事情的结果么?"这次我无言以对，陷入了沉思。

是啊。世间没有永恒的成功，也没有永远的失败。我们又何必过分计较这一时的结果呢?一切都会过去的。

回想那些在历史的长卷中留下过光辉一笔的人们，没有一个不曾遭遇过挫折与失败。莱特兄弟在遭遇了无数困难与危险之后才创造出人类第一个飞行奇迹。我想，他们在第一次试飞成功之时一定很快乐。但最令他们难忘的，不是那成功的一刻，而是之前遭遇一次次失败而战胜一个个困难的过程。

中华民族的功臣邓小平曾经三起三落。但他毫不畏惧。甚至在他被罢官之后，为了全中国人民的利益，他仍毅然决然地与邪恶势力作顽强的斗争，最终获得了成功。他的努力为我们今天的繁荣富强，幸福安康奠定了坚实的基础。而正是他人生中的跌宕起伏赋予了他坚强的性格和昂扬的斗志。他坚信，暴风雨会过去的，光明就在前方。

试想，如果莱特兄弟在一次试验失败后便心生恐惧，驻足不前，那么今天的人类何以像鸟儿一样在浩瀚的天空中自由翱翔？如果邓小平在两次被迫下台之后就垂头丧气，灰心至极，那么今天的中国怎能令全世界刮目相看？

对于今天的人类，飞机的发明早已成为历史；作为当代的炎黄子孙，更加辉煌的成就还等待着我们去创造。所以，请不要为一时的成功而得意忘形，更不要为一时的失败而妄自菲薄。

我们平时所做的一切固然是为了一个结果。但这个结果终究是会过去的。只有那些在惊心动魄的过程之中积累的宝贵的经验将永远留在我们的心中，并引领我们攀上前面那一座座更高更险的山峰。时间无情地将一切成就归为历史，但是我们却能使历史不断地放出夺目的光芒。

天上的白云又被塑成了新的形象，比刚才的更精巧，更迷人。而片刻之后又被风吹散。我恍然大悟，心中的惋惜之感随之烟消云散。正是风儿的一次次“破坏”，才使那天然的艺术品越来越动人心弦。

耳边的那个声音再也没有响起，而留下的是一颗被擦亮的心。

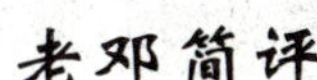

老邓简评

修改得真是巧妙！

新增加的一小段“对于今天的人类，飞机的发明早已成为历史；作为当代的炎黄子孙，更加辉煌的成就还等待着我们去创造。所以，请不要为一时的成功而得意忘形，更不要为一时的失败而妄自菲薄”，孤立地看似乎仅仅是为了过渡，然而，联系前后文，特别是联系你的整体感悟，就会发现增加了它，题目“一切都会过去”中的“都”字的含义才完整，文章内容才充实，才会避免认识上有失偏颇。

而结尾将“叹息”改为“留下一颗被擦亮的心”，不仅使文章主旨由原文的令人疑惑变得鲜明突出，而且含蓄而形象。

此乃功夫不负有心人也！

这篇文章已被浏览43次。
记者 super_f16 发表于
2003-3-3
22:15:29

生命花语

郝琦

生命是皇宫的御花园，浇一壶清凉的水，便是花园一天的繁花似锦，芳香怡人；生命是御花园里的花，在阳光的照耀下，便是一天的争芳斗艳，美丽多姿，但终有伴着流星悄悄殒逝的时刻……

我，就是其中的一枝平凡但并非平庸的小花！

我也有只属于我自己的美丽，我也会孤芳自赏。“出淤泥而不染”，这是我的高洁；风雨中“绿肥红瘦”，这是我的娇柔……每朵花都有她独特的美丽，这才有了御花园的绚丽。美丽没有最好，只有更好；美丽无需评判，只要自己会欣赏自己。每朵花都有她生命中短暂的美丽，但即使是这短暂的美，也不易引起世人的注目，所以我们更应该学会孤芳自赏，学会珍惜这稍纵即逝的美丽；只要学着珍惜，一瞬间的美丽，便是永恒了……

生命中的美丽不可能永存。这正如我花一样的生命，是如此柔弱，再美再艳，也经不起朝来寒雨晚来风，也会匆匆谢去，只剩下满怀的愁绪；我深知，一切的辉煌，终会过去。我认为这才是一个成熟的生命最大的智慧，这才是一个淡然的心态应有的风度。所以，每当我久久沉浸于自己的美丽而不能自拔时，我都会平静地说一声：“这一切，都会过去。”然后，心中默念着：“流水落花春去也，天上人间……”

生命就是像花一样，盛开时，娇艳多姿；花谢后，留下的，又是满地灿烂……

我愿把我一生的光阴凝成时间长河中一瓣恒久的心香，香沁我心！

老邓简评

文章构思相当巧妙！以花喻人，以繁花世界一朵小花的感悟来阐释生活、生命的大道理，大智慧，真可谓别具匠心，同时充满美感！

美还体现在文章多种修辞的灵活运用上。通篇的拟人，众多的比喻，使文章像一幅流动的画。

值得斟酌之处：

1. “我也会孤芳自赏”与“所以我们更应该学会孤芳自赏”似乎有些矛盾；
2. “所以，每当我久久沉浸于自己的美丽而不能自拔时，我都会平静地说一声：‘这一切，都会过去。’然后，心中默念着：‘流水落花春去也，天上人间……’”中“流水落花春去也，天上人间”的诗句抒发的是什么样的思想感情？能表达你所追求的“平静”心境吗？
3. “我认为”这样的语气与全文浓郁的抒情性似乎有些不和谐，你感觉呢？

这篇文章已被浏览27次。
记者 wojiger 发表于
2003-3-2
20:35:28

* 瞬间与永恒

秋水共长天

《安徒生童话》中有一个故事:

一个国王问一个孩子:“永恒里包含多少个瞬间?”

孩子回答:“在北方有一座高万米的山,每十年有一只鸟从南方飞来,在山上磨它的嘴。直到这座山磨平,永恒里的一个瞬间就过去了,为什么我们不一起来数数永恒里一共包含多少个瞬间呢?”

当然,这样的瞬间对人类短短的一生实在是太长了,没人能数清楚永恒里究竟有多少个瞬间,所以就有人把这一个瞬间当成了永恒。

所罗门王以为把字刻在钻石上就可以永久保存,但他错了,钻石不过是几十万年前地球上最普通的碳而已,而地球已经存在了46亿年,太阳已经存在了50亿年,银河系已经存在了100亿年,宇宙自大爆炸起已经过了150亿年。钻石固然比人的寿命长得多,但充满智慧的老臣还是清楚地告诉他“这也会过去”。

可惜这世上有许多人与伟大的所罗门王一样不懂这个道理,还希图找到不变的永恒,好永久保存他在短短的几十年里所取得的财富、地位和名声。于是人们想方设法把金银财宝留给后人,创造了世袭制度,用世上无数的资源为自己造下华丽无边的陵寝。但他们的这些费尽心思的努力最终还是会在永恒的瞬间中磨损、销蚀、灰飞烟灭,他们的名字也会随着墓碑的倒塌而被人们忘记,剩下的残垣断壁表示着他们曾在这世上待过短短的一瞬。

而这世上还有一些人并不去追求那无法得到的永恒,只希望得到那永恒中的瞬间,甚至瞬间中的瞬间,在那短短的几十年里使自己的生命充分燃烧，不在乎能烧多久，只在乎能发出多少光与热，但他们的名字却永远留在这世上：雪莱、拜伦、王勃、骆宾王……

瞬间累积成永恒，永恒分解为瞬间，瞬间还在继续，永恒还在继续。一切都将过去，一切都将到来。不要再希望数清永恒里有多少个瞬间，而是在那只鸟磨嘴巴的时间里去努力地拼搏。

老邓简评

祝贺解楠再创佳绩！你俨然就是那充满智慧的老臣！

文章对故事所包含的哲理有着独到的理解。用“瞬间与永恒”来揭示事物间看似矛盾实则统一的本质关系，思想颇为深刻。同时很善于通过形象阐释抽象道理，避免了枯燥空洞的纯辩证法道理讲解（而这常常是同学们的通病）。例如开篇的故事引人入胜，启人心智；通篇的联想相当丰富，事例充分；而作者娓娓道来的口吻也增强了文章的亲切感。

＊所罗门的宝藏 方圆

“成功的辉煌不会是永恒，失败的黯淡也不会主宰一生，因为，这都会过去，成为历史，未来依旧是个未知数，抓住或是放弃全在于你的眼睛是向前还是向后……”所罗门将这句箴言刻在了他的钻石上，或许也刻在了他的心上……

不要羡慕所罗门拥有财富和地位，更不要嫉妒所罗门有神人指点，圣人告诉他的这句至理名言，其实人们早就听说过，但它是否变成了人们的“宝藏”，却是因人而异的。

遥想那三国的周郎，年轻有为，风华正茂，雄姿英发，羽扇纶巾；然而，周瑜却对已然过去的成败得失锱铢必较，这使得他的一番伟业和无量的前途，甚至是他的身家性命，都被他那狭小的胸襟和嫉妒的本性匆匆葬送；就连他临终都还在说：“既生瑜，何生亮！”一代英才，就这样被自己脆弱的灵魂毁灭，实在不值得呀。

但不是所有的人都是这样糊涂，还记得那个叫“桑地牙哥”的老人吗？82天的徒手而归确实是他最大的失败，但他放弃了吗？没有，在第83天他又起航了，又奔向了大海。老人没有忘记那82天的耻辱和沮丧，但他并不对此十分在意，因为那已经过去，明天是什么样子谁也说不定。抱着十足的信心，老人经过三天三夜的“苦战”，终于打到了一条巨大的鱼；然而，命运又一次“抛弃”了他——大鱼在返航中被鲨鱼吃掉了三分之一，他千辛万苦打回来的只是一副鱼骨；然而，他真的失败了吗？没有，因为当他拖着船上岸后，人们的惊叹声证明了老人的成功；然而，老人就此停歇了吗？没有，老人没有在意人们的评价，因为那已经过去，而他却又在梦中梦到了“狮子”——更大的计划和更远的目标会在不久的将来付诸行动。

桑地牙哥是只“雄狮”，然而他只是虚构世界中的佼佼者。在现实世界中，拥有巨大精神力量的人也有许多，史铁生就是其中之一。

这个从出生就被命运抛弃的“可怜”人，多少次仰天质问上帝的不公，多少次面对歧视的目光怨恨自己的残疾，多少次身陷窘境无奈地呻吟……但他的灵魂没有被这些苦难摧毁，他依旧坚强地支撑着，犹如从无底的泥潭艰难地向上爬——而他，史铁生，拖着自己残疾的身体，真的从“泥潭”里爬了上来，还试着爬上了一座高山——文坛高峰，成为了当代的一位知名作家。从失败到成功，每一步都是艰辛的，每一步都是刻骨铭心的，然而，史铁生选择了坦然面对一切——这也会过去。

“这也会过去”简单明了些说，就是“坦然面对生活”，这虽然说来简单，听来容易，然而这个“门槛”却不是能够轻易迈过的——它与你灵魂的脆弱之处一般高，只看你能不能战胜自己，勇敢地迈过它。

所罗门的宝藏，不是他的财宝，也不是他的地位，只是“坦然”两个字；而它所蕴藏的“价值”只等人们自己去挖掘，究竟能挖到什么，就要看人们自己了。

老邓简评

本文具有强大的逻辑力量——这是一般同学很难企及的！

力量来自论证材料的丰富。作者旁征博引，纵横东西，说古道今，挥洒自如。

力量来自对材料恰如其分地使用。三段故事，三个角度，准确而翔实地阐明了中心。

力量来自作者对材料鞭辟入里的分析。正反对照，古今拓展，层层深入，归结释义，将话题的深层内涵一一揭示，令人心悦诚服！

这就是逻辑的魅力啊！然而作者的行文又不乏生动形象，随处可见的比喻使本文呈现出一种独特的精神之美！

这篇文章已被浏览50次。
记者 1221 发表于
2003-3-4
17:55:14

＊星 俞梦晓

别让童年的梦随着悄然而逝的岁月渐渐地丢失。那时，在静默的夜空下，我们稚气地睁大清澈的眼睛，执拗地寻找，坚信满天星中的一颗和我们心迹相通。轻风掠过，美丽霎时漫满全身。这是每一个小孩子可以触摸到天使翅膀的时刻。

——题记

小时候，最喜欢，抬起头，仰望星空，那遥远的深邃的黑色，宝石般闪亮的星辰，泛着亮晶晶的银色的光芒，映在我年轻的稚嫩的心上，整颗心都灿烂起来。觉得世界也不过如此了吧，一颗颗真挚的善良的心，伴着会眨眼的笑容。于是那样执著地相信着，每一颗星都有着一个美丽的故事，就像姥姥讲过的那样，善良的公主死后会化作泛着粉色光芒的星；银色的星是魔女做姜饼小人时留下的第一颗眼泪；牛郎的眼中永远是银河对岸织女的模样；还有那很早逝去的姥爷，也不过是在另一个世界里变成了一颗美丽的星，微笑地看着我和姥姥，所以我们要快乐。

于是一个人躺在床上的时候，就幻想着，有一天，自己会和一个笑起来有酒窝的王子，躺在暖暖的草坪上，数天上亮晶晶的星。数着数着，数到长大，然后许多年以后，我也终会飞上深蓝的天空，变成一颗小小的璀璨的星，拥有自己独特的光芒，眨着眼看这美丽的世界。

长大后，依旧会很小女生地喜欢流星雨，总是惊叹那一刹那间的美丽，并贪心地许下数不完的梦想。

璀璨满天。

直到有一天，忽然发现，流星雨那短暂的闪光，不过是片刻的璀璨而已，而我所追求的，应是那永恒的光辉。

忽然明白了，人类之所以喜欢向上仰望夜空，正因为星海的无限与永恒，正是人类灵魂所向往的所追求的对象吧。

懂得的事情多了起来，于是相信的东西少了许多。

后来那些向星星许下的愿望，便随着城市星空的逐渐暗淡，渐渐逝去了，就像许多曾经喜欢的东西，也会因为长大而逐渐被遗忘在角落里一样，直到某一天，心底一个执拗的声音：“喜欢的，是不是永远都不要消失？”才会想起，曾经被感动过的，那些，小小的梦想。

就像一直被李白这个执著的可爱的人儿感动着，对他的喜爱，不如说是对自由和浪漫的向往吧——长歌吟松风，曲尽河星稀——酒醉情浓，放声长歌，直唱到天河群星疏落，醉生梦死间，我看到他化作了星空一颗最绚烂的星。

余光中是个浪漫的诗人，他写道：

酒入豪肠
七分酿成了月光
剩下的三分啸成剑气
绣口一吐就半个盛唐

可最近我听说有人偏偏热衷于这位“诗仙”的生平，他经过多年的考证，有理有据地说明了李白仙逝的地方。

其实何必呢，李白只会是飞向了星空，他拥抱了太阳。

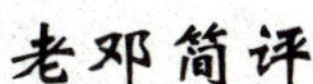

很精美的一篇散文！很浪漫的遐想！很诗意的想象！最感人的还是那很执著的心灵的追求！

看似零零星星、散散落落的记忆，却是心灵最不可或缺的美的珍宝，闪着永恒的光芒！

文章另辟蹊径，大胆的逆向思维，从“都会过去”中翻写“不会过去”的特殊含义，使文章纯美之中透出几分思辨的魅力。

值得斟酌之处：

结尾回照一下话题似乎更能突出文章主旨，否则有不够切题之虞。不妨这样加上一句：“其实何必呢，李白只会是飞向了星空，他拥抱了太阳。谁能忘记？”

你觉得如何？

这篇文章已被浏览60次。
记者 April 发表于
2003-3-6
0:30:06

* 感悟过去

孙飘飘

一阵秋风吹过，我从树上飘落下来，无声无息，没有人知道我心中的怨恨、自责、忧愁与无奈，我是多么渴望那种居高临下的感觉，但随着那阵风，这一切都成为了过去。然而让我欣慰的是，秋风并没有把我带到很远的地方，而让我躺在了树干边，并且透过稀疏的叶子，正好能看到自己的家——那根树枝，看着那熟悉得不能再熟悉的地方，我回忆起过去的故事。

过去的某一天，我出生在那里。露出嫩绿的脑袋，睁开朦胧的双眼，我第一次看到了这个世界，新鲜，美丽。大树下有一块空地，它的形状像一只盘子，被四周的楼群围起。它盛过田园般安详的雪，它盛过赤道般热烈的雨，但它盛不住孩子们的欢乐。这欢乐将我溶化。每天我借风儿将笑声传向远方，用笑脸迎接朝霞送走落日，与伙伴游戏，与鸟儿说笑。有时我也会因看到某个景象，而想到以前相类似的画面。但我不认为那是过去，因为现在与过去没有区别，生活同样快乐，同样美好。那时，对于过去，我不懂。

过去的一段时间，我在慢慢长大，由嫩绿的芽变成浅绿的叶，随后又变成油绿色，这时的我成熟了许多，也深刻了许多。我每天注视着树下男孩和女孩在一起做的游戏，这游戏是每个从他们身边匆匆走过的大人都做过的。大人告别了童年，就将游戏像玩具一样丢在了一边，他们总是说:“这都过去了。”听了这话，我心中有种莫名的伤感，似乎感受到了过去的含义，却又说不出个所以然。那时，对于过去，我模糊。

过去的一天清晨，我凝视着草尖上的一颗露珠，晶莹透亮，像珍珠，像钻石，让人不敢靠近，透过露珠看那边的景象，简直是另一个世界，清晰明亮，一个水洗过的世界，我陶醉其中。露珠慢慢变大，压得小草低下了头，从两者若即若离到露珠完全溶入泥土，那个世界就在这几秒钟消失了。我等待着下一次的陶醉，却再也没看到像那天一样美丽的露珠。我恍然，这也许就是过去，再也追不回来的东西。那时，对于过去。我明白了。

过去……

天空真蓝，万里无云，但你不会知道，两分钟以前，还有一朵像绵羊的云在天上游荡，因为那已经过去了；周围真静，可以听见自己的呼吸，但你不会知道，两个小时以前，几个孩子在这里进行了一场拔河比赛，因为那已经过去了；我真寂寞，孤零零地躺在这里，但你不会知道，几分钟之前，我正在树上给伙伴们讲笑话，因为那已经过去了……

没有人可以拖住时间的脚步，任何事物都会成为过去。我想着想着，闭上了眼睛，渐渐地睡着了，嘴里还喃喃地说着："这也会过去的。"

老邓简评

文章的构思显然很巧妙。通过一片落叶的眼睛去观察，去体会，去思索，从自然到人间，将"这也会过去"的深刻内涵具体化，形象化，同时完成了心情的平复过程，意味无穷。

通篇的拟人，细腻的描写使文章充满诗情画意，洋溢着感伤，也荡漾着理解的欢悦。

好孩子，文章写得很美！

这篇文章已被浏览62次。
记者 wojiger 发表于
2003-3-6
8:26:47

＊过眼云烟　金思思

仰头望星空，一种空灵之感散布周身。那是没有时间，没有空间，没有自己的处境。而没有方向超越所有的方向，没有思维超越所有的思维。

喜欢清亮的夜空，要么是洁白厚重的白云松软地映亮天空，要么是清爽干净的星星洒脱地耀着天空。这样没有一丝飘渺，没有一处朦胧的苍穹，使心境也清亮，豁然起来。举手一拂，昨日今日都如过眼云烟，烟消云散。

当夏夜突来兴致想去找几只尾部闪着微光的小虫时，才发现那脆弱的小生物已没了踪影，仿佛一下子在这个世界消失了一般。这时，我也恍然大悟，我的童年也没了踪影。童年，跟着星星点点发着亮光的萤火虫摇摇晃晃地跌进草丛中，不见了。失落？感慨？记忆又将我领入那七彩的世界。曾刻意地寻找草中的兰花，那抹点缀在翠绿的长叶中的蓝色，深蓝中透着微紫。觉得那秀气、高洁、也难寻的花是最美的植物。那时我也知道了，美的事物不易找寻。曾为了多少只猫狗伤心欲绝，曾为多少石块、叶子、老鼠入土为安，曾为了倔强地不语执拗地哭落多少泪站了多少时间。于是，我有了敏感的触角。之后，跌进斑斓的水彩中，用浓重的色彩绘出七彩的世界。那清新质朴的蜡笔画，记录着美丽、欢快的一切；那灰暗生动的铅笔画，记录着真实、美好的生活；那厚重优美的水墨画，记录着沉静、悠远的心境。那时只是一个快乐无忧的孩童，可我发现了世界千姿百态的美，广阔的世界原来并不缺少美。就这样，我的童年跑走了，明丽洒脱地。连那些七彩斑斓的蜡笔画也都在一瞬间飞了，虽然曾珍藏了很多年，可一转身的工夫就不知去向了。过去的，就让它潇洒过去。

当风清云淡的秋日来临，我抬头向上跳着，企图离高远的天空近一些。忆着秋天丰收的喜悦，念着

“沙场秋点兵”的飒爽，想着“人比黄花瘦”的幽思，享受着清甜的空气。在多思又多悦的秋季，我知道了，过去的是时间，是言语，是行为，而不会过去的是感动。是的，这都会过去，昨天，今天，还有明天。但是，曾深深感动过的事物会永远感动着你，即使一时之间它藏在角落，可是一旦触及——哪怕只是指尖轻轻地点触到，你就会重温那份感动。因为感动，我们记得雷锋的笑脸；因为感动，我们敬佩昭君的和亲；因为感动，我们铭记霸王的乌江抉择；因为感动……过去的，是云烟，留下的，是璀璨的星斗。

这一切都会过去，这一切都会重现。天空依旧晴朗，星星明亮。

老邓简评

一切都会过去，包括那些晶莹闪亮、纯净美好的年少时光；一切都会重现，只要心中还长留那份静思与感动——你的文章让清亮的夜空展示你清亮的心，宁静淡泊又充满温馨。

佳句欣赏：

“当夏夜突来兴致想去找几只尾部闪着微光的小虫时，才发现那脆弱的小生物已没了踪影，仿佛一下子在这个世界消失了一般。这时，我也恍然大悟，我的童年也没了踪影。童年，跟着星星点点发着亮光的萤火虫摇摇晃晃地跌进草丛中，不见了。”语言摇曳生姿，极富韵味！

值得斟酌之处：

“喜欢清亮的夜空，要么是洁白厚重的白云松软地映亮天空”中“厚重”一词与前面的“清亮”和后面的“松软”搭配恰当吗？

精彩花絮

[22: 10]<faye_1984>对<wojiger>说：这么晚了您还在，真是辛苦了。给您颁发一个年终辛苦大奖！

[22: 11]<wojiger>对<faye_1984>说：一声问候令我老泪纵横！

[23: 50]<19841216>对<wojiger>说：对不起。我的电脑刚才死机了，刚打好的东西丢了。我已经誊在纸上，周一交您。

[23: 51]<19841216>对<wojiger>说：我想问一下如何才能让自己的作文有些思想深度，我看到很多同学的作文有非常深刻的思想，而我的作文却很肤浅，非常希望得到您的帮助。

[23: 52]<wojiger>对<19841216>说：好孩子，你的文章在班里已经算很不错的了，你竟有如此的“危机意识”，这种不断进取的高远追求令我敬佩！

[23: 53]<wojiger>对<19841216>说：其实方法很简单：1. 多阅读，多参考——视野开阔了，认识事物的角度就多了，思想自然就丰富了。2. 多分析，多思索——看，多停留在事物的表面；想，就能够勾连前因后果，就能够探究必然，预见未然。思想自然就深刻了。

[23: 55]<wojiger>对<19841216>说：丰富是深刻的基础，正所谓“见多知广”嘛！你完全具备这样的潜力！相信自己！

选择你的最爱

公告发布：2003/3/8(网上作文指导第十一次活动)

开学第四周 老 邓

孩儿们：

紧张的一周又过去了，辛苦啦！

来来来，让我们团坐在一起，倚靠着智慧之树——泰老先生，听他为我们吟唱天籁般动人的诗篇，借以洗去心的风尘，让灵魂小憩。

你听：

飞鸟集(选) 泰戈尔(印度) 冰心(译)

1. 夏天的飞鸟，飞到我窗前唱歌，又飞去了。

秋天的黄叶，它们没有什么可唱一声，飞落在那里。

2. 如果你因失去了太阳而流泪，那末你也将失去群星了。

3. “海水呀，你说的是什么?”“是永恒的疑问。”

“天空呀，你回答的话是什么?”“是永恒的沉默。”

4. 你看不见你自己，你所看见的只是你的影子。

5. 那些把灯背在背上的人，把他们的影子投到了自己前面。

6. 阴影戴上她的面幕，秘密地，温顺地，用她的沉默的爱的脚步，跟在“光”后面。

7. 我们把世界看错了，反说了他欺骗我们。

8. 绿草求她地上的伴侣。树木求他天空的寂寞。

9. 不是槌的打击，乃是水的载歌载舞，使鹅卵石臻于完美。

10. 如果你把所有的错误都关在门外时，真理也要被关在外面了。

11. 夜秘密地把花开放了，却让那白日去领受谢词。

12. 雨点吻着大地，微雨道：“我们是你的思家的孩子，母亲，现在从天上回到你这里来了。”

13. 果实的事业是尊贵的，花的事业是甜美的；但是让我做叶的事业吧，叶是谦逊地、专心地催着绿茵的。

14. 当我死时，世界呀，请在你的沉默中，替我留着“我已经爱过了”这句话吧。

15. 爱就是充实了的生命，正如盛满了酒的酒杯。

怎么样?耳畔的喧嚣是否远去?内心的焦躁是否平息?

好！请从以上这些充满灵性与哲理的诗句中任选一句(当然是你最欣赏、最迷恋的啦！)，自选角度，自拟题目，自由抒写你的感悟。

如果你和我一样喜欢泰戈尔，那么，请走进“艺术心灵”版块，继续你美的旅程！

你还希望我为你提供什么样的作品，请来信。

这篇文章已被浏览126次。记者 wojiger 发表于 2003-3-8 14:33:40

* 卓娅的微笑 方圆

当我死时，世界呀，请在你的沉默中，替我留着“我已经爱过了”这句话吧。

——泰戈尔

黑夜在无尽地蔓延着，寒风在无情地呼啸着；在这冰封的世界中，生命仿佛已经失去了气力，一切都沉浸在压抑而死寂的氛围之中。

在这片旷野中，我想，这里惟一还称得上生命的，恐怕就只有我了，因为这里只有我还是清醒的，因为这里只有我还没有失去人的本性——虽然我是个被捆绑起来的囚犯，而且身上只穿了一件单衣，还赤着脚在冰雪上行走……看我身旁的那些看守，虽然裹上了厚厚的棉衣，却还哆嗦得拿不住枪。我在心里大声嘲笑他们，恨他们没有人性，不懂是非，竟然帮着法西斯侵略其他国家，帮着法西斯压迫其他民族，帮着法西斯毁灭世界，你们的人性在哪儿?你们的灵魂在哪儿?你们心中的爱在哪儿?

我赤着脚，这西伯利亚凛冽的寒风不但冻彻了我的全身，那锋利的冰雪棱角还时刻刺痛着我的双脚。然而，这一切都远不及法西斯侵略战争施加给我祖国的痛苦：那战火，摧毁了多少人的家园；那战争，掠走了多少人的生命，那贪婪的侵略者抢夺了多少祖国的财富——这么多的痛苦，我的心怎么能平静呢?我怎么能不心痛呢?看着祖国被践踏被蹂躏得满身疮痍，我怎么能再沉默?我无法再沉默！我要挣扎，我要反抗，我要为祖国而战！

我抬着头，迎着狂风昂首挺胸地走着——这才是生命，生命不应是蜷缩而压抑的，生命最大的意义就是自由和爱，为自由和爱而生才是生命的意义；我不后悔我当初的选择，我为了自由和爱而生，我愿为了自由和爱而死。

我微笑了，在这迷茫的黑夜中，我并不为黎明的行刑而感到畏惧；在这一刻，我已找到了我生命的价值所在，那就是爱，对祖国的爱，对自由的爱，那是我用生命铸造的爱——我死而无憾!

黑夜还在无尽地蔓延着，我微笑着，看着那远方微微的晨光，仿佛看到了那生命的光辉……

老邓简评

好一首英雄的赞歌，选择国际妇女节这一天，敬献在女英雄的英灵面前——是你的精心设计还是天意巧合?无论如何，令人叫绝!

你的文章写出了一种荡气回肠、撼天动地的人间大爱。面对这样的胸怀与挚情，我们怎能不心怀景仰?

白璧微瑕：文章题为“卓娅的微笑”，似乎还应当包含着女英雄笑对生死的万丈豪情。文章这方面内容尚显欠缺。

你同意吗?

这篇文章已被浏览44次。
记者1221发表于
2003-3-8
18:09:00

假象 cswords

看到“我们把世界看错了，反说了他欺骗我们”，我想起一个词:假象。我想这正应该作此诗的题目。假象太常见了，只要我们普遍地对某一现象产生错误认识，就把它叫做假象。我所知物理中对假象的研究最科学。可惜这个词本身就不科学。正如老泰所说的，自然给我们的一切都是真实的。自然用不着说假话，它可以主宰一切，我们从来都是他的后辈、附庸，正如蟪蛄之于春秋，实为天地之一瞬，究竟是谁骗谁呢？我们，正是在效仿那墙角的花，自以为是，不承认自己的无知和愚蠢，却用这么一个词来遮掩，可笑。

亲密聊天室

cswords 说：

老师好，我的作业写完了，马上发上去，好吗？

cswords 说：

交完了。

wojiger 回复：

好孩子！我马上看。

cswords 说：

谢谢您！

老邓简评

好小子，反应很快嘛！

文章言语不多，见解却颇为精辟，如果能以此展开，从各个角度把诗句的含义阐释得更加透彻深入，相信会成为一篇佳作。你有这个信心吗？

*假象（扩） cswords

看到泰戈尔的诗中“我们把世界看错了，反说了他欺骗我们”这句话，使我想起一个词：假象。我想这正应该作此诗的题目。

假象多么常见呀，只要我们普遍地对某一现象产生错误认识，就把它叫做假象。

有的假象是由于人的固有观念和经验产生的。比如在十字路口上，现在总是能看到一些骑车的人突然一下集体越出停车线，可实际上红灯并没有变成绿灯。然而几年前我们都认为一方的绿灯变色就意味着另一方的红灯变色，但这种判断方法如今在大多数路口已不适用了，因为那些路口还有拐弯灯。遗留下来的错误经验就给这些人带来了红灯已变的幻觉。

有的假象则是人们妄加猜度的产物。著名的化学家李比希曾经犯过一个错误，他把一个德国商人提供的棕红色液体很轻率地判断为氯化碘，却将发现新元素——溴的大好机会让给了一个年轻的实验员巴拉尔。想象中氯化碘的化学性质，使假象替代了溴。

我们总是过于自信，如果对自己的经验和猜想多加考证，还会有所谓假象吗？

红灯没变就是没变，绿灯变了也是事实；溴确实有介于氯和碘之间的性质，李比希的实验并没有欺骗他。真象其实也就是如此。那么，究竟什么是假的呢？自然中，社会上，如果我们相信眼见为实，怎会有假？

正如泰戈尔所说，世界不会欺骗我们。自然和社会都用不着说假话，他们永恒的规律可以主宰一切，我们从来都是他们的后辈、附庸，正如蟪蛄之于春秋，实为天地之一瞬，我们甚至没有资格指责他们。在我们看到动物的保护色、拟态，或是忽然注意到体育比赛中的黑马时，总是大言不惭地为自己的受骗而辩解。是啊，假象太会迷惑人了，它能把任何角色扮演得惟妙惟肖。我听说过“导演是骗子，演员是疯子，观众是傻子”的说法，然而假象的戏却没有刻意的编导和演出，此三“子”就只好由观众集于一身了。究竟是谁在欺骗我们呢?只有我们自己。

真实的世界中没有假。可人们偏偏在“假象”中冠以“假”字，也就是把“假”字用于真实的世界中。随着科学的发展，总有真理和宗教、伪科学的斗争，实际上就是在消除假象。但对于错误，人们也惯于用“被假象所迷惑”来批评，仿佛犯错误的不是人，而是造成假象的其他什么，从主动地犯错误变成了被动地受欺骗。这不是为了给某一个人找面子，而是为所有的人提供一个缓冲自我谴责的挡箭牌。

我们，正是在效仿那墙角的花，自以为是，不承认自己的无知和愚蠢，却用这么一个词来遮掩，可笑。

亲密聊天室

wojiger 问：

看我给你上篇作业的评价了吗?

cswords 说：

看了，挺受鼓舞的。

wojiger 说：

你最需要围绕一个明确的主题，思路清晰、材料具体地阐释文章。千万别写纯理论的东西。

cswords 答：

Yes. 我也这么想来着。有时挺舍不得自己的手指头，不好意思……

wojiger 问：

什么意思?

cswords 答：

好不容易积极一次。

wojiger 问：

与写纯理论的东东有什么关系?

cswords 答：

我总这样，想说的和该说的差得太远。

wojiger 叹气：

那怎么办呀?

老邓简评

有了这番扩展与补充，文章的内容自然丰厚了许多，特别是为作者独特的视角和富有新意的思考提供了有力的证据与依托。

真希望你每次作业都能有意识地追求最佳效果。我认为你有这个能力，只要你愿意并且舍得下功夫!

这篇文章已被浏览43次。
记者 asdfijkl 发表于
2003-3-13
21:24:11

＊爱是○○○○○○ 冰

爱是阳光带着她的光亮和温暖普照万物。
爱是海水捧出她的清凉与柔和轻拂沙滩。
爱是雨水播洒她的关怀和希望润泽大地。

爱是月亮环绕地球永不停息地奔跑。
爱是清风陪伴云朵形影不离地嬉戏。
爱是蝶儿赞美鲜花缤纷绚丽的舞蹈。

爱是清晨露珠的闪耀、牵牛花羞红的脸颊。
爱是黄昏夕阳的壮阔、向日葵丰厚的收获。
爱是午夜月光的皎洁、星星们闪动的眼眸。

爱是山峰冲向天空的挺拔与坚持。
爱是孤松倒挂悬崖的勇气与顽强。
爱是石子静卧路旁的沉默与豁达。

爱是守候在家门口的父亲眼里的期盼。
爱是忙碌在厨房里的母亲心中的喜悦。
爱是奔波在仕途中的游子精神的依恋。

爱是燃起的火花在不经意间地碰撞。
爱是由衷的信任随时间流逝的成长。
爱是无私的奉献在彼此心田的交融。
爱是无限的包容在天地之中的孕育。

爱是精神的依托、是成长的根本。
爱是世间万物的灵魂、是永远挺立的傲骨、是亘古不变的真理。
爱是人类的、生物的、世界的、宇宙的、永恒的名字。

爱，就是这样。

老邓简评

感谢你用五彩的画笔为我们描绘这斑斓的爱的图画，感谢你用心灵的音符为我们谱写这生生不息的爱的诗篇，感谢你让我们跟随你置身于这爱的天宇中——终于从钢筋水泥的冷漠探出头来的我们，喜极而泣!

爱，就是这样被你尽情挥洒，信笔抒写，我看见凡·高正对着他的向日葵微笑，他的脸上一片金黄!

我一直等待着你带给我的这种喜悦!

这篇文章已被浏览40次。
记者 Litchi 发表于
2003-3-8
20:36:40

暂时无题

杜宇坤

人啊，认识你自己！

——塔列斯

岁月的车轮转过了几千年，德尔斐的神谕依旧清晰。古希腊的群星璀璨早已退去，曾有的血雨腥风也早被历史冲淡。

希腊这个欧洲文明的摇篮，在历史长河中孕育了多少智慧的化身。他们也有过气吞万里的君主，而曾经的煊赫一世又到哪里去了呢？西至埃及，东到印度，他们的军队浩浩荡荡，所向披靡，而这一切只是留在历史教科书上。一个显赫王朝的盛殿，曾经雄伟巍峨的帕特农盛殿，如今也只能在夕阳下凭吊昔日的辉煌。她今日的衰落，不禁让人感叹，历史把兴衰的故事写得多么悲怆！

在辉煌逝去的漫漫过程中，一块石头却保存了下来。塔列斯的名句镌刻其上，给人们提出了永恒的警示——“认识你自己”。这振聋发聩的呼唤，引得多少颗智慧的大脑长久的冥思！这一声呼唤，同古希腊的先哲一起，启示后世人们思考、追问。一如那爱琴海的涛声，万古不变的周而复始，浸润冲击着人们的心。

人如何认识自己？“我们从哪里来，我们到哪里去。我们是谁？”莫耐如是说。这个人们质问了无数遍的问题，该如何求答？

“你看不见你自己，你所看见的只是你的影子。”泰戈尔这样告诉我们。

所幸，我们还有镜子，可以看到自己的身形。

不幸，我们依旧难以认清自己的灵魂。

这个灵魂是否纯净，是否伟大，是否无瑕，是否剔透！是否配得上来主宰你的身体！对于这个答案的挖掘的确艰难。要沿着行为的来路去寻找，而行为在那么多时候又是那么的不确定与充满巧合，仿佛只是迷茫于前途，在众多岔路中随便挑选一个。于是来路也变得模糊……来路曲折而盲目，去路未知而迷茫，挖掘的工作如何继续?

亲密聊天室

杜宇坤在呻吟:

老师，我又一次陷入思维混沌的黑洞，不知如何继续了……

wojiger 回复:

孩子，你已经为文章构筑起多么坚实的基础，搭起了多么宏大的骨架，不继续下去，多么可惜！你怕什么?你又乱什么?

老邓简评

你看：开头引用名言确立了思想的高度，紧接着从古代文明的悲怆史中翻检出这智慧的珍宝，又开启了对现代历史、当代人类的思索与拷问，内容多么丰厚！思路多么清晰！

试着这样想一想：

既然这是人类永恒的话题，那就让我们永恒地面对它！既然我们的来路尚不明了，去路也迷雾重重，又用得着挖掘什么呢?我们惟一能够选择的就是走！勇敢地往前走！不必留恋失去的辉煌，不必害怕前路的黑影。正因为我们难以认清自己，所以我们要不停息地前行。人类的历史不正是一部行进史吗?想必先哲们就是以此来激励人类的吧?

认识自己，不断前行!

你看，是不是可以“通关”(打通思路)了呢?题目也不难了吧?

基本思路是：在哪里打结，就在哪里收口!

以上建议仅供参考。也许这会儿工夫你已经想出办法来了。

这篇文章已被浏览32次。
记者 wojiger 发表于
2003-3-8
20:50:46

＊镜子 冰

“你看不见你自己，你所看见的只是你的影子。”

可笑吧，自己本是最靠近自己的人，也应该是最能清楚地看到自己的人。

只要有光，哪怕只有一点点，我们都能看到自己的影子。

可是不论有多强的光，我们也看不到自己。

就像大力士他永远都举不起自己一样。

我喜欢照镜子。

原因是我喜欢自己，自恋吧。

每天，无论有多疲惫，我都会留给镜子一点时间。

我不喜欢只看自己的影子。它让我只能得到一团黑黑的轮廓。

而我，本是有血肉有色彩的。

我看不到自己，所以镜子可以帮我。

镜子中，仿佛有另一个世界，另一个我。

那里，我可以和自己对话。

细细地想来，每当我站在镜子前，我都像是在进行一次审问。

曾经历的事：对的错的；曾遇到的人：好的坏的。

什么都会在镜中重映。

重新审视自己的行为是否正确；再次一会身边的点滴。

对于曾有过的争吵、愤怒、怨恨、怀疑，

在此时此刻，都可以重新思索孰是孰非。

眼前的是自己，没有必要掩饰，不会再有虚伪，因为没有人会欺骗自己，没有人会想被自己欺骗。

这是最透彻、最赤裸的思考，也最真实，最有价值。

看着自己，也被自己看着，这才是我们最接近自己的地方。

对着镜子深处思考，那么就可以来到自己身边，把自己看清楚。

自己是什么样的人，身边发生的事情究竟是怎么样的，都会明了。

这也很像是看天空、看大海，看比自己的世界大的天地，看最最无限的空间。

那一份无限，化作一片缥缈。我们在朦胧中摸索。

那里，没有遮蔽双眼的强光，没有供心灵躲藏的缝隙，你便可以无干扰地挖掘自己，审视自己，最终看到你自己。

老邓简评

这是一次可怕的灵魂透视！说它可怕，是因为并非每个人都敢于这样坦然地面对自我的审视——最终看到自己，这是多么具有思考力度、多么需要心灵智慧的哲学命题！

看到你勇敢地站在镜子面前，坦然迎接灵魂的拷问，欣然找寻本真的自己，实在佩服！

我们真的都能赤裸地面对镜子中的自己吗？希望如此。

今天的题目想必最适合你这样的充满灵性与才情的人！祝贺你两篇文章都那么出色！

＊天空与海的回忆

李德隆

天与海的分离，始于盘古的巨斧。天空徐徐而上，大海缓缓而沉。高而愈清，低而愈浓，是以天色谓之青碧，海色谓之湛蓝。

海的疑问

盘古开天之后，女娲方始造人。人始于泥土，不识沧海，及至海滨，不免惊异于海之茫茫而无边；再望天，又发现天涯竟与海角结为一线，后才感而悟，造“天涯海角”一词。海涛隆隆，和谐的韵律，勾起人们无限的遐想：蓬莱、瀛洲与方丈，支天的不周山，海神的庙宇，甚至是世界的尽头——海似棋盘，天如锅盖。

海的广博超越了人类理解的极限，因此才有驾着独木舟毅然远航的英雄，才有吟诗赋词的文人墨客。未知才能联想，未知才能渴望，未知才能探索，而只有联想、渴望和探索，才有人类存在的价值。

“海水呀，你说的是什么?”

“是永恒的疑问。”

是的，疑问永存。

天的沉默

天海分离之后，诸神方始降临。神从何来，不得而知，总之是在天上修筑了天庭。人类对天的崇拜来自于对仙的渴望：长生不老，点石成金，呼风唤雨，驾风驭云，最重要的是通神——了解一切——过去，现在和未来。

天的神秘也超越了人类理解的极限。因此才有对天的膜拜，才有了黄天在上、苍天有眼的说法。天甚至被人类赋予了性别——“老天爷”。这些关于天的幻想，表达着人类对了解天、接近天的渴望。然而，即使经过数千年的顶礼膜拜，天依然没有给我们答案。一切奥秘隐藏在沉默之中，等待着勇士的到来。未知是无尽的，探索自然也没有尽头。

“天空呀，你回答的话是什么？”

“是永恒的沉默。”

是的，沉默永存。

老邓简评

如果说王冰的文章集中体现了人类观照自身的永恒性哲学思考，那么你的这篇文章则是揭示了人类探究宇宙终极奥秘、认识整个物质世界的本质规律的另一个永恒性哲学命题。内容深妙莫测呀！你写来却神妙无比呀！

可喜可叹的是你们二人一诗一文，将这般深邃的思想用这般形象的画面和情景生动传神地展示在我们面前，用那富含哲理的语言，不断敲击着我们日渐麻木的心灵；用那超越平凡的思索，引领我们走向深刻，远离平庸。

此时我只想对你说：思想的魅力是无穷的，思想者的魅力也是无穷的！还记得那尊著名的雕像吗？是什么让他永恒？!

至于构思的巧妙就不用多说了吧？单有这份思想厚度已足够了！

看来你一旦摆脱感冒的困扰，就要一飞冲天呀！祝贺你！

这篇文章已被浏览49次。
记者风之舞者发表于
2003–3–8
21:58:18

*一现的昙花

秋水共长天

黑夜渐渐退去，东方的天边显出一丝鱼肚白，花园边的小路上就有人来看花了，人们惊讶地发现昨天黄昏时还空落落的花圃，在早上就热闹得露不出一点土地。于是人们开始赞美黎明，称赞他只刚刚露面就开放了花朵。太阳逐渐爬上了天顶，更多的人来到花园，更多的人开始感谢白天，感谢他让花打扮了花园，也装点了人们的视野。

在花园的一角，有一株还顶着花骨朵的昙花，她听见了人们的称颂，不禁有些疑问，但看看身旁为了吸引人们视线而正在努力开放的牡丹、芍药和郁金香，昙花没有问他们，她知道，花们都希望有一个人能把自己采回家去，以装点人们的客厅、卧室与书房。虽然昙花并不喜欢那样的生活，但她也没有打扰他们，她打算等到黄昏过去，向智慧的夜去问个究竟。

漫长的下午过去了，这些已经被太阳晒得晕头转向的花都希望黑夜快点到来，好在夜的温柔呵护下攒足明天的精神。

黄昏过去了，黑夜把黑色的丝被轻轻盖在花朵的身上，他希望昨天晚上被他悄悄开放的花能活得久长些。夜来到那株昙花跟前，看到昙花还没睡，就轻轻地说："孩子，不要着急，今晚你就能开放了。"昙花想起了白天的疑惑，于是，问夜：

"为什么人们都把功劳归给白天呢？明明是你在深夜里不辞辛劳，把我们开放的，为什么人们不来赞美你，而去称颂那什么都没做的黎明呢？"

夜沉默了一会儿，回答说："我做的就是这样的工作，在夜里让你们都能安心休养，在白天好去灿烂地怒放。"

"这不公平！"昙花嚷道，"几乎所有的事都是你做的，但人们却什么都看不到？"

“无所谓什么公平与不公平，我喜欢这项工作，喜欢看你们在我的照顾下安然入睡，喜欢去想象你们白天怒放的样子，喜欢你们的生命能长久一些。这项工作确实寂寞，但为了你们我宁愿如此。”

昙花感动地看着夜，突然，她的花瓣打开了，露出里面如火般的红色，这是让人震惊的美：热烈而充满生命力，带着希望，带着感动。

夜惊呼道：“你不能如此，像这样开下去，你过不了今夜。”

“我不在乎，我要陪着你，要让人们知道在深夜也有美丽的花开放，这是夜所开放的花朵，夜的功劳要比白天大。”

“我并不在意人们的称赞。”

“可我在意，我要让人们明白，是夜秘密地把花开放，却让那白日去领受谢词。”

第二天，在花园的一角那一株开败了的昙花已无力再抬起头去吸引人们的目光，也没有人去注意那株昨夜是那么辉煌，现在已经凋谢的小花。

一年又一年过去了，每年只在午夜时分对着默默无闻的夜开放的昙花终于被一位年老的寂寞的守园人发现，于是每年在昙花开放的深夜，花园里有了许多手捧蜡烛的人。

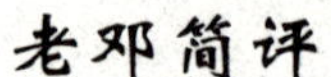

相信每个人看了你的这篇文章都会陶醉，为着文中美丽的花儿，美丽的心灵，美丽的描写；都会惊喜，为着文章精美的构思，奇妙的想象：啊，昙花的故事，原来是这样！瞧那结尾，诗意盎然哪！相信每个灵魂都能从你的文中得到洗涤！

不过，很遗憾呀，一些细节被你忽略，影响了文章的整体效果，千万要注意呀：

1. 前文说：“我做的就是这样的工作，在夜里让你们都能安心休养，在白天好去灿烂的怒放。”后文却说是“明明是你在深夜里不辞辛劳，把我们开放的”，不是矛盾吗？
2. 花“被夜悄悄开放”、“把我们开放”等这样的句子通吗？

希望你精益求精！让自己的写作才华得以充分展示！

这篇文章已被浏览34次。
记者秋水共长天发表于
2003-3-8
22:30:28

＊失去 gpn

“如果你因失去了太阳而流泪，那末你也将失去群星了。”

失去，不意味着再也无法拥有；失去，不意味着将要失去一切；失去，不意味着人生的失败；失去，不意味着生命的终结。失去了光明，还有心中的希望为我们指路；失去了希望，还有更美好的理想等待着我们；失去了理想，还有坚强的心支撑着我们；失去了自己的心，还有什么可挽救的。

失去，就像野火。它烧尽莽原把一切烧得荡然无存，可是，翻开焦黑的土地，看，那点点绿光不正是新长出的嫩芽么?拨开被火烧裂的树皮，看，那一根根树的血管不是依旧完好么?环视这被大火肆虐过的原野，看，远处地平线上跳动的不正是觅食的动物么?原野失去了它往日的动人，可是，看，它的活力不是仍然旺盛么?

失去，就像地震。震后的城市残垣断壁，死伤无数，可是，看，人们已经开始清理废墟了，那一块块完好的砖，不正是重建急需的么?看，人们已经把东西从毁坏的家中一件件搬出来了，即使是毁坏严重，也要留下作为地震的见证。看，孩子们已经开始玩耍了，这残垣断壁不正是他们难得的游乐场么?城市失去了往日的繁华，可是，看，它的生命就此终结了么?

失去，就像尼罗河泛滥。它用洪水冲刷大地，一切都不复存在，可是，看，已经贫瘠的土地被富饶的土壤覆盖，又是一年的好收成。看，人们脸上欢快的表情，这失去的不也是很值得的么?

失去，就是得到，就是辞旧迎新。

失去太阳，可以看到满天的星斗；失去工作，可以去掉沉重的压力，可以去寻找更好的目标；失去一切，可以从头从新开始；失去自己的心，还用什么去看、去找寻新的世界?

春天失去了，还有夏天呢！不是么?

老邓简评

你的进步真是太明显了！结构章法越来越成形，思想认识越来越深入，文章内容越来越丰富，语言表达越来越明快流畅，文章越写越顺手了吧？

文章写来像一篇韵文，讲究段落的韵律与节奏，讲究句式的整齐与变换，抒情浓烈，感染力强！

同时，文章出现的问题也是相当典型的，请留意老师的评析：

1.“失去了自己的心，还有什么可挽救的。”与“失去自己的心，还用什么去看、去找寻新的世界？”这两句在原文中与前面所要表达的意思格格不入，因为这两句中的“失去”是不可能再获得的意思，与全文“失去即另一种获得”的主旨相违背，为什么放在那里？

其实，我们完全可以把这两句话安排成另一个论述层次，把它放在文章的最后，使文章对“失去”的价值阐释得更加透彻，最重要的是让人知道：失去或获得，这只是一个问题的两个认识角度，其关键在人，在心，在于我们如何去看待它，而并非一种与人无关的客观存在。这样开掘一下，不仅可以避免文章的逻辑混乱，而且能够增强文章的思辨色彩！

你看，结尾段是否可以这样：

“什么都可以失去。除了心。

失去了自己的心，还有什么可挽救的？失去了自己的心，还用什么去看、去找寻新的世界？失去了心，就是失去了生命。

生命都没有了，还说什么失去不失去？”

2.要注意自然的失去与灾难性夺去之间的区别，否则我们很难认同地震、洪水也是一种“辞旧迎新”，我们很难认同“看，人们脸上欢快的表情，这失去的不也是很值得的么？”一句中“值得”的意思。所以，有必要进行以下修改：

“……又是一年的好收成。看，人们脸上欢快的表情，这失去的不也是很值得的么？”改为“……或许这一年会是好收成。看，人们脸上又露出了欢快的表情，生活又开始继续。”

相应地，“失去，就是得到，就是辞旧迎新。”应改为“失去，并不等于一切都消失；失去，也许就是另一个意义的获得。”

怎么样？老师的分析在理吗？如果认同，立刻把文章重新“组装”好，发过来！

希望你的文章再上一个台阶！你肯定行！

这篇文章已被浏览52次。
记者 wojiger 发表于
2003-3-9
16:32:55

爱情的感悟

柳涛

爱情如花，缤纷美丽；
爱情如水，婉转绵延；
爱情如雨，清爽滋润；
爱情如雪，高尚纯洁。

爱情如骨，坚强长远；
爱情如土，肥沃亲切；
爱情如木，挺拔高耸；
爱情如金，坚固珍贵。

爱情如暴风，猛然撕碎你的心；
爱情如骤雨，无情冰冷你的情；
爱情如闪电，顷刻击碎你的梦；
爱情如洪水，彻底淹没你的全部。

但我相信，
爱情总有一天会找到她的“爱情”，
因为
她执著，她热烈，她无私，她永恒！

老邓简评

真个是热情洋溢的爱的诗篇！表现得那么浓烈，那么火热，那么直截了当！爱的潮水汹涌而来了！作品有一种夺人的气势。

值得斟酌之处：

“但我相信”这一转折有些突兀，与前文在感情上有何冲突？不太明确。

“爱情总有一天会找到她的‘爱情’”有些令人费解。前面说了爱情失去了什么吗？

* 爱过了 柳涛

当我死时，世界啊，请在你的沉默中，替我留着“我已经爱过了”这句话。

——泰戈尔

爱情，世间最美最美的东西。有的人拥有，有的人没有。有的人沉浸在爱的甜蜜中，有的人则被爱情生生斩成两半。但是，我们已经爱过了，我们已经把自己的爱放到了她最想去的地方，现在能做的，就只有静静地等待自己的那份爱悄悄到来。

曾经被爱狠狠地锤击，曾经被她把爱粉碎。但是只要生命在燃烧，爱就永不熄灭！所以，尽情去爱吧，无论痛苦还是悲伤，只要爱过了，心胸就会坦荡！

情人的爱是爱情，亲人的爱也是爱情，平凡人的爱情一样也是爱情。正义是爱，诚实是爱，勇敢是爱，一切美好的东西都是爱！在这个爱的世界里，如果你没有爱过，那么你就等于没有过生命！

上帝在天堂等待着爱过的人，他问：“你爱过了吗？”你会告诉他：“我的爱已经全部留在了人间，我已经爱过了！”

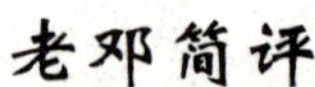

老邓简评

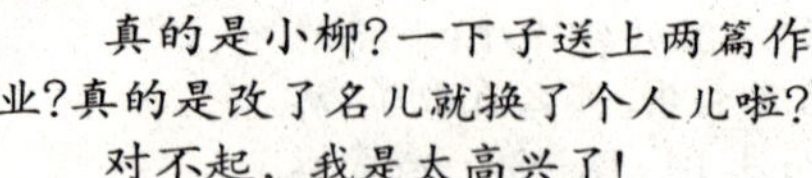

真的是小柳？一下子送上两篇作业？真的是改了名儿就换了个人儿啦？

对不起，我是太高兴了！

一诗一文，相比较而言，我更喜欢这篇散文。思想感情更博大，更深厚，更富感染力。如果内容能够丰富些会更佳！

有一句不明白：“曾经被她把爱粉碎”，什么意思？

这篇文章已被浏览52次。
记者柳慈欣发表于
2003-3-9
19:31:48

花对果实说：“你在哪里呀?”

果实对花说：“我在你心里呀！”

清晨，太阳从东方的地平线上升起，发射出金色的光芒。叶子上的一粒晶莹剔透的露水把一分阳光融化，射进了一朵刚刚开放的花，把花的梦映醒了。她舒展着自己，下意识地向着阳光射来的方向探了探身子，不小心，跌进了时光的隧道里。

一阵神秘的玄光过后，她听到了一个声音：“喂，花，你好吗?”

谁在叫我?花朵想着，说：“你是谁?”

“我？我是果实。”那个声音回答。

“果实?果实是什么?”花想了想，“是一种蜜蜂，还是一种蝴蝶?”

“我可不是什么蜜蜂蝴蝶，我是你的未来。”果实回答。

“我的未来?”花朵不解，“我怎么从来没有见过?”

“你当然没有见过我，可是你的一切，和你成为我之前的一切，都是我的过去，都在我的记忆里呢！”果实停顿了一下，“你的昨天的晚上，有一只讨厌的毛毛虫爬到你的身上，把你吓哭了，是吗？后来，来了一阵风……”

“风把他吹走了！哈！你果然什么都知道。不过，我怎么看不到你呢?你在哪里呀?”

“我在你心里呀！”果实回答。

“我的心里?你是说，我的未来在我的心里?”

“不完全是，至少你的命运不是。”

花朵想了想：“命运？你能把我以后的命运告诉我吗？我时常为这些担心呢！”

“哦！这可不行！”

“为什么?”花朵愤愤地问。

“因为我想让你的生命真正地属于你。”

“真正地属于我?”花朵不解。

"对！你的命运是你的，但是又不是你的，因为你无法控制它。你不能预知你的命运，因为那样你就会得到许多不属于你的东西，也就会失去许多本来真正属于你的东西。"果实回答。

"那么，我的生命中，究竟什么是真正属于我的呢？"

"你的理想呀！当然，还有你为你的理想而付出的努力：这些，真正属于你。"

"哦！我的理想，我的努力。那么，你能告诉我，我的理想会是什么吗？我又会为它做些什么呢？"花朵问。

"你的理想？你的努力？你为什么要问我？它就在你的心里呀！"

花朵想了想："我懂了。真正属于我的，就在我的心里——我的理想，和我为之付出的努力。"

"用心去梦想，努力去实现，你会快乐的；因为，你的生命已真正属于你。"

"谢……"花朵还没有把话说完，一道闪光过后，她身边的草、树木，一切又恢复了原来的样子，只是太阳已经升到半空。尽管她一再叫喊，果实的声音却没有再响起。

远处走来了一个小男孩，迈着轻盈的似乎可以跨过一切障碍的步子，来到了花朵的身旁。突然，大树上掉下一只毛毛虫，刚好落在孩子身前。孩子大叫一声，向后跳了一步，却又被石头绊了一下，向后一倒，跌进了时光的隧道里。

一阵神秘的玄光过后，他听到了一个苍老的声音……

他和他的对话又会是什么样子呢？

老邓简评

我认为这篇文章最可称道处在于它的整体构思：采用童话故事的形式，将花与果实之间极富哲理的思考，通过对话揭示出来，娓娓动听。

最精彩的地方是结尾，一个孩子同样跌进时光隧洞，他又能获得什么启示？耐人寻味。特别是"他和他"的指代意义令人遐想：第二个"他"是谁？果实？谁的？孩子的果实是什么？什么是他的花？……

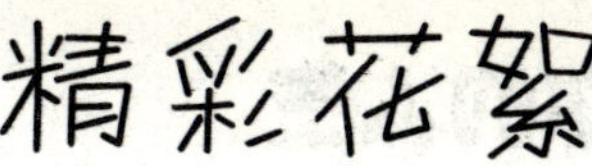

[20: 41] <万古流芳>对<wojiger>说：邓老师好，我今天要好好写作文。

[20: 42] <wojiger>对<万古流芳>说：什么什么什么什么？再说一遍，我没听错？

[20: 43] <万古流芳>对<wojiger>说：老师，您别寒碜我了。

[20: 44] <wojiger>对<万古流芳> 说：对不起，我是太高兴了！

[20: 45] <万古流芳>对<wojiger>说：老师，我改名了。

[20: 46] <wojiger>对<万古流芳>说：改啥呀，不是挺好的吗？

[20: 47] <万古流芳>对<wojiger>说：新鲜呀。

[20: 48] <wojiger>对<万古流芳>说：咳，我还以为是重新做人呢。

[20: 50] <万古流芳>对<wojiger>说：老师，求您别讽刺我了，马上交作业还不行吗？

[20: 51] <wojiger>对<万古流芳>说：别硬撑着。

[20: 52] <万古流芳>对<wojiger>说：您等着，我今天不叫您刮千回目才怪！

[20: 53] <wojiger>对<万古流芳>说：行，等着瞧！

公告发布：2003/3/15(网上作文指导第十二次活动)

开学第五周了 老 邓

孩儿们:

今天下课早哇，这么多人已经上线溜达啦! 都是咱们的队伍吗?

那就赶快看看我给你们提供的最新信息吧。具体方法: 刷新全部文章! 记录你感兴趣的一切!

接下来是今天的作业:

“人充满劳绩，但是却诗意地栖息于大地之上”，这是德国诗人荷尔德林的著名诗句。后来“诗意地栖居”，便成了德国浪漫主义哲学家海德格尔的核心思想。

你如何理解诗人的这句话?“诗意地栖息”引起你哪些怀想?你认可人的这一特征吗?你考虑过自己的“栖息”方式吗?……

自选角度，自拟题目，自选文体……以你认为最具诗意的方式抒写你的情感，发表你的高见，编织你的梦幻。

充满诗意吧?开工!

这篇文章已被浏览104次。记者wojiger发表于2003-3-15 13:46:05

诗意的自然 cswords

“诗意地栖居”，我觉得与“人是一台机器”或“唯意志论”的极端(一种明显错误)看法是对立的。

我崇尚自然科学，但不是机械唯物主义者。想象爱因斯坦的小提琴和普朗克的钢琴合奏的情景，隐约地觉得人类栖息在地球上离不开浪漫。放眼自然，我们从未因为它的规律过于单调而感到乏味；埋头书籍，我们也并不觉得那仿宋体过于刻板；着眼自身，我们则可以发现，浪漫情怀不是清晨的旭日，不是半空的浮云，不是飞腾的浪花，而是自我的拥有。

但也没有人会为了诗意忘了栖居，除非是疯狂的人。诗意并不是疯狂，而是优雅，是和谐的存在，不是从世界中逃脱。自然造就了我们，也造就了浪漫、诗意。我们从蛮荒中走出来，即将走入崭新的自然。可以说，自然造就我们，不是为了成就一种主观而强大的动物，而是为了自身的上升。

老邓简评

一说到“诗意”，不少人很容易将它与科学、与规律对立起来，以为诗意就是随意，就是放纵。

你的文章展示了你对诗意的理性认识，瞧这样的句子：“诗意并不是疯狂，而是优雅，是和谐的存在，不是从世界中逃脱。自然造就了我们，也造就了浪漫、诗意。”显示出你是一个理性的文化人呢！

要是能形成一篇完整的文章一定很精彩！

＊＊感受诗意（二改）

cswords

“诗意地栖居”，是德国浪漫主义哲学家海德格尔的核心思想，来自德国诗人荷尔德林“人充满劳绩，但是却诗意地栖息于大地之上”的著名诗句。

我们栖居在地球上，艰苦劳作，在笃信自然科学的同时，拥有着诗意的生活。抬头仰望飞鸟，我心中一股搏击长空的豪情油然而生，却并不总想到空气力学；眺望崇山峻岭，我被大自然的鬼斧神工深深打动，也不一定想得起造山运动。“美”常在我的脑海里跳动。我所崇拜的科学家们也定然如此。想象爱因斯坦的小提琴和普朗克钢琴合奏的情景，隐约觉得，人类栖息在地球上离不开浪漫。放眼自然，我们总能融化在绿色、蓝色、五彩缤纷、变幻莫测之中，从未因其蕴含的确定性而感到乏味；埋头书籍，我们总是惊异于人类文明的光彩灵动、丰富深刻，尤其是浪漫诗意，同时也并不觉得那仿宋体过于刻板；着眼自身，我们则可以发现，浪漫情怀不是清晨的旭日，不是半空的浮云，不是飞腾的浪花，而是自我的拥有。拥有我们自身的情感，就拥有浪漫和诗意，就拥有世间万物的灵性。我们，是诗意的。

但没有人会为了诗意忘了栖居，忘了生活，除非是疯狂的人。诗意并不是疯狂，不是飞出宇宙的流星，不是从现实中逃脱，而是优雅、和谐的存在，是我们栖居的大地上永远绽开的花朵。我们栖居在世界上，才有喜怒哀乐，才有浪漫诗意。诗意深深扎根于人们的劳绩中。柴米油盐、衣食住行中充满着诗意。袅袅炊烟，暧暧人村，鳞鳞大厦，衣裳口食，锄禾当午，战场从军，闺怨思君，艰难苦恨，都成了诗。即使是白发千丈，天上黄河，蜀道青天，神鬼仙佛都源于现实生活。古人在劳作中开创了人类的文明，使我们的情感随之升华。自然造就了我们，也造就了浪漫、诗意。诗，走进了人类的世界，人则发现了诗意和浪漫的世界。我们从蛮荒中走来，随即走入诗意的自然。可以说，自然造就我们，不是为了成就一种试图改造自然的特别动物，而是为了自然本身的进化，为了超越远古的自然，成就诗意的自然。诗意的人们，将永远栖居在诗意的世界中。

我们，是诗意的，诗意的我们栖居在诗意的大地上。只要欣赏生活，就能感觉到诗意的存在。

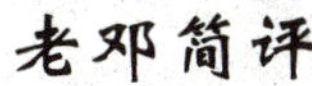

热烈地拥抱你！好样儿的！秦晓宇！谁说你没有才气?！谁说你满脑子数学公式?！半天的工夫，一篇佳作就此诞生！自豪吧！

相信你通过修改悟出了一点儿作文之道。好好比较比较，学会总结经验，寻找规律，举一反三。

文章还可以精益求精：

原文“着眼自身，我们则可以发现，浪漫情怀不是清晨的旭日，不是半空的浮云，不是飞腾的浪花，而是自我的拥有。拥有我们自身的情感，就拥有浪漫和诗意”中“自身的拥有”和“自身的情感”还是有些空吧?你推敲推敲?

建议你参考19841216的文章《诗意的栖息》，肯定有收获！

怎么样，愿意“三易其稿”吗？这将是对你意志力的最佳考验！挺得住吗？

这篇文章已被浏览34次。
记者 asdfijkl 发表于
2003-3-16
14:42:18

*** 感受诗意(三改)

cswords

“诗意地栖居”，是德国浪漫主义哲学家海德格尔的核心思想，来自德国诗人荷尔德林“人充满劳绩，但是却诗意地栖息于大地之上”的著名诗句。

我们栖居在地球上，艰苦劳作，在笃信自然科学的同时，拥有着诗意的生活。抬头仰望飞鸟，我心中一股搏击长空的豪情油然而生，却并不总想到空气力学；眺望崇山峻岭，我被大自然的鬼斧神工深深打动，也不一定想得起造山运动。“美”常在我的脑海里跳动。我所崇拜的科学家们也定然如此。想象爱因斯坦的小提琴和普朗克钢琴合奏的情景，隐约觉得，人类栖息在地球上离不开浪漫。放眼自然，我们总能融化在绿色、蓝色、五彩缤纷、变幻莫测之中，从未因其蕴含的确定性而感到乏味；埋头书籍，我们总是惊异于人类文明的光彩灵动、丰富深刻，尤其是浪漫诗意，同时并不觉得那仿宋体过于刻板；着眼自身，我们则可以发现，浪漫情怀不是清晨的旭日，不是半空的浮云，不是飞腾的浪花，而是自我的拥有。落花本无意，流水更无情，李煜却知春光已去；怎闻凤凰叫，哪得香兰笑，李贺独赞箜篌之音。我们感知自然，我们感知万物，点燃人类思想的火花，赋予我们诗的感受。拥有我们自身的情感，就拥有浪漫的诗意，就拥有世间万物的灵性。我们，是诗意的。

但没有人会为了诗意忘了栖居，忘了生活，除非是疯狂的人。诗意并不是疯狂，不是飞出宇宙的流星，不是从现实中逃脱，而是优雅，和谐的存在，是我们栖居的大地上永远绽开的花朵。我们栖居在世界上，才有喜怒哀乐，才有浪漫诗意。诗意深深扎根于人们的劳绩中。柴米油盐、衣食住行中充满着诗意。袅袅炊烟，暧暧人村，鳞鳞大厦，衣裳口食，锄禾当午，战场从军，闺怨思君，艰难苦恨，都成了诗。即使是白发千丈，天上黄河，蜀道青天，神鬼仙佛都源于现实生活。古人在劳作中开创了人类的文明，使我们的情感随之升华。自然造就了我们，也造就了浪漫、诗意。诗，走进了人类的世界，人则发现了诗意和浪漫的世界。我们从蛮荒中走来，随即走入诗意的自然。可以说，自然造就我们，不是为了成就一种试图改造自然的特别动物，而是为了自然本身的进化，为了超越远古的自然，成就诗意的自然。诗意的人们，将永远栖居在诗意的世界中。

我们，是诗意的，诗意的我们栖居在诗意的大地上。只要欣赏生活，就能感觉到诗意的存在。

老邓简评

为着你的孜孜以求，我真诚无比地向你致敬！

你已经完成了从丑小鸭到白天鹅的蜕变！

这篇文章已被浏览52次。
记者 asdfijkl 发表于
2003-3-17
22:53:05

＊人类，诗意的栖息

19841216

“人类诗意地栖息于大地之上”。

是的，正是人类的存在，大地之上才有了诗意。百川归海，本是自然现象，只是在人类的眼中，江河才有了诗意。李煜面对的一江春水载不尽亡国的愁苦。罗贯中独叹滚滚长江淘尽英雄。江水无意，只是人类有情，水也就有情了。花开花落，也本是自然规律。落英并不知道春夏秋冬，岁月流逝。只是文人们借落叶抒发对时间有些无可奈何的伤感。同样是雨水，“梧桐雨”记载了唐明皇和杨贵妃的爱情悲剧，淅沥的春雨见证了李煜这位亡国之君身陷囹圄时的凄清，在柳宗元的笔下，天街的小雨却又润如酥。恐怕那一滴滴的雨水永远不会知道它竟承载了人世间这么多的悲欢离合。

没有人类，草原依旧广阔，但草原上不会留下英雄的蹄印和千古流传的史诗。没有人类，天空依旧高远，但那片苍穹上不会刻下伟人的名字和浩然长存于天地的诗篇。没有人类，月亮依旧盈缺，但那只银盘上不会有可爱的玉兔和清冷的广寒宫。

有了人类的栖息，才有了诗意。

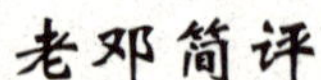

可惜呀可惜，我还没有欣赏够呢，你干嘛急急忙忙就收尾了？

多清晰的思路啊！多形象的阐释啊！多整齐优美的语言啊！

为什么偏偏就煞了尾了呢？

这篇文章已被浏览39次。
记者 wojiger 发表于
2003-3-16
16:46:03

＊诗意的生活 gpn

浪漫的大海

面朝大海，春暖花开，建一所房子。早晨去看朝霞，傍晚去看夕阳。可以去赶海，可以去钓鱼，还可以骑着自行车在海边徜徉。呼吸着微微带着腥味的海风，听着变幻无穷的涛声。在海边支一堆篝火，坐在它边上看一夜的星星。

清新的草原

天苍苍，野茫茫，支一座蒙古包。踩着露珠去迎接新的一天，乘着晚风收拾一天的心情。可以在绿色的海洋中遨游，可以在大地的明眸中荡舟，还可以跳到清澈的河流中与鱼儿嬉戏。嗅着沁人心脾的大地的芬芳，看着连绵起伏的绿色波浪。在地上铺一方毯子，躺在上面感受云朵飘过脸庞。

悠远的山谷

苍松翠柏，奇峰峻岭，盖一间小屋。带着雾气去看云海，领着山风扫去整日的灰尘。可以听婉转的鸟叫，可以看奇异的花草，还可以将自己置身无边的林海，与叮咚的泉水为伴。触摸千年古木的沧桑，感叹山颠苍鹰的傲然。在谷底放一把躺椅，看弥漫的薄雾笼罩着整个山谷。

欢快的乡村

整齐的平房，袅袅的炊烟，租一间小房。听着孩童银铃般的笑声起床，用农人纯朴的憨笑做下酒菜。可以到村口听听农妇们尖细的嬉笑，可以坐在院子里听着鞭炮的脆响，想象办喜事的人家门口贴着的大红喜字，也可以走到田里，摘下麦穗，看着饱满的颗粒就如同看到了一张张笑脸。到邻居家去串门，邻居家的老妈妈脸上绽开了一朵花。

繁华的城市

高楼大厦，车流人海，找一间公寓。拉开窗帘，看到窗外奔流不停的汽车，看着对面的万家灯火与自己共进晚餐。可以站在阳台，俯瞰脚下匆匆忙忙的人群，可以出去走走，听着工地上此起彼伏的金属碰撞声，也可以踱进商场，流连于缤纷的商品当中。在热闹的酒吧当中，听着悠扬的爵士乐，一待就是一天。

安静的校园

干净的教室，寂静的操场，坐在椅子上。走在楼道，老师讲课的嗓音和偶尔的书页翻动声音传进耳朵，进入花园，听到树枝在脚下折断。可以去到自习室，看看学生们脸上平静的表情，可以进到教室，听听笔尖在笔记本上滑动，也可以站在校园里，看看风从校园中跑过。拿一本书，找个温暖的地方，让时间走得更快。

“人充满劳绩，但是却诗意地栖息于大地之上”。

诗意的生活，可以认为远在天涯，但也是近在咫尺。因为，它就在我们的身边，就是我们的生活。

老邓简评

诗意似乎只有远离尘世才能找寻，殊不知你的文章并不刻意追求脱俗，而是在周遭生活中去观察，去体会，去截取诗意的片段，颇有陶渊明“心远地自偏”的真味！

文章结构谨严，每个画面都富有典型性，描写生动。整篇文章像一首流动的诗！

如果结尾加上一句：“只要我们去除些许浮躁，沉静下来，悄悄用心灵去感受。”文章给人的启示或许会更大一些，起码可以让寻找世外桃源的人随时放慢脚步。

你说呢？

这篇文章已被浏览38次。
记者 wojiger 发表于
2003-3-16
15:43:43

*流星 CHEN2354

从明天起，做一个幸福的人
喂马，劈柴，周游世界
从明天起，关心粮食和蔬菜
我有一所房子，面朝大海，春暖花开
……

诗人是这个世界上最矛盾的人。当人类的躯体昂首挺胸大步跃进之时，灵魂却在承受着烈焰的灼烧与铁索的拷问。人类的良知是否已经泯灭？畸形的社会何去何从？无人问津的问题在他们的心底千百遍地翻滚不能吞咽。心灵的善良让他们勾勒出完美的画卷；理性的眼光又让他们看到世界的丑恶。当纯真变成了世故，当信任变成了欺骗，当依靠变成了背叛，当诚信变成了谎言……诗人的诗句不再浪漫，却依然执著。情绪化的个性让现实与理想跨越巨大的鸿沟顺着沸腾的一腔热血猛烈撞击，穿越了心灵的重重壁垒，散发出一丝的诗意，饱含着哲理与激情在其中。

承受着，痛苦着；憧憬着，幸福着。

什么可以引领人们的心灵回归正途？怎样才能摆脱痛苦，点燃自己的燎原之火？生命仿佛只有在终结之时，才可以得到升华。

一位诗人逝去了，却没有流星陨落。

从明天起，做一个幸福的人……

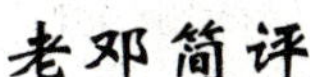

文章揭示了诗意与现实的矛盾对立，让我们真切地看到诗人的抗拒与挣扎，并深切感受到理想遭受世俗折磨的苦痛。然而我们更看到人类奋然前行的勇气与意志——还记得“无知山谷”中的漫游者吗？

诗意不是别的，是真纯，是至善，是大美——我们能放弃吗？

“从明天起，做一个幸福的人”，这是海子离世前的渴望。如果没有这一渴望，我想，他不是诗人。

文章中有很多句子耐人寻味，闪烁着思想的光芒。如果内容再丰富、结构再完整一些会更好！

这篇文章已被浏览53次。
记者 wojiger 发表于
2003-3-16
15:47:18

* 诗意的栖息 bigxiexi

总认为李白是不属于凡间的，他应是天上的一颗星，耐不住夜的寂寞、重复，溜下天际，在人间有了一次诗意的栖息。

流星划过，满天是空，点缀了一个盛唐。这星辉是诗，李白就是一首诗。

离开星空的李白是一首离乡思乡的诗，离开蓝得如水晶般纯粹的夜空来人间寻找一个五彩的梦。李白一生便在寻梦梦灭之间跋涉，像一个不知疲倦的旅人，停不下流浪的脚步。归乡梦还没有做完，便又迎着晨曦，踏着朝霞走向远方。李白是真的不知故乡在何处吗？也许他寻得的只是一个精神的归依。“不知何处是他乡”，苦受思乡之苦的李白就在一个又一个的“他乡”中寻觅自己的故乡。“床前明月光，疑是地上霜。举头望明月，低头思故乡。”仰对月光夜空，李白从心中生发出一种思乡之情——他本就是一颗星，故乡在天上。

也许李白到人间只为写出一首诗，飘逸、灵动、如梦如幻。李白是一首如梦如幻的诗。眼中只有美好的李白见不得人世的真实的丑恶，于是李白就沉浸在梦中，还要用酒使自己不要醒来。“但愿长醉不复醒”，于是李白就在梦中吟下“谢公终一起，相与济苍生”的雄心壮志，享受仗剑行侠的自由，迷醉于功成名就后投钓谢人间的洒脱。梦醒后的真实是摧眉折腰事权贵，是仕途的险恶，官场上黑暗的勾当。不肯从梦中醒来的李白也就给后人留下了一个美丽、纯净的梦，这梦中有心灵的冲突、矛盾的缠绕，“散发弄扁舟”与“君笑淡静胡沙”的痛苦交斗，于是后人看得如痴如醉，沉浸在一个如梦的李白身上。

他从何处来，又去往何处呢？也许就像一颗星，划落天际，短暂地栖息后，只留下满天的星辉。

老邓简评

美妙奇特的幻想即构成本文的诗意！将李白比喻成一首诗，将太白金星的下凡比做诗意的栖息，文章充满浪漫气息，一如李白的诗篇，以作者的幻想去书写李白的幻想，自然使浪漫的诗意交相辉映，文里文外皆成诗，内容与形式达到高度统一！

如果材料再丰富一些，文章内容会更加充实。现在的感觉是有点不过瘾！

值得推敲处：

1. “耐不住夜的寂寞、重复”中“重复”改为“单调”似乎更好。
2. “流星划过，满天是空”句中“满天是空”什么意思？该是“满天星辉”之误吧？
3. “沉浸在一个如梦的李白身上”搭配不当。

这篇文章已被浏览33次。
记者 wojiger 发表于
2003-3-16
10:16:12

* 诗意地栖息

在吹

李白斗酒诗百篇，长安市上酒家眠。天子呼来不上船，自称臣是酒中仙。

——题记

世上有几人比他更失意?

“登舟望秋月，空忆谢将军。余亦能高咏，斯人不可闻。”失意的天才。从小便懂得“只要功夫深，铁杵磨成针”的道理，苦读诗文为实现心中治理天下的宏伟意愿，却只落得皇帝的“帮闲”文人的名号。满腹的才华和抱负窝在胸中无处施展。

世上又有几人比他更诗意?

“且放白鹿青崖间，须行即骑访名山。安能摧眉折腰事权贵，使我不得开心颜?”傲岸的灵魂。生活在诗句堆砌的缥缈的生活之中。一字一句皆宛若流水般顺畅清凉。写诗之人难以望其项背；读诗之人更难以追随他飘忽的灵魂。

到底是“失意”还是“诗意”?这看上去很矛盾。是因为失意才愈发诗意,还是因为太过诗意才失意得痛彻心肺?

现实的道路总有些不平坦，不愿正视的，就只有逃避。

庄子失意于社会，于是诗意地“曳尾涂中”；陶渊明失意于仕途，于是诗意地“悠然见南山”，诗意地“复得反自然”；李白也一样,失意官场,只好诗意于青崖间。

他们的诗意，是因为失意，失意后的逃避，逃避后的超脱。

还有另外一种人，他们学不会诗意，因为他们永远不会超脱，因为从来不会逃避，于是他们注定要背负沉重的包袱。

像杜甫，他的诗词绝不浪漫，绝不空灵，绝不色彩瑰丽，绝不“须行即骑”。沉郁顿挫——这是人们给杜诗最准确精炼的评价。

“无边落木潇潇下，不尽长江滚滚来”。

“君不见，黄河之水天上来，奔流到海不复还”。

——落差三千丈!杜甫的诗让你无力地甘愿任由江

水摆布，李白的诗却让你傲岸地立在江水中仰天长笑。

但是，杜甫敬仰李白——不全是因为他的才华。

——“应共冤魂语，投诗赠汨罗”。

李白忘不了他的心愿，忘不了他的仕途，忘不了他的国家，所以他参加李璘幕府，所以他被牵连，所以他诗意的人生注定要完结于一个不怎么诗意的句点。

其实他并不想逃避，只不过是不愿触碰心中最脆弱的角落。

“弃我去者，昨日之日不可留；乱我心者，今日之事多烦忧”。

——那失意的灵魂，那高傲的灵魂，只能隐藏起来，不能再在伤口上撒盐。

但他是李白，他的感情是那样的强烈，他想瞒过自己，终以失败告终。

否则便不会有那首吟唱了千百年的“蜀道难”，不会有“但愿长醉不复醒”的愿望，更不会有那“抽刀断水水更流，举杯消愁愁更愁”的断肠绝句！

他诗意地栖息在世上，剥开胸膛，露出的却是一颗被刺伤的心。

老邓简评

“他诗意地栖息在世上，剥开胸膛，露出的却是一颗被刺伤的心。”太具诗意了！其意象带给人的强烈震撼使我眼前立刻浮现出另一首现代新诗——《我用这残存的手掌》。

失意还是诗意？作者深入李白的内心世界，着力展示这个不灭灵魂的执著追求与痛苦挣扎，最终让我们明白失意与诗意共同构筑起李白的人生，是李白诗意的理想点燃了他独一无二的才情与天赋——我们被他饱蘸热血的诗篇打动，我们更被他高洁的人格征服！由此可见，你的文章多么有思想深度！

作者显然对李白相知甚深。大量的史实，信手拈来的诗句，议论精当，抒情浓烈，文笔优美，文章充满才华！

你看，你的文章有多么强的艺术感染力！

佳作啊！这是我收到的第二篇以李白展现诗意的文章，两位作者可以同场竞技啦！其他同学也可以参与评价呀！

这篇文章已被浏览38次。
记者faye_1984发表于
2003-3-16
11:35:39

＊＊新闻回顾 super_f16

新华社消息 2055年3月3日，第一台具备自主判断与联想思考能力的量子计算机在××实验室诞生了。它的出现标志着电脑与人脑的差距进一步缩小了。一些专家甚至提出，机器即将超越人类。

纽约时报消息 2055年5月在新泽西州举办的国际象棋人机对抗赛中，人脑不敌电脑，终以0比3惨败。经过近半个世纪的艰苦较量，人类最终还是在自己发明的游戏中输给了计算机。

路透社消息 2056年6月8日，德国的一名机器警察开枪击毙了一名抢劫犯。这是有史以来机器的第一次主动杀人行为。

当天就有人在网上提出：机器与人已经毫无区别，甚至比人类更加优秀。在机器的词典中找不到“痛苦”和“悲伤”，更没有“贪婪”与“欲望”。人类所具有的一切恶习在机器身上都无法找到。人类已不是这个星球上最高级的物种，人类已不再适合做地球的主宰者。

各国都有很多人对人类失去了信心，认为机器将会征服人类。

法新社消息 2056年12月24日，5位中国科学家表示他们发现了电脑的弱点。

他们让电脑鉴赏一首古诗“白日依山尽，黄河入海流。欲穷千里目，更上一层楼。”电脑的解释令人哭笑不得“恒星已在行星的山后面落下，一条叫黄河的河流向着大海的方向流去。要想看得更远，就应该在建筑物上登得更高些。”还有一首：“前不见古人，后不见来者。念天地之悠悠，独怆然而涕下。”电脑的解释更是让人啼笑皆非：“向前看，看不到在遥远的过去曾经在这颗行星上生活过的生物；向后看，看不到未来将要在这颗行星上生活的生物，于是感到时空太广大了，于是哭了。”

专家们指出，机器在智商和技术上可以超过人类，但是在情感和精神上却不能，永远不能。

华盛顿邮报消息　2057年1月，受中国科学家的启发，美国科学家试着让一台最先进的电脑理解德国诗人荷尔德林的著名诗句："人充满劳绩，但是却诗意地栖息于大地之上。"虽然那台电脑进行了常人无法想象的飞速计算，但最终还是无法理解其中"诗意"一词，以致陷入死循环，导致系统崩溃。

新华社消息　2057年5月，经过一系列的实验，人们终于认识到机器是无法超越乃至征服人类的。世界各地的人们都陆续从自卑的阴影中走了出来。整个地球像是经历了一次精神的洗礼。美国思想家爱默生曾经说过，所有的人在内心深处都是诗人。而今天的人类终于认识到这一点是所有机器永远所不及的。

机器仍然在不知疲惫地计算着，而人类却再次拿起了那支曾一度失掉的笔，继续在历史的长卷中写下壮丽的诗篇……

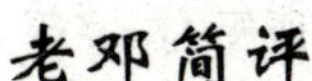

老邓简评

拱固啊拱固，你可真的是一直在巩固着自己优秀写手的地位呀！祝贺你！

选材新颖！立意深远！构思巧妙！极富时代特征！哎呀呀，找不到形容词啦！

精益求精：

结尾"一度失掉的笔"含义不明确，容易产生歧义：难道放着电子笔不用，要回到古代使用毛笔吗？或许改为"心笔"更有意义，强调人类切莫用机器替代心灵；笔跟诗意有什么关系呢？所以，不妨再加上一句"饱蘸诗情"，于是，结尾：

"机器仍然在不知疲惫地计算着，而人类却再次拿起了那支曾一度失掉的心笔，饱蘸诗情，继续在历史的长卷中写下壮丽的诗篇……"

如何？反正我自己是很得意的哟！修改出美文也是一件充满诗意的事哟！你看，邓老师虽然充满劳绩，但是却诗意地栖息在作文纸之上！

这篇文章已被浏览57次。
记者super_f16发表于
2003-3-16
14:26:37

＊栖息城堡　孙飘飘

一直以来，我都在寻找，寻找一个可以使我栖息的地方，一个适合我的栖息方式，但始终没有找到。直到有一天，我站在了栖息城堡的前面。城堡的铁门上写着这样一句话“打开各色的门，去感受不同的栖息方式。”

推开厚厚的城门，是一条延伸到远处的走廊，两边有各种颜色的门，并且每扇门上写有两个字。我带着迷惑打开左边的第一道门，它是黄色的，上边写着“享受”。一缕金色的阳光让我睁不开眼睛，照在身上却是暖暖的，一阵微风迎面吹来，像丝一般滑过我的脸颊，吹起我的长发，鸟儿在头上嬉戏，溪水在脚下歌唱，一切自然事物在这里是如此和谐。在这美景中，我看到了人们的一张张笑脸，听到了人们的一声声祝福，在这里人与人也是如此融洽。面对这样美好的生活，我们应该怎样做呢?享受，正如门上所写的，享受自然的美景，享受人间的真情。

打开第二扇红色的门，上面写着“拼搏”，在这里到处是荆棘，困难重重，我听到了人们顽强挣扎的声音，我听到了人们互相鼓励的声音，我听到了人们成功的欢呼声，看到这些，听到这些，想到那红色的门，我全身的血液沸腾了。在这里拼搏是困难的克星，妥协是挫折的温床。人们在一次次风浪中拼搏，在一次次拼搏中得到永生。

蓝色，天空的颜色，大海的颜色，宽广而又深邃，我打开这扇写着“包容”的门，这里没有仇恨，这里没有嫉妒，这里没有争吵，似乎这一切都消逝在空中，沉淀在海底。在这里人们包容了事物的缺陷，包容了他人的不足，每个人都用自己一颗真诚的心去对待他人，我陶醉在这种气氛之中。

绿色的门——“活力”，白色的门——“纯真”，棕色的门——“稳健”……一次次地开门，一次次的感悟，原来栖息的方式是多种多样的。

在走廊的尽头，墙上写着这样一句话“在合适的时候，打开合适的门，生活的每一天，将充满诗意。”也许这就是我寻找的真谛吧。

要问栖息城堡在哪里，远在天边，近在眼前，它就在你的心里。

老邓简评

“在合适的时候，打开合适的门，生活的每一天，将充满诗意。”多么具有启迪性的一句话！没有远离生活的虚无，没有汲汲于功利的世俗，作者的内心理性而平和，自信而充实。

文章结构很巧妙，不同的门象征不同的生活内容，引发多角度的追求，使诗意拥有了十分丰富的内涵，令人遐想！

结尾将诗意把握在自己的手中，主题豁然开朗！

祝贺你！

精益求精：

“也许这就是我寻找的真谛吧”句中“真谛”之前加上“诗意”二字，意思更明确。

这篇文章已被浏览31次。
记者 wojiger 发表于
2003-3-23
13:42:01

精彩花絮

学生<cswords>与老师<wojiger>的对话:

[16: 17] <cswords>对<wojiger>说: 我写作文总有一种翻书架的感觉，查字典的感觉，曾有一阵子我干脆想让字典替我说话，反正我自己是有点傻了。

[16: 18] <wojiger>对<cswords>说: 为什么呢?

[16: 18] <wojiger>对<cswords>说: 看到题目无所适从吗?

[16: 18] <wojiger>对<cswords>说: 没有材料吗?

[16: 20] <cswords>对<wojiger>说: 我恍惚觉得别人都能把现代杂志看得津津有味，我能把字典和大学课本看得津津有味。

[16: 22] <cswords>对<wojiger>说: 我看的文学作品主要是古典作品，中国的四大名著，我都是照着几十遍看的，可只对情节感兴趣，还有法国的大仲马的两部名著。

[16: 23] <wojiger>对<cswords>说: 多么独特的阅读习惯和内容啊! 它们有味在什么地方?这可是你极具个性的素材库啊，深入开发一

精彩花絮

下，你的文章该是最有个性的呀！

[16: 23] <cswords>对<wojiger> 说：我都没辙了，您说得没错，我是没材料，或者说材料离作文太远，怎么办？

[16: 24] <wojiger>对<cswords>说：错！我倒觉得你读的书很多，关键在于如何运用，要找到你的积累与作文之间的契合点！

[16: 24] <cswords>对<wojiger>说：eee，我的脑子里根深蒂固的是数学公式和定理，能有什么个性呢？

[16: 26] <cswords>对<wojiger>说：我倒喜欢把问题从根本上解决，可是总走到一条怪道上，实话说目前还好多了。

[16: 26] <wojiger>对<cswords>说：谁说的？你不觉得你常常能够从理性、客观的角度问题看得很深、很透吗？

[16: 28] <wojiger>对<cswords>说：只是要避免把道理抽象化、深奥化。如果能够深入浅出，具体生动地讲道

精彩花絮

理，你真的会很了不起!

[16: 28] <cswords>对<wojiger>说: 我其实很笨，有些事虽然自己想到了，却不能让它们进到别人脑子里去。

[16: 28] <wojiger>对<cswords>说: 所以关键在于用形象的语言来表达呀!

[16: 31] <cswords>对<wojiger>说: 我应该拿什么练呢?我希望是在日常，因为我想，我也需要从思想上把自己从极端上救出来。

[16: 31] <cswords>对<wojiger>说: 我觉得我应该关心些什么。

[16: 32] <wojiger>对<cswords>说: 我建议你琢磨琢磨如何把大道理讲给没文化的人听!

[16: 34] <wojiger>对<cswords>说: 你今天的作业就很不错!显示出思考的科学与谨严，有一种思想的美!

[16: 35] <cswords>对<wojiger>说: 老师我刚才掉出去了，摔得真惨!

[16: 35] <cswords>对<wojiger>说: 居然摔出了两个名字!

精彩花絮

[16: 36] <wojiger>对<cswords>说： 什么意思？

[16: 37] <cswords>对<wojiger>说： 那个死人自己离开了就好！

[16: 38] <wojiger>对<cswords>说： 什么意思？

[16: 38] <cswords>对<wojiger>说： cswords 从 internet 网上掉了下去，摔死了，名字却没掉，终于，转世的<cswords>回来了。

[16: 39] <cswords>对<wojiger>说： 那个没人用的名字也终于下去了。

[16: 39] <wojiger>对<cswords>说： 打断了我们的谈话，真气愤！

[16: 40] <cswords> 对<wojiger>说： sorry，以此为例，我说话总需要解释一下才能让人听懂。

[16: 41] <cswords>对<wojiger>说： 这话我妈常说。

[16: 41] <wojiger> 对 <cswords>说： 我刚才讲的你听明白了吗？

[16: 41] <cswords>对<wojiger>说： 我是不是应该学一下心理学，以便与别人的心灵沟通。

精彩花絮

[16: 42] <wojiger>对<cswords>说: 还真是这样啊!

[16: 42] <cswords>对<wojiger>说: 嗯，我想白居易是不会错的。

[16: 42] <cswords>对<wojiger>说: 谢谢您!

[16: 43] <wojiger>对<cswords>说: 那就这么去努力吧，你肯定行! 因为你非常聪明!

[16: 43] <cswords>对<wojiger>说: 您看我是应该在原文上改，还是再重写一篇呢?

[16: 45] <wojiger>对<cswords>说: 原文的两段很不错，但不是一篇完整的文章，只能算是思维的碎片吧，在此基础上充实它，形成一篇佳作，好吗?

[16: 46] <cswords>对<wojiger>说: OK，谢谢您，我先离开去写了，这次死不了。老师再见!

[16: 47] <wojiger>对<cswords>说: 我等着你的好消息! 88……

学生<pengpeng><cswords>与老师<wojiger>的对话:

精彩花絮

[18: 39] <wojiger>对<pengpeng>说：特幸福吧？

[18: 39] <pengpeng>对<wojiger>说：终于有回应了！激动！

[18: 39] <wojiger> 对<pengpeng>说：你看作业了吗？

[18: 39] <pengpeng>对<wojiger>说：看了。

[18: 39] <wojiger>对<pengpeng>说：有感觉了吗？

[18: 39] <cswords>对<wojiger>说： 老师好，我改文时遇到困难了！

[18: 40] <wojiger>对<cswords>说： 说吧。

[18: 40] <pengpeng>对<wojiger>说：就差一个结尾了。

[18: 40] <wojiger>对<pengpeng>说：我等着呢！

[18: 40] <pengpeng>对<wojiger>说：您不吃饭啊？

[18: 41] <wojiger>对<pengpeng>说：脱不开身呀！

[18: 42] <pengpeng>对<wojiger>说：好吧，我赶……赶作文。

[18: 42] <wojiger>对<pengpeng>说：这样我才能安心吃饭呀！

[18: 43] <cswords>对<wojiger>说： excuse me，打断了您的谈话，我把文章的前两段改了一下，可是我妈认为

精彩花絮

我的文章整体有问题，对于那句诗，我本想只对后半句作解读，可我妈认为一定要写前半句……

[18: 44] <wojiger>对<cswords>说：你认为呢?问题在哪里?

[18: 46] <cswords>对<wojiger>说：我虽然不认为改得完美了，但也不必加更多的内容，我是专对海德格尔作解的，那样就够了，而且我妈认为讨厌的话我也已经删了，总还凑合了。

[18: 47] <pengpeng>对<wojiger>说：老师，发过去了，请查收!

[18: 48] <cswords>对<pengpeng>说：祝福你!

[18: 48] <wojiger>对<cswords>说：你有妈妈在身旁指导，多幸福呀！发过来让我瞅瞅看!

[18: 48] <wojiger>对<pengpeng> 说：放心，我马上看!

[18: 50] <cswords>对<wojiger>说：您稍等一下……

生活处处有话题(一)

公告发布：2003/3/22(网上作文指导第十三次活动)

开学第六周 老邓

孩儿们:

休息够了吗?缓过神儿了吗?上“基地”放松一下吧!

1. 刷新全部文章，浏览新增内容，迅速感知周遭生活!

2. 如果你仔细观察，世间万物都有着丰富的表情:

春花秋山、四季轮回是自然的表情；阴晴云雨、电闪雷鸣是天空的表情；喜怒哀乐、啼笑悲欢是人类的表情……

请以“表情”为话题，自选角度，自拟题目，用你最擅长的写作样式，尽情抒写你的感悟与情怀!

很想看到你们此时此刻的表情! 呵呵呵呵呵呵……我的表情!

快手、高手快快登场!

这篇文章已被浏览 61 次。
记者 wojiger 发表于 2003-3-22 13:23:59

*隐藏的天空 冰

表情，是心的情在脸上的表现。

欢乐就是骄阳迸射的光芒的灿烂；哀伤就是云朵泼洒的雨滴的冰凉；幸福就是微风搅动的气流的温柔；忧郁就是天空背后的孤寂的幽蓝。

这些是天空的感情，这些是天空的表情。我们看着天，时刻感觉着天空的感觉。它快乐、它哀伤、它幸福、它忧郁，它把自己的表情毫无遮掩地摆到我们面前。所以我们觉得天空是清澈透明的，在它纯洁真实的广阔中，我们也变得真实、透亮。

不幸的是，天空黯淡了。还有谁会在没完没了的忙碌中，抬起他高贵的头，看一看曾经的纯真过后，此时的灰暗。

人们，似乎也是灰暗了。

曾经，还有些许的人在平静的夜，看看甜甜地酣睡的天空那一脸璀璨，然后像母亲看着自己的宝贝、女孩凝视自己的恋人那样，他们会把嘴角微微翘起，清清的，淡淡的，露出一脸的幸福、甜蜜与平和。旁观的人看得到他们的脸，也感受得到他们心中的感动。

然后，一个表情，便把一个人连接上另一个人，一个又一个，一个感动变作无数感动。

就算散播的是哀伤又有什么关系，因为这样的我们是真实的，单纯的。

可是，天空的灰色遮蔽了它的脸，时而又用黄沙当作面纱挡住脸庞。人们看不到天空，感觉不到那一股清亮亮的纯纯香气。于是，人们也学会了隐藏。藏起了自己的情……

当你看到一个人在笑，也许并不是他快乐，也许他心中的血液正在汩汩地冒出来；当你看到一个人在哭，也许并不是他伤心，也许他体内的欣喜正在凝结成一朵花。

此时，你已看不到他的表情是如何表现他的心的。人们也遮住了自己的脸，让别人看不到、看不懂。

有的人面对喜欢的人，却是一脸冷漠，不理不睬，让人心成冰；有的人面对厌恶的人，却无半点鄙夷、深恶痛绝，让人心刺痛。

心中充满的痛苦，却没有人愿意用脸来倾诉。自以为是的坚强不过是插进身体的毒刺。心中洋溢的快乐，也没有人想要用脸来散播。独自享受的幸福不过是衰老黯淡的珍珠。

把喜怒哀乐深埋在心底，真的就叫做“成熟”吗？不是的。成熟只是比幼稚多一些经验、多一分能力来控制自己不再重复儿时的错误；单纯、真实，并没有随之消逝。可是自以为成熟的人们故作深沉，隐藏好自己的那一分真情。变得令人琢磨不定，令人没有办法了解内在真正的自己。

这样好吗？伤心时没人知道，只有自己对着墙壁孤单地哭泣；快乐时没人知道，只有影子陪着在庆祝会上狂欢。

是否知道，这种隐藏背后还有一个真实的名字——虚伪。它也在隐藏自己，伪装自己，使你也会找到借口说这叫成熟、这叫深沉、这叫……

何必骗自己，隐藏住自己真的好吗？难道真实非要被隐藏在时间的河底？难道虚伪的外衣如此令人着迷？心不会孤寂、失落、迷失方向吗？真正的感情如此不值得展现给世界吗？

想哭的时候就放声大哭吧，没有人会笑你；他们会感觉到你的哀伤，陪你走过泥泞，这难道不比一个人在风雨中挣扎要好吗？快乐的时候就不要吝惜那一脸的笑意，你的快乐化成所有人的快乐；好大的一份快乐，难道不值得来换自己的小快乐吗？

其实，最重要的是不要让别人看不到你，是真实的你。

拨开缭绕的沙土，拾起灰暗背后的天空，还回永恒的纯真蓝色，也找到真正的自己。

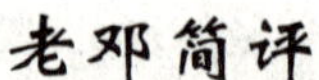

天空的表情是人的内心，天空的灰暗是人心蒙尘——你的文章充满对真挚与纯净心灵的呼唤，立意鲜明，促人警醒。语言优美灵动，耐人咀嚼。如“自以为是的坚强不过是插进身体的毒刺”，“独自享受的幸福不过是衰老黯淡的珍珠”等妙语随处可寻。

推敲之处：

“把喜怒哀乐深埋在心底，真的就叫做‘成熟’吗?不是的。成熟只是比幼稚多一些经验、多一分能力来控制自己不再重复儿时的错误；单纯、真实，并没有随之消逝。可是自以为成熟的人们故作深沉，隐藏好自己的那一分真情。变得令人琢磨不定，令人没有办法了解内在真正的自己。

这样好吗?伤心时没人知道，只有自己对着墙壁孤单地哭泣；快乐时没人知道，只有影子陪着在庆祝会上狂欢。”一段与前文内容有重复，不如删去，文字更简练。你觉得呢?

这篇文章已被浏览47次。
记者 Litchi 发表于
2003-3-22
18:56:07

那一刻 pengbo

手中拿着世界上最准的时钟，在天上，我看着世界万物的表情。也许你会问我是谁，告诉你，我是时间老人。

我工作尽职尽责，因此时间不会有一时一刻地停息。但我偶尔也会“忙里偷闲”，按停手中的时钟，飞到地球上，看一看“停止的世界”是什么样子？特别是要看看那一刻人们不同的表情。

今天，我来到地球。穿过洁白的云朵，我到了欧洲。站在白雪皑皑的阿尔卑斯山上，我看到了滑雪者们堆满笑容的脸。这是他们的表情，通过快乐的表情，我也能体会到雪带给他们的喜悦。我已迫不及待，一冲而下，感受雪的刺激。不知不觉中，我来到了多瑙河畔，碧绿的河水静静地流淌着，他无时无刻不在养育着这里的人们。也许是受了河的保佑，人们的生活是那样的无忧无虑。

从他们的表情，我看不出一丝的忧愁。在那一刻，人们的表情显露出他们对雪的喜爱，对生活的热爱。

我的心情更加舒畅，继续我的旅程。闭上眼睛，脑海里全是美好的回忆。突然，我撞上了一样东西。啊！是炮弹！这是哪儿呀？我定睛一看，原来是伊拉克。这里硝烟弥漫，爆炸声此起彼伏。城市的街道上几乎没有人，即使在家中，我也从他们的表情中看出了内心的恐惧与无奈。这时的我，心中再也没有刚才的那种舒畅，却充满了苦闷和对他们的同情。为什么?! 那一刻，我看到了两种截然相反的表情。同样都是生活在这个世界上，但却“有人欢喜有人忧”，有人享受快乐，有人却遭受痛苦。

看到这里，我再也没有旅行的心情。回到家中，我马上恢复了时钟的运行。也许因此，美好的时光会减少，但比起多一些快乐的表情，这又算得了什么。

老邓简评

多么善良的时间老人，多么善良的作者！减少罪恶的时刻，增添美好的时光——作者用幻想这一特殊的表达形式传达出所有爱好和平者的共同企盼！通过同一时刻的不同表情构成强烈反差，从而揭露战争，反对战争，构思很有价值。

不过，文章对表情的描写过于简单，缺乏生动形象性，不精彩。另外，结尾“也许因此，美好的时光会减少，但比起多一些快乐的表情，这又算得了什么”一句表意不明，是不是？

这篇文章已被浏览34次。
记者 wojiger 发表于
2003-3-22
23:00:54

*表情背后的心

秋水共长天

纷纷飘落的白雪是冬天的表情，在这晶莹剔透的表情背后还预示着来年丰收后的喜悦。瓢泼而下的大雨是云朵的表情，在这狂暴烦躁的表情背后却又表示出那里的绿色生命将会蓬勃旺盛。任性与无端的猜疑往往是热恋中人们的表情，在这看似无聊无理的表情背后他们的感情却更深了一层。

急匆匆赶到楚国的墨翟，他脸上的表情必定是焦虑的，但在这焦虑的表情背后，他有的是一颗博爱、仁慈渴望和平的心。“兼爱、非攻”是他的毕生梦想，希望永远消除这世上的战争与杀戮，为此他不惜过着苦行僧般的生活。

所以，墨子脸上那焦虑的表情里还始终透着一股温柔。

高歌“我本楚狂人，凤歌笑孔丘”的李白，他脸上的表情必定是狂傲的，但在这高傲的表情背后，他有的却是一颗已经被官场和皇帝击得粉碎的心。一腔报国之志，满腹经纶之才，被世人看为无用，只能凭几首小诗在皇上跟前当一个舞文弄墨的宠臣。

所以，李白脸上那狂傲的表情里却隐隐显出一丝悲哀。

虎门口，看着脚下正冒着滚滚白烟的鸦片的林则徐，他脸上的表情必定是坚定的，但在这坚定的表情背后，他有的却是一颗疲劳而无奈的心。为了拯救这岌岌可危的大清王朝，他殚精竭虑，想尽一切办法，顶住从内到外的所有压力，希望能彻底赶走洋人，重振中华雄风。但皇上的不信任，同僚的不支持，各处那卑鄙的墨吏，无处不在阻挠他。他真的对这样的政治灰心了。

所以，林则徐脸上那坚定的表情里也流露出一些不安与无奈。

狂风、乌云、雷鸣、闪电是天空的表情，气候是天空的心。

春花、夏雨、秋风、冬雪是四季的表情，自然是四季的心。

欢喜、愤怒、悲哀、快乐是人们的表情，追求是人们的心。

看清自己的表情，找到自己的心。

老邓简评

文章整体感觉非常好!

内涵相当丰富：由表情写人物，写历史，写追求，充满对人生的审视，立意高远!

构思相当谨严：自然引领人生，人生回复自然，天地万物都有象，万象永恒皆靠心，充满哲理!

语言很有特点：力求句式整齐，音韵和谐，表现力强。

精益求精：

1.开篇就让句子暗含一个“心”，点题：

“在这晶莹剔透的表情背后还预示着来年丰收后的喜悦”改为“在这晶莹剔透的表情背后是来年丰收的漫天喜悦”；

“在这狂暴烦躁的表情背后却又表示出那里的绿色生命将会蓬勃旺盛”改为“在这狂暴烦躁的表情背后是绿满大地的蓬勃生机”；

“在这看似无聊无理的表情背后他们的感情却更深了一层”改为“在这看似无聊无理的表情背后是相知相守的似水柔情”。

2.三个历史人物“有的是……心”改为“深藏的是……心”，语言形象些，文字更有表现力。

祝贺你的文章期期加“星”!

记者秋水共长天发表
于2003-3-23
0:32:42

＊岁月无情 gpn

有人说，岁月是没有表情的。不管人间有怎样的悲欢离合，它都按照自己的脚步这么一步一步走下去，没有一丝的怜悯或是愤怒。

人肯定是自然界表情最丰富的动物，可是最高明的表演家也无法完全掩饰自己的心情，让别人从他表情中看到蛛丝马迹；大自然无疑是直率的，雷电是她的愤怒，蒙蒙细雨是她的柔情，我们无时无刻不能看出她的心情；而岁月是无情的，她就在我们周围，静静地跟着我们，然后再从我们周围走过去，把我们留在她的影子——历史——里，她甚至只是在我们边上走着，连看都不看我们一眼，我们能看到的是她冷峻的侧脸甚至只能是一个背影。

想当年，秦始皇吞并六国，不可一世，为了能够拉住岁月的袖口，派出善男信女去东海寻仙丹妙药，可岁月没有被他的诚心诚意打动，没有等他，大步离开了。

中国的封建皇帝们，全都妄图能与岁月共乘一车，梦想着用自己的丰功伟绩换取一张车票，一张就在岁月身边的车票。可是，岁月的目光没有在他们身上停留片刻，或许就没有停留过。他们把一个个鲜活的人送给岁月，把一堆堆的金银珠宝献给她。可她把这些生命扔进车里，驾着车撞碎了珠宝，从这些傲慢的皇帝身边呼啸而过，扬起的尘埃落在他们身上，直到过了若干年才被后人轻轻拂去。

爱情让人忘记时间，时间让人忘记爱情。人类感情世界当中一个最能感人的事情就是爱情，它让我们暂时忘却了岁月就在我们的边上，可是，岁月没有停下来看我们的表演，她径直走开了，把我们和我们短暂的爱情罩在了她的影子里。尽管我们的故事在我们看来是那么的惊天动地，但是后人有谁会记得无名的我们和我们其实并不惊世骇俗的爱情故事?梁祝的故事毕竟只是一个传说，传说总是完美的，它仅仅是作家的一个梦，一个为我们做的梦。

世间有无数动人的情感，有无数令天地动容的事迹，可是在岁月的眼中，这些不过只是身旁的尘埃，即使有些粘在她的衣襟上，但最终还是会被她掸落。

岁月对于我们，就像大海之于小溪。我们对于她来说，就像是蚂蚁，我们是如此的渺小。岁月不会为我们改变什么，我们只会不断被它赶上，成为历史。

亲密聊天室

gpn说：

这次写得不好，还请老师手下留情！！

wojiger回复：

那么缺乏自信？相当不错的一篇文章呀！

老邓简评

岁月的表情——单是这一选材，就足以显示文章思想的力度！更不用说丰富的联想，以及对岁月形象化的描写，将一个极其抽象的名词演绎得活灵活现，注重通过细节将其“无情”的特征刻画得摇曳生姿，好功力！

精益求精：

1.结尾一定要有扣题意识！是不是可以这样修改一下：

“岁月对于我们，就像大海之于小溪；我们对于岁月，就像流星之于寰宇(注意句式整齐)。我们是如此的渺小，小到岁月从不在意我们的表演，一如我们永远看不清岁月的表情。”

2.语句推敲：

A.“可是最高明的表演家也无法完全掩饰自己的心情，让别人从他表情中看到蛛丝马迹”这句话什么意思？是“让”还是“不让”别人看到？

B.“无时无刻不”与“能”搭配不当。

C.“可她把这些生命扔进车里，驾着车撞碎了珠宝”这句不合情理。进了车里，如何撞碎？

这篇文章已被浏览34次。
记者wojiger发表于
2003-3-23
12:50:12

＊＊岁月无情（改） gpn

有人说，岁月是没有表情的。不管人间有怎样的悲欢离合，它都按照自己的脚步这么一步一步走下去，脸上不会有丝毫的反应。

人肯定是自然界表情最丰富的动物，可即使是最高明的表演家也无法完全掩饰自己，表情上总会有蛛丝马迹泄漏自己的心情；大自然无疑是直率的，雷电是她的愤怒，蒙蒙细雨是她的柔情，我们什么时候都能看得出她的心情；而岁月是无情的，她就在我们周围，静静地跟着我们，然后再从我们周围走过去，把我们留在她的影子——历史——里，她甚至只是在我们边上走着，连看都不看我们一眼，我们能看到的是她冷峻的侧脸甚至只能是一个背影。感觉不到她身体发出的热量，只能体味她走过我们时带起的阵阵凉风吹打在我们身上。

想当年，秦始皇吞并六国，不可一世，为了能够拉住岁月的袖口，派出善男信女去东海寻找仙丹妙药，可岁月没有被他的诚心诚意所打动，没有等他，大步离开了。

中国的封建皇帝们，全都妄图能与岁月共乘一车，梦想着用自己的丰功伟绩换取一张车票，一张就在岁月身边的车票。可是，岁月的目光没有在他们身上停留片刻，或许就没有停留过。皇帝们把一个个鲜活的人送给岁月，把一堆堆的金银珠宝献给她。可她驾着车碾碎了这些生命、珠宝，从这些傲慢的皇帝身边呼啸而过，扬起的尘埃落在他们身上，直到过了若干年才被后人轻轻拂去。

真理是岁月外衣上一根露出来的丝，是一根在岁月眼中无比普通的丝。可在卑微的人类眼里，它是那样充满了光辉，因为抓住了它，就可以永远跟上岁月的步伐。为了抓住这根丝，无数的哲人学者被岁月踩在了脚下。岁月没有为这些人类的精英皱一下眉，也许他们与别的人在岁月眼中都是那么的渺小。

爱情让人忘记时间，时间让人忘记爱情。人类感情世界当中一个最能感人的事情就是爱情，它让我们暂时忘却了岁月就在我们的边上，可是，岁月没有停下来看我们

的表演，她径直走开了，把我们和我们短暂的爱情罩在了她的影子里。尽管我们的故事在我们看来是那么的惊天动地，但是后人有谁会记得无名的我们和我们其实并不惊世骇俗的爱情故事？梁祝的故事毕竟只是一个传说，传说总是完美的，它仅仅是作家的一个梦，一个为我们做的梦。

世间有无数动人的情感，有无数令天地动容的事迹，可是在岁月的眼中，这些不过只是身旁的尘埃，即使有些粘在她的衣襟上，但最终还是会被她掸落。

岁月对于我们，就像大海之于小溪。我们对于岁月来说，就像是蜉蝣之于天地。我们是如此的渺小，仰望着岁月，却只能看到她冷冰冰的外套和泛着寒光的长发。她是不会停下来俯身看我们的，正如我们永远不可能看清她的脸。

老邓简评

好小子，有灵气！老师一点即通！不但修改了文句，整理了思路，使主旨更加明确，“表情”更加鲜明，而且补充了文段，拓展了思考，使内容更加丰富。

好小子，有志气！没有停留在老师的修改之上，而是根据自己对文章的把握，重新作调整。

我更欣赏这样的独立精神！

听听老邓的新建议：

1. 结尾第一句整齐些更好，完全可以去掉“来说”二字。

2. 新加入的“真理”一段还可以从另一个角度写，把它安排在结尾，另外开掘出一层意思，写出相对于物质世界而言的精神的永恒。即：岁月是一驾无情的战车，它碾过一切，惟有人类的精神是它手中的长鞭，伴随它纵横驰骋！我们只有在它扬鞭的那一瞬，才依稀看到岁月的一丝笑痕。

如此一来，文章更具思辨色彩，除了无奈，我们还有希望！因为人类虽然渺小，但是面对岁月的无情，我们总不能等死！事实上，岁月固然带走了许多，但也给我们留下了许多，不是吗？

无论如何，你的文章已相当出色！

这篇文章已被浏览42次。
记者 wojiger 发表于
2003-3-23
18:48:52

*绿光 神来知

题记：在有些表情面前，你，不得不感到，刺骨的冷……

一

梦中，曾经见到过这样一群面孔。幽暗的森林中，吹着丝丝夜风。他们来了，那一双双绿光，一步步，逼近，逼近。你们在看什么？究竟在看什么，竟用这种冷酷而急迫的面孔，贪婪而攫取的目光。我跑，跑，直到血腥的味道，涌出我的心，我的口，任凭被贪婪地吸吮与咀嚼……

梦，不完全是梦。

二

伊拉克，炮声隆隆，在这里却一点也听不到。

这里听到的，只有雨声淅沥。

雨点是细润的，轻敲着头顶的窗，仿佛和从前没什么两样。

然而，却滴滴打在了我的心底，冰凉。

冰凉中，又映出那一双双放着绿光的凶恶表情。

三

战争是可耻的，爱好战争的人是变态的，而喜欢观看战争，并且沉醉欣喜于其中的人，更是非人的。

幼发拉底在淌血，底格里斯在淌血，整个阿拉伯在淌血！

世界愤怒了，却没有人敢站出来，阻止这场悲剧。

不，我错了，即使有人站出来，也未必能阻止这场残忍野蛮的角斗。

毕竟，毕竟还有那么多的政客，军火商，投机商，各种各样形形色色的战争财迷们，在用欣赏的眼光，享用着它。就仿佛是几千年前的罗马贵族们，在那至今依旧耸立的圆形竞技场的豪华包间里，看着那些不肯屈服的奴隶，被他们精心蓄养的野兽，残忍地咬死，所发出的爽朗的笑声和专注的绿色光芒。是呀，伊拉克人就是这低贱的顽固的奴隶，十多万精锐的英美联军就是他们用来咬死奴隶的野兽，只不过竞技场换作了战场，欢笑与愉悦来自于更多的内容——金钱与石油。

战争经济，极新颖的经济理论，人类“伟大”的发明创造。然而，他却没有被他的发明者，那些向来自称极虔诚的信仰着基督教伦理的人们，像对待克隆人一样，被强烈地反对和禁止。也许，只有这样，他们才可以遮住狼的尾巴，道貌岸然地亮出他们攫取时的绿光。

残忍而贪婪的野兽，从来都是如此，亮着这双双发绿的眼睛，迷恋着鲜血欲滴的伤口，准备着，时时刻刻，把她咬死在自己永不满足的血盆大口里。

四

雨声渐渐消却了，但雨水却在那些野兽的绿光中，显出鲜红的颜色来，淌着，从那遥远的古巴比伦，从那悠长的幼发拉底，从燃烧着金黑色的油井中，淌进自己的心里。

我冷冷地一颤，没有在这寒雨中，却只在那双双绿光里……

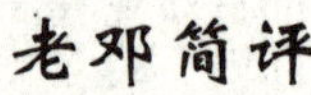

文章将战争狂人比喻为两眼泛绿光的恶狼，形象而传神，让人不寒而栗。以表情为线索，将梦境与历史，与现实密切结合，揭露战争的罪恶以及战争发动者的罪恶目的，联想相当丰富，构思颇为新颖。

或许是心中充满激愤，只顾奋笔疾书，忽略了文句的推敲：

1.“曾经见到过这样一群面孔”中“曾经”应该去掉，因为前面有“梦中”；“一群”修饰“面孔”不恰当。

2.什么东西“任凭被贪婪地吸吮与咀嚼”?表意不明确。

3.“他却没有被他的发明者，那些向来自称极虔诚的信仰着基督教伦理的人们，像对待克隆人一样，被强烈地反对和禁止”语句不通。

4.结尾“双双绿光”，量词使用不当。

这篇文章已被浏览32次。
记者shenmahua发表
于2003-3-23
15:20:13

* 四季的传说 Fairy

春天必然曾经是这样的:

从盖满白雪的山头，匆匆流出一条小河，流过山麓，流过原野，流过篱笆，流过干涩的河床，柔软的泥土像被翻新的棉被。一阵风吹过，每一棵小草都唱起一首绿色的歌，每一棵柳树都吟出一首虚缈的诗，每一朵花都绽开一个美丽的笑。那温柔的触手，似乎每摸到一个地方，都能带出一串串娇憨的笑。他是这样敏感的让人轻易察觉，一声雷，可以无端地惹哭满天的云，一阵杜鹃啼可以斗急了一城的杜鹃花。于是人们互相奔走相告，他们决定把这个阳光照耀的日子，用最原始的音节不经意间从嘴中用耳语般的声音，为这个季节命名——“春”。

夏天必然曾经是这样的:

骤然间百花齐放，森林的音乐会一夜间奏响，世界被音乐占满。放眼望去似乎昨天才刚刚变绿的小草今天就连到了天边。鸟儿飞翔在空中，丈量着天的高度。叽叽喳喳地核对着结果。蝴蝶细数着花，蜜蜂编织着蕊。远在天边的云也来参加聚会，一声巨响，云的舞会开始上演。雨噼噼啪啪地打着鼓点。于是人们欢笑着，唱出这热闹的季节——“夏”。

秋天必然曾经是这样的:

一个孩子在放风筝时猛然感到天空的高远，风筝越飞越高，他欢笑着拍手庆祝，无端地惊动了树上的叶。他应声飘落，一夜间，满天飞起金黄的书签。墙角淡蓝色的牵牛花，伴着几根寥落的草开得越来越有味。大雁在天空的画布上，随意地涂鸦。阳光从树枝间的空隙里照出地上一丝丝的扫帚痕。千千万万双素手，在溪畔浣纱的手，猛然感到水的沁人。于是人们端起茶碗随意聊天的时候，喉咙微微一颤发出一个混沌的声音，是了，这就是这个季节的名字——“秋”。

冬天必然曾经是这样的:

满塘叶黯花残的枯枝梗守着一截老根，北地里千宅万户的屋梁温柔地抱着一团小小的空巢。然后，忽然有一天，雪在不经意间染白了大地，把所有的木村水郭都攻陷了，把皇室的御沟和民间的江头都控制住了。就像是童话中的王国控制住了孩子的心。一阵风起，吹落瓣瓣梅花，幽幽的清香比山谷中的幽兰更胜三分，才知道在这个寒冷的季节，还有梅花诉说毅力的故事。于是人们在窗上画美丽图画的时候，他们决定为这个飘雪的季节，取一个最动人的名字——“冬”。

关于四季必然曾经有一段故事：在《诗经》之前，在《尚书》之前，在仓颉造字之前，一个小虫的生命来诉说，一朵花的生命去描写，一棵草的生命串起。就是不讲理，不逻辑地进入人们的心。

四季必然曾经是这样，或者在什么地方，仍然这样，是变化的世界的表情。

老邓简评

你的文章让人的心醉了！

美丽的景象，美丽的文笔，美丽的遐想，美丽的哀伤——一个“曾经是这样”，给人多少震撼，多少反思，多少怀想！

同时送上两篇文章，挡不住的才情啊！

精益求精：

1. 将每段开头句中“必然”换成“必定”，意思似乎更准确；“曾经是这样”换为“曾是这样”，语言似乎更流畅。

2. 结尾段语言明确、凝练些会更好，可以改为：“四季必定曾是这样，或者在什么地方，仍旧是这样——这样的自然，这样的自然表情。”

不知意下如何？

* 心的声音 damantou

如果说眼睛是心灵的“窗口”，那么表情就是窗口中飘扬出的“心声”。人有多少种表情?不可估量。人的内心世界广阔无边，表情怎会拘于一个?这些短暂的表情，转瞬即逝，但它们中的许多，如同流星般，散发着最绚丽的光芒，成为了永恒的瞬间，唱出那不朽的心音……

表情之一：悠然自得

“久在樊笼里，复得返自然”，田园中的陶渊明，过着简朴的乡村生活，“方宅十余亩，草屋七八间，榆柳荫后檐，桃李罗堂前”。正是无丝竹之乱耳，无案牍之劳形。舒展的双眉，挂笑的嘴角，清新的空气，简单的生活。他的表情充斥着对功名的淡泊，对权贵的不屑，对仕途的摈弃，对淳朴的向往。陶潜的心在欢娱地歌唱。

表情之二：豪放不羁

“天生我才必有用，千金散尽还复来”，桀骜不驯的李太白，面对天上来的滔滔黄河水，举杯一饮，仰天高歌:“我本楚狂人，凤歌笑孔丘”；再饮，怒目相视:“安能摧眉折腰事权贵，使我不能开心颜”；三饮，嚎啕大哭“抽刀断水水更流，举杯消愁愁更愁”；四饮，开怀大笑:“且乐生前一杯酒，何须身后千载名”！从他变幻莫测的表情，我看到激荡的心，豪放的情，目空一切的洒脱。李白的心在高声地呐喊。

表情之三：黯然神伤

“花谢花飞花满天，红消香断有谁怜”，伤春愁思的林黛玉，父母双亡，寄人篱下，体弱多病，养成了她的多愁善感；拾起飘落的桃花，把它们埋葬在花冢，不禁悄然落泪，呆呆出神。“侬今葬花人笑痴，他年葬侬知是谁?试看春残花渐落，便是红颜老死时”。花容月貌的少女，将来必到无可寻觅之时，岁月无情，断人肝肠。“一朝春尽红颜老，花落人亡两不知”。忧郁的神情，伤感的目光，伴随着遍地的桃花，黛玉的心在偷偷地哭泣。

表情之四：坚毅不屈

“一个人并不是生来要给打败的”，小船中的老人，在大海中行驶，为了保全自己的捕获的大鱼，他与凶狠的鲨鱼激烈地搏斗。看到鱼一点点减少，他一脸坚毅地告诉自己：“只要我有桨，有短棍，有舵把，我一定想办法去揍死它们！”用刀刺，用桨拍，用棒击，最后用舵把砍……“你尽可以把他消灭掉，可就是打不败他。”那一瞬，刻在老人脸上的：是高傲的精神，是坚强的性格。老人的心在不屈地呼喊。

表情之所以丰富，因为心在不停地跳跃；表情之所以动人，因为心在尽情地歌唱；表情之所以精彩，因为心闪耀着夺目的光彩！

老邓简评

大馒头，你越来越精彩了！你的文章！你的思想！

文章主题十分鲜明，四个例子十分典型，展示了人生的不同场景与内涵，立意较深；文章结构十分严谨，四个画面四个人生视角，相辅相成，开头结尾既是照应又有升华；文章感染力相当强，抒情、叙述、议论自然结合，意思表达相当充分！

特别值得一提的是大量的比喻，恰到好处的诗文引用，整齐和谐的句式，无不使文章文采飞扬！

精益求精：

1. 黛玉的例子与结尾段的思想内涵一致吗？感情基调统一吗？

2. 字句推敲：

A.“他的表情充斥着对功名的淡泊”一句中“充斥”使用不当。查字典，探明为什么；

B.“目空一切”是贬义词，改为“睥睨一切”准确些；

C. 李白的心在“呐喊”，老人不如用“抗争”，避免重复。

*最后的微笑 俞君华

人来到这世界的时候，自己哭着，身边的人却都在笑；

人离开这世界的时候，身边的人都在哭，自己……

——题记

最后一位老人已经睡下了，不知道是否还可以醒过来，生命监视仪上，一个黄色的亮点在无力地波动。这是临终关怀医院的一间病房，是生命无法挽救的危重病人度过最后时光的地方。现在，已经是深夜了，病房里其他的病床已经空了出来，只剩下这最后一位老人了。护士琳娜坐在对面的一张空床上，正看着那监视器上的亮点出神——她太疲惫了。因为医院里的人手不够，她经常要加班。

突然，老人的咳嗽声把她从沉思中拉了回来，她马上跑过去，又轻轻地握起老人的手。老人平静下来，睁开眼睛，给了琳娜一个吃力的微笑。琳娜抚摩着老人的手——因为她只能做这些，让老人在最后的时间里多一些幸福和温暖的感觉。

老人似乎没有了睡意："我没事！你去吧，"老人停顿了一下，又微笑着说，"去其他的病人那里。"

琳娜把老人的手合在掌心："今天，您是最后一位了。"

"真的?"老人笑着问。

琳娜点点头。

"那好，"老人说，"你和我聊聊天，好吗?"

"好！只要您愿意。"

"你一定很累了吧，孩子?"

琳娜有些迟疑，但看到老人真挚的笑脸，她也笑了，说："有一点。"

老人满意地点了点头："你肯讲实话，这太好了。这是我最后的时间了，我们都没有什么值得隐瞒的……"

老人的话语被突然而来的咳嗽打断，琳娜只好又握紧她的手，可是老人刚刚平静下来，却又吃力地露出了微笑。琳娜感觉很奇怪，因为老人显然十分痛苦，却又总是尽力地微笑。

于是，琳娜问：“您为什么总是微笑呢？您真的感到幸福吗？”

“因为我想带给你幸福！”

“我？”

“对！你知道我……原来是做什么的吗？”老人还是微笑着问。

“不知道。”

“我……和你一样，也曾是一个临终关怀医院的护士。”

“什么？”

“所以我懂你的心，我知道……你的烦恼，也知道什么可以让你幸福，”老人看着天花板，说，“在我像你这样工作的时候，也……尽力给病人们带来幸福，但同时我也发现……病痛是多么的巨大，我甚至开始有些绝望。直到有一天，一位病人竭尽全力地对我说，让我握住她的手。我照他说的做了，他就那样坦然地微笑着，微笑着，离开了人间……那是一颗绝对坦白的心灵在用微笑向我……也向这世界告别。我想，我的微笑也会让你幸福的。”

琳娜想说些什么，却又不知该说什么——泪水早已冲出了眼眶，落下来，滴在老人的手上。

“你哭了？”老人仍旧是微笑着问。

琳娜没有回答。

“把眼泪收起来吧，用微笑面对我，面对……世界……”

琳娜抬起头，听到生命监视仪无情的警报声——老人已经离去了。

这时，清晨的第一缕阳光射进来，映照着老人的脸。在那苍白的脸上，永远地凝固住了老人的微笑——在生命最后一刻对琳娜的微笑，对世界的微笑。

“这是多么美丽而永恒的表情！”琳娜想着，不免又要流泪。但是她想着老人最后的话，又看着眼前老人最后的微笑，终于，她也欣慰地露出了笑容。这一刻，

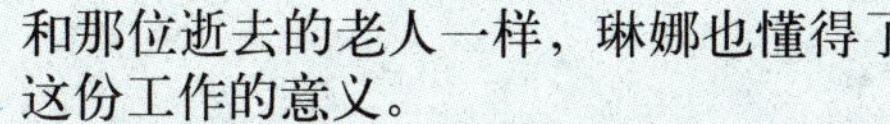

和那位逝去的老人一样，琳娜也懂得了这份工作的意义。

她要让她所有的病人，都可以坦然地，用最后的微笑和这美丽的世界告别……

老邓简评

漂亮的题记，漂亮的文章！

作者很善于叙述，将一个感人的故事讲述得曲折有致；作者很善于营造氛围，把人物描写、环境描写与情节展开紧密结合，使文章富有意境，颇能打动人。

如果能深入挖掘细节，把几次“吃力地露出了微笑”刻画得更有层次，文章的内容会更加丰富，人物形象会更加丰满！

如果能运用侧面描写，通过琳娜去观察、展示老人的痛苦，去表现、感受老人美好的心灵，文章的感染力会更强！

好样儿的！

这篇文章已被浏览42次
记者 wojiger 发表于
2003-3-24
16:57:50

*鹰之眼 胡潇潇

鹰，没有笑容，没有眼泪，没有怒发冲冠，没有温柔若水，惟一的表情，只是冷峻无畏的眼神与锐利洞明的目光。

鹰，盘旋于纷繁的自然中，始终保持着天性中的冷静与勇敢。在狂乱的风中，在瓢泼的雨中，在轰鸣的雷中，在朦胧的雾中，在洁白的云中，在绚丽的虹中，鹰的表情，始终没有变过——那道冰冷笔直的目光，一如既往。它永远泰然地面对生活给予它的一切，坦然地接受，勇敢地承担。当其他的鸟儿徘徊林中害怕大风将它们的翅膀折断，钻入草丛避开雨水对羽毛的侵袭，躲入屋檐下听着雷鸣颤抖时，它，仍在那里孤寂地飞翔，在广阔的空中，告诉自然，勇者无惧的真正内涵。当其他的鸟儿在迷雾中不知所措地乱窜，对云表面的洁净盲目可笑地崇拜，为虹的绚烂忘乎所以的狂乱时，它，依旧淡然地划过云端，身旁浮华的璀璨，根本不值得它的顾盼，因为在它的心中，承载着天尽头无边的烂漫。

鹰，回旋于众生之上，静静地看着万物的生长与灭亡，以其独特的视角，全面的观察，冷静的思考，保持着特有的眼神俯视着下面的一切。年复一年，春去秋来，大地变绿又变白，空气渐寒又回暖，望着平原上一群群的斑马嬉戏，看着身边一排排的大雁南归，它默无声息地理解了大自然。狮子用锋利的牙齿咬住羚羊的喉咙，溅出一道血光，它在心中，明白了弱肉强食的必然；凶猛的洪水在黄土地上泛滥，无情地卷走了一切，它在心中，懂得自然的法则不容侵犯；螳螂捕蝉，黄雀在后，它在心中，了解大自然规律的精妙之所在。在那条神奇的链上，它就站在顶端。正是由于独特敏锐的洞察力，它才被安排在这样的顶端，自然也需要一个能真正懂它的伙伴。鹰，为知音而生，生而理解自然。

鹰之眼，充满了冬天的色彩，充满了勇敢的执著，充满了睿智的光亮，充满了王者的风范。正是这一切，招

来了太多艳羡、恐惧和嫉妒。鹰，被公认为凶残冷酷的冷血动物，成为天空中最无情的杀手。然而，只有它心里清楚，它仅仅在忠实地完成自然交给它的任务。它用它的“残忍”，换来整个生态的平衡。因此，在它眼中射出的那道冷光后面，又多了一份容忍与承担。

鹰，生来是君王，却放弃了王位，去成全那束成熟得近乎冰冷的目光，去成全它全部的惟一的表情。也就是这束光芒，告诉我，它在诉说：天地间不会有长久的统治，永恒的，是那份翱翔自来去的自由。

鹰的眼神，是最简单最直接的表情，却蕴涵着无限的思索，凝固在天地间，那样深刻。稀少造就了珍贵，大自然深谙其中的奥秘，让如此杰出的鹰，永远孤独地翱翔天际。难道，它是在用它自己，让我们明白：再完美的事物，也会伴随着淡淡的遗憾？

一只鸟儿，何以让人过目不忘？一双眼睛，何以引发心灵震撼？鹰者，强者智者明者也！鹰眼者，坚毅执著淡然也！

好一双“鹰眼”！好一个胡潇潇！

你不正是以一双慧眼，透过鹰的冷静与勇敢，鹰的俯视一切，鹰的容忍与承担，鹰的深邃思索，凝视着生命丰富而睿智的内涵?!

难得文章思路十分清晰。那么多丰富而深邃的联想，由展示鹰的精神世界这一条红线贯穿，杂却不乱，散而有神。

难得文章语言流畅而隽永，准确而生动，极富表现力！

祝贺你成为本周最佳写手！

＊面具 hz

人的伟大就在于懂得掩饰自己。

于是我们发明了面具。

有形的面具不过是孩子手中的玩具，真正的面具是透明的，叫做表情。

而你恰恰根本意识不到这种面具的存在。

于是，被欺骗的人永远是你，除非你也戴上一副面具。

取得了什么成绩吗？要小心，你周围羡慕的目光，祝福的笑脸中不含有点儿别的什么吗？赶快闭上已经合不拢的嘴，摆一副无动于衷的样子出来。

碰到了什么麻烦吗？更要小心，你周围关切的目光，同情的笑脸中不含有点儿别的什么吗？赶快舒开紧锁的眉头，摆一副毫不介意的样子出来。

生活，就是日复一日的试图打碎别人的面具，同时加厚自己的面具。

直到有一天，你可以轻易地通晓那张脸或哭、或笑、或悲、或喜、或欢、或怒的背后，同时你又可以随心所欲地哭、笑、悲、喜、欢、怒。

你的后代们就没这么幸运，一方面，他们还在读狐狸骗得乌鸦奶酪的故事，一方面，他们不得不扔掉手中的玩具面具，为自己构筑新的透明的面具。

他们不再读诸如乌鸦、狐狸之类的故事，他们开始研究三国里的仁义长者刘备是怎么从织席贩履熬到面南称孤，结论是他的面具瞒过了所有的人，他的面具是哭。

新一代到底是聪明，每个人很快就学会了使用刘备的面具——哭，甚至还触类旁通地研究了笑、愧、悔、羞、羡……可是，并没有更多的戴面具的“刘备”称孤，因为社会的确在进步，以假乱真的表情丰富了的同时，打假手段也不断升级。

他们不得不整天戴着面具。

这样，早晚有一天，伟大的人类会毁掉自己。因为我

们抛弃了自然的馈赠——表情。

我们却戴上了自制的面具——还是表情。

此表情非彼表情。

老邓简评

文章的震撼力来自强烈的反讽和犀利的语言！

以面具替代表情，用虚伪替代真诚，以狡诈替代坦荡，作者将现代人的丑恶充分暴露，触目惊心，从而发人深省，引人反思。

这篇文章已被浏览38次。
记者wojiger发表于
2003-3-25
14:19:19

* 生命的表情 19841216

表情是一扇扇窗，窗内是人们美好的心灵。表情是一颗颗心，心中藏着永不枯竭的心井。表情是一眼眼心井，井水映出一个个鲜活的高贵的生命。

“无论何时，法兰西抵抗的火焰不会熄灭。”戴高乐将军饱含激情的话语喊出了同时代最强劲的音符。风雨飘摇之中，一人独擎即将倾覆的大陆，是何等的艰难，又是何等的坚强。他的名言:“我就是法兰西。”他的生命是法国的生命，他的表情是法国的表情: 路易十四的高傲，罗伯斯庇尔的坚定，又透着拿破仑的王气。他棱角分明的脸庞在告诉世人: 面对强虏，千年大国，国风不散，高卢雄鸡，雄风犹存。

站立是高山的尊严，博大的包容是大地的亲切。惊涛骇浪必定是大海的表情，而深水未必会有波澜。

看秋风瑟瑟，一位银丝如雪的老人立在风中，为护一个手提箱的承诺。国学大师季羡林的故事相信每个人都不陌生。我们心中除了感动，还应留下些什么。有，老人慈爱而儒雅的微笑。那微笑留在每一个人的心里。化作一缕清风，荡尽心中的污浊。化作一泓清泉，洗净心中的浮躁。化作一株兰草，淡淡的幽香，永沁心中。

表情是阳光，撒满生命的精彩。表情是河水，流淌着生命的柔波。表情是鲜花，散发着生命的芬芳。

老邓简评

相信每一个人都会被你文中那诗一般美妙的文字和由这文字营造出的精神意境所吸引，所打动!

全文由比喻排比贯穿，人物塑造注重经典细节，给人以丰富的立体感，雕塑感，感染力当然强烈!

精益求精:

1. 第二个片段交代可以再详细一些，人物精神风范才更具体清晰: 北大校园，秋风瑟瑟，一位……风中，为一个“不识泰斗”的新生看守行李。

2. 语句推敲:“站立是高山的尊严，博大的包容是大地的亲切。惊涛骇浪必定是大海的表情，而深水未必会有波澜。”一段可以将语言进一步锤炼，变为:“站立是高山的尊严，包容是大地的亲切。惊涛骇浪抑或是大海的表情，波澜不兴注定是深泉的本色。”

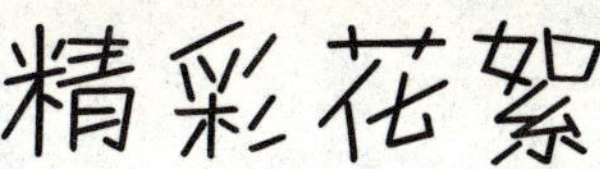

收件人：wojiger 发件人：陈志强 主题："吐血"哲学

记者陈志强发表于 2003-3-23

我写这么多，累死了，您可不能辜负我，您要在我这里创造一个点评记录 。耶耶(眼前一片血迹，我吐血了，啊：)请放慢节奏，细细品读：

1. 拿什么来填补自己心灵的空白

2. 微笑(这是我最开始的思路。感觉还可以吧，我自己认为非常有意境。我认为最为经典的，有一种无尽的自豪感，主攻语言的诗意和优美。)

3. 微笑(写得太快，可能里面有些语言不当等等，感觉一般，好长时间不写议论文了。)

精彩花絮

您不是让我写一写议论文，所以我就写了一篇议论文(一篇正式的议论文)。请您要给我评分(三篇)，这样才能使我找到不足，谢谢。

另外几篇文章，请您都给我具体的点评和评分。我太累了。上次您说我只能写议论文，我心里非常不服气，因此我就写了两篇：1 故事，2 有哲理的文章。您看看怎么样，还可以吧，具体点评呀，记住呀，看完之后，一定要给我写(邓虹回复)，和上次一样继续给我提出一些要求并鼓励我，别忘了。萤火虫(美丽)。

看的时候一定要笑一笑，我写这个题目，就是想让您快乐一些，并且笑一笑(不要太严肃)，我多用心良苦呀。有时间再找您讲作文(具体约定时间)。

您又辛苦了，多写一些点评。(从现在开始我要精益求精，注意语言的应用，连贯等等，这几篇不是都在星期六写的，在这个礼拜写的，否则我就要累死了。)

精彩花絮

老邓回复:

很高兴看到你这一周的努力成果，不是硕果！俗语“有志者，事竟成。”在你的写作实践不断得到印证。很佩服你的毅力。你能保证每周多篇文章“出手”，飞速进步简直就是一定的了。最欣赏你的勇气。明知山有虎，偏向虎山行！决不在老师的“威压”下低头！

总之，你是拿自己的文章说话——这就不一般！

具体点评:

第一篇文章构思巧妙，让“自然疗法”洗去灵魂的尘埃，用纯净替换被世俗污染的心，很有味道！医生:“护士，带我去311救护室。”中的“我”当是“他”之误吧?

第三篇结构谨严，观点明确，层次清楚，议论中带着浓郁情感，语言用心锤炼，显得颇具章法。

第二篇我不欣赏，内容与描写都脱离现实，模仿痕迹太重！失去本心，徒具形式的文章最不可取，切记！

不管怎样，你本周的表现——优！

精彩花絮

陈志强说:

老师，请仔细阅读这篇文章，多写评语，多鼓励，我自己感觉不错。

老邓回复:

最令我惊讶并欣慰的不全是文章本身，而是你为写此文所进行的阅读与资料搜集。单是这一过程就足以让人心存敬意!

写作能力的提高一定是建立在广泛阅读积累的基础上的，一些同学一提笔，脑中便一片空白，没有可以提取的题材与素材，主要原因就是阅读太少。

高三阅读时间有限，但是我们可以少而精，譬如你的这篇文章就是采用了集中阅读的方式研究鲁迅的独特性格，然后用独特色彩加以形象展示，给人留下较深印象。当然，如果能多用自己的语言阐释，收获会更大。记住：阅读才是脑白金!

生活处处有话题(二)

公告发布：2003/3/29(网上作文指导第十四次活动)

开学第七周 老 邓

孩儿们:

好不容易今天没课，想补一补自从开学后就一直欠下的懒觉，可惜命苦啊，依旧一大早就醒了，满脑子都是你们的身影与你们的文章。于是，我索性坐到电脑前……准备工作已经完毕，咱们开始吧!

1. 刷新“全部文章”，看谁最先浏览新添信息!

2. 尝试今天的练习：

书与我们一生结缘；书伴我们地老天荒。

有人说读书充满喜怒哀乐；有人说读书充满奇情梦幻。

有人爱书；有人恨书；有人藏书；有人焚书……

请以“书”或“读书”为话题，自……，自……，自……

赶紧动手，看谁的文章自然，真切，有情致，有内涵……!

这篇文章已被浏览 57 次。
记者 wojiger 发表于 2003-3-29 13:23:17

＊三本书的世界 冰

我有三本书。

第一本：漫画书

我不是个儒雅的学士，也不是充满书卷气的才子。

普普通通，甚至有些低俗的只喜欢看漫画，喜欢那些简单的图片和不切实际的言语，就是我。

那里面没有黄金屋的耀眼，没有颜如玉的诱惑；可是，里面有惟美的情，亲情友情爱情，都是那么的让人向往；明知道这些是我不可能会得到的，我还是愿意让这些梦幻在眼前缥缈着、摇晃着，愿意感受这些虚构的幸福。

那些高档次高水准的书，里面往往是对现实的讽刺，确是让人警醒发人深思；可是，看过就过了，有谁会在思痛之后立誓要改变这扭曲的世界中扭曲的心灵？空留当时的感叹和接下来的麻木。

与其看那些没完没了的无谓批判，不如迷醉在漫画的虚幻中麻醉自己，还落个心暖。

第二本：影集

我说这个世界中最珍贵的是时间，百分百的没人否定。

人抓不住它，只能看着时光的流逝和容颜的老去，咒骂时间的狡猾。

直到某天某个天才发明了相机，一闪过后留下胶片上的曝光，那一刻就凝固了，被我们保存了下来。

而影集，就是承载这些凝固的时间的书。

我自恋，所以有好几本这种时间之书。

从满月那天开始，有无数的时间在这里停泊。身在此时却体会得到那遥远的已逝时光，是怎样的温馨、怎样的感动?

第一次摔倒哭鼻子,第一次到动物园看老虎看狮子,第一次到公园划船,第一次穿上新制服、带上小黄帽成为刻苦努力的学子,那些会被时间偷走的片段,全在这里,让我以为战胜了时间而偷笑。

慢慢的,那些被凝固的骄傲减少了。随着时间不断地向我的脸上撒满沧桑,在我的心中留下道道伤痕,我不愿再记录我的年华,因为这些是不值得向时间炫耀、向时间挑衅的狼狈。

我只能躲在墙角看着曾经的甜蜜,笑在心里,苦在心里。

任时间在一旁放肆地笑,我却只能假装不知道不在乎。

在它的笑声中传出我的声音:这本书,不好读。

第三本:随笔,抑或日记

那本不好读的书被我扔在一边,那虚幻的梦境已让我觉得再也骗不了自己的时候,就有了这第三本书。

我没长性,写不了一天一篇,但也是隔三岔五写一些什么。

在生活中,人们慢慢学会了闭嘴,懂得了沉默,把它当作金子一样供着养着,渐渐的,还似乎是养成了个美德、养成了个涵养。

我不想闭嘴。生下来长了个不大不小装满方块字发音的嘴,闲着也怪可惜了。所以我愿意说,没完没了地说。

说自己,说别人。自己的烦恼自己的快乐,说啊说,可惜,听众都像是祥林嫂那个时代的人。说别人的好别人的坏,说啊说,不幸,他们只爱听一半。

最后我落得个贫嘴,得了个蛮不讲理的称号……

我不得不闭嘴了。所以我找到了这么个本子,简简单单,一道道的横格子上就是那些我憋在心里的音。

这就是我的心的书。我自己写,自己看。

每每在昏黄的灯下，一个人看着、写着自己对自己的牢骚，发泄着本应发泄在别人身上、却只能留在自己身上的情感，把痛一次又一次地重复加载在自己身上，此时的苦闷与寂寞，就像窗外吞噬一切的漆黑颜色蔓延开来，挤走了日月的光明，遮蔽了星的闪烁。

本来早该决堤的言语却变作禁闭的双唇和死气沉沉的笔墨。

看着生活的川流不息好似生机勃勃的假象，我只能在这本书里对自己念叨念叨，然后给自己一个比黄连还苦的微笑。

沉默沉默，教训我已领教，我也在变乖，所以我也沉默。

只是不得不说，这本书太苦太寂寞。

我这三本书，我就这么三本书，却胜过满书架的经典。

亲密聊天室

wojiger对冰说：

然而，你却不能将这三本书奉为经典，除非你真的享受它们！

冰对wojiger说：

其实，我说的“胜过满书架的经典”并不是享受这样的世界，而是我所勾勒出的这三本书比那些经典更贴近事实，更反映出实际生活，更应该会叫人醒悟，让人看到我们糟糕的生活。

wojiger回复：

这样我就放心了！感受到文章扑面而来的冰冷，我真的担心你的心也如此！好孩子，我多么渴望看到你笑着从书中走出来！不过，既然需要你来信解释一番，可见这句话表意不明，有歧义，必须修改。

老邓简评

之所以胜过经典，是因为它们连着你的经脉，连着你的血肉！

文章为我们展示了三本书，实际上是向我们剖开了被生活鞭打出道道血痕的心！

然而，你却不能将这三本书奉为经典，除非你真的享受它们！

这篇文章已被浏览39次。
记者 Litchi 发表于
2003-3-29
17:43:12

* 书香袭人 方圆

野芳的花香悠悠飘来，陶醉了人们的心灵，让人们和它一起感受那浪漫的情怀。

泥土的芳香沁人心脾，扫净了人们心中的浮躁，让人们和它一起享受那旷远的心情。

而书呢?——每翻开一本书，一阵纸页的清香过后，书中的画面便呈现了出来；然而你知道吗?那书的“香气”并没有就此飘散，而是在人们开始读书的时候，才悄悄地从书页中泛出，从文字上飘起，从手指间拂过，那是一种清新而高洁的气息，感染了心情，又滋润了心田……

“路漫漫其修远兮，吾将上下而求索……”顺着书香的指引，一个高冠长袖的身影仿佛屹立眼前，他昂首望天，喃喃而叹；一阵微风吹过，青纱舞动，芳草般的清香随风而飘，飘进人们的脑海中，更飘进了人们的心间，让人们不禁为他那高洁的气息所感染，为他那异于世俗的勇气所震撼，为他那坚韧的品格所感动——书香，包含了这一切，然而却是用它特别的方式传达给人们。

“君不见黄河之水天上来，奔流到海不复回。君不见高堂明镜悲白发，朝如青丝暮成雪。人生得意须尽欢，莫使金樽空对月。”是谁有如此雄浑的气魄?又是谁有如此超凡的想象？那一股浓郁的酒香已经沁润了我的心脾，那一种傲世的豪情已经震撼了我的心灵——是李白，这位闻名百世的诗仙，在给予人们无尽想象空间的同时，将他那一腔的气魄充盈于其中，让人在品味诗歌的同时，也仿佛置身于那一方天地中，使整个躯体从现实的束缚中解脱出来，让思维扩展，让胸襟开阔；合上书，不禁心旷神怡，然而那缕缕的书香却不绝于心间，其中甚至还夹杂着些酒香。

翻开另一本书，一阵书纸的清香后却是另一番景象:“仰手接飞猱，俯身散马蹄。矫捷过猿猴，勇剽若豹螭。”好一个“幽并游侠儿”，矫健的身影，飒爽的英姿，让人能够想象得出那飞驰的马儿有力地踏着土地，扬起了一阵烟，在这烟气中，不禁让人感到虽然这是战场，那游侠儿拥有不凡的气概，在如此之时依旧展现了他盖世的功夫和巨大的勇气，为国而战，冲锋陷阵，正如诗中所云“捐躯赴国难，视死忽如归”，令人钦佩，无不叹服。

这就是书香——不仅是纸页的泛香，更是书中深刻思想、高尚情操散发出来的幽香，沁人心脾，发人深思。

书香，比那花香更浓郁，比那花香更令人陶醉。

书香，比任何可感的气味更令人回味，因为那不止是一种感觉，更是人们心中交融的情感。

书香袭人……

老邓简评

书香香在书魂中！书香香在书心上！崇高的人格凝聚成书魂；卓异的才情幻化为书心，能不满纸生香?!

文章用诗句串起三个片段，用细节展开三种境界，用比喻排比点染开头结尾，自然流露出一股“文香”!

精益求精：

1. 开头“野芳的花香”改为“野花的芬芳”更准确；删去“让人们”语言更流畅简洁。

2. 为何不照应前两段以诗句引出苏轼?似乎有伤结构的完整与和谐。

3. “在这烟气中，不禁让人感到虽然这是战场……”看出这是个病句了吗?该如何修改呢?

书——未来的胜利

秋水共长天

看着已经起火的冥王星，坐在小型战斗机里的我忍不住又摸了摸怀里的黑匣子，冥王星——海王星保卫战想必已经彻底失败。“还好，我带出了这个黑匣子。”我不禁松了口气，“但愿他们能把时间拖得再长些。”

这是在24世纪，社会早已完全自动化，各式各类的机器人代替了人类进行生产活动，而人们，每日只需考虑怎么娱乐就成了，在虚拟的网络世界里，人们纸醉金迷，过着比历史上最奢华、最荒淫无度的君王还堕落的生活。

书籍也早已成了古董，连偶尔去翻翻漫画的人在大多数人眼中都成了怪物、疯子，更不要提我们这个整个太阳系内惟一存有书籍的家族——卜克家族了。也许是基因的缘故吧，我们一族人对虚拟的网络生活非常厌恶，却喜欢书籍中所营造的那种氛围，喜欢跟着用文字所描绘出的人去共同喜、怒、哀、乐。由于跟社会的格格不入，我们卜克家族被驱逐到了最偏僻的冥王星上。

人类这样的生活，不，应该说这样的存在了近一个世纪。终于，这种存在形式，在25世纪的最初几年，被一个外星种族的入侵打破了。

这些外星人，拥有先进的介子武器、量子飞船，具有超强的生命力，还有与地球上蟑螂一般的繁殖能力。但最可怕的是，这族外星人具有心灵感应能力，能在瞬息间把信息传到数万光年之外。在他们面前，人类的机器人、克隆人部队像虫子一样不堪一击。

在经历了银河系外战役、太阳系外战役之后，从梦中惊醒的人们终于发现了这些外星人的弱点：因为他们有心灵感应能力，所以在他们的历史上没有文字、图片、书籍。他们先辈的经验就不能一代代传下来，在这些外星人中没人懂得战略战术，每一个外星人在战争开始时都相当于一个新兵。所以，在两次大的战役中，所有的外星士兵都只是各自为战，不懂得配合与计策，只是一窝蜂似地一拥而上。但是，由于人类早已抛弃了书籍，把一切都交给了毫无机动性的电脑，这仅有的一点优势也荡然无存。

于是，地球总部，发出紧急命令，要求我不惜任何代价，都要把卜克家族藏书中的所有有关战争、战役、兵法、谋略的书籍设法在冥王星——海王星战役中带回地球，供所有将领、军官学习。

接到命令我不由得一笑，人们的目光就是这么短浅，难道他们从这些外星人身上还看不明白没有书籍的种族是多么危险吗?我没有完全遵照指令行动，而是用了宝贵的两天时间，把由古至今人类的所有图画、书籍压缩到一张光子磁盘上并把磁盘封在我身边的这个由特殊合金制成的黑匣子里。但因为，我损失了至关重要的两天，在我离开冥王星时，人类军队已全线溃退，我的小型战斗机极有可能遭遇到外星人的舰队。

我收回看着冥王星的目光，发现前方如繁星般的外星飞船，心里一紧，“害怕的事终究还是来了。”伺服机器人抱起了黑匣子，走向救生舱，我摁下了控制键。看着小小的隔离舱飞向了遥远的地球，我的眼睛在不知不觉间充满了泪水。伴随着舱内响起的古曲《十面埋伏》，我冲向了外星舰队群。

愿人们能重获老、庄的睿智。

愿人们能再得陶潜的豁达。

愿人们能重温梁、祝的柔情。

愿人们……

愿人们……

亲密聊天室

wojiger 疑惑：

语句“伺服机器”什么意思？我太想弄明白了！

秋水共长天回答：

伺服机器人是科幻文章中所说的小型智能机器人，已成一个专有名词。请期待我的修改稿。

wojiger 回复：

快！我满心期待着呢！

老邓简评

好一曲人类悲歌！好一篇警世之语！值得庆幸的是还有卜克一族的存在，使精神灵魂尚存，否则人类真的会走向万劫不复的道路！

文章想象力十分丰富大胆，却是建立在现实可能的基础上，故科幻而不虚幻，夸张而不离奇。

值得推敲之处：

1. 交代不够清楚。如“冥王星——海王星保卫战”与外星人入侵地球有何关系？结尾的“我”与杀敌有何关系？难道外星人知道“我”对他们构成巨大威胁？如何得知的？

2. “我”为什么要把所有的书籍刻成光盘？“我”认为人类之所以走到今天这一步主要是因为什么？与书籍有何关系？为什么有结尾的希望？

3. 文中说“由于人类早已抛弃了书籍，把一切都交给了毫无机动性的电脑”，那么，刻成光盘的书是不是依旧交给电脑？

＊＊书——未来的希望（改）

秋水共长天

看着已经起火的冥王星，坐在小型战斗机里的我忍不住又摸了摸怀里的黑匣子，冥王星——海王星保卫战想必已经彻底失败。因为我的缘故，已经伴随太阳数十亿年的三颗行星：冥王星、天王星、海王星也将在荷尔特族的炮火下化为灰烬。

"还好，带出了这个黑匣子。"我不禁松了口气，"但愿他们能把时间拖得再长些。"

在24世纪，社会早已完全自动化，各式各类的机器人代替了人类进行生产活动，而人们，则只需考虑怎么娱乐就成了，在虚拟的网络世界里，人们纸醉金迷，过着比历史上最奢华、最荒淫无度的君王还堕落的生活。

此时的书籍早已成了古董，连偶尔去翻翻漫画的人在大多数人眼中都成了怪物、疯子，那就更不要提我们这个整个太阳系内惟一存有书籍的家族——卜克家族了。也许是基因的缘故吧，我们一族人对虚拟的网络生活非常厌恶，却喜欢书籍中所营造的那种氛围，喜欢跟着用文字所描绘出的人去共同喜、怒、哀、乐。由于跟社会的格格不入，我们卜克家族被驱逐到了最偏僻的冥王星上。

人类这样的生活，不，应该说这样的存在了近一个世纪。终于，这种存在形式，在25世纪的最初几年，被一个外星种族——荷尔特人的入侵打破了。

荷尔特族，是比人类古老上百万年的种族，他们拥有先进的介子武器、量子飞船，具有超强的生命力，有与地球上蟑螂一般的繁殖能力，还具有心灵感应能力，能在瞬息间把信息传到数万光年之外，但最可怕的，是他们的永远不满足的占有欲，像蝗虫一样，不顾个体牺牲，把所到之处的所有资源与生命一扫而光。在他们面前，人类的机器人、克隆人部队就像虫子一样不堪一击。

在经历了银河系外战役、太阳系外战役之后，从梦中惊醒的人们在失去了90%的空间之后才发现了这些外星人的弱点：正是因为荷尔特族具有心灵感应能力，所以他们并不需要文字、图片和书籍，所以他们先辈们的抽象经验和智慧、思想、精神就没有一代代传下来。因此在这次入侵的荷尔特人中没人懂得战略战术，每一个外星人都只相当于一个新兵。这也就解释了为什么在前两次大的战役中，所有的外星士兵都是各自为战，不懂得配合与计策，只是一窝蜂似地一拥而上。

但是，由于早已抛弃了书籍，所以没有人知道黄帝是怎么打败的蚩尤，也没有人知道孙子是怎样练的兵；没有人知道曹孟德是如何以少胜多打败了袁绍，也没有人知道诺曼底登陆是发生在第几次世界大战。人们最后的一些优势也因为多年的腐化堕落而荡然无存。

人们把一切作战任务都交给了毫无灵活性又不会变通的电脑和刚刚被克隆出的新人部队，就像把护国任务交给外籍雇佣兵的罗马帝国一样，在电脑系统被荷尔特族入侵后，所有的兵力部署都赤裸裸摆在荷尔特人面前。也正是因此，荷尔特人才查到了我家里拥有人类所有的战争书籍，为争夺书籍而迫不及待地发起了第三次战役：冥王星——海王星保卫战。

在战役刚刚打响时，地球总部就发出了紧急命令，要求我不惜任何代价，都要把卜克家族藏书中的所有有关战争、战役、兵法、谋略的书籍设法在冥王星——海王星战役中带回地球，危急时刻甚至可以用这冥、海、天三颗行星作为盾牌，拖延荷尔特人的进攻。

接到命令，我不由得一笑，“人们的目光就是这么短浅，只想要战争书籍，难道他们从这些荷尔特人身上还不明白没有书籍，没有先贤们留下的宝贵精神的种族是多么危险吗?就算我们能依靠古人的兵法战策打退荷尔特人的进攻，那么在数万年后，失去了精神的我们也会像荷尔特族一样去占领别的星球吗?人们错了，已经误入歧途了，已经放下书籍太久了，已经醉生梦死地错了太长时间，我不希望他们再继续错下去。”

我花费了两天宝贵的时间，把从古至今人类所有的图画、书籍压缩到一张光子磁盘上并把磁盘封在我身边的这个由特殊合金制成的黑匣子里。而因为我损失了这至关重要的两天，在我离开冥王星时，人类军队已全线溃退，所以我的小型战斗机极有可能遭遇到外星人的舰队。但，我心不悔。

我收回看着冥王星的目光，发现了前方如繁星般的外星飞船，心里一紧，“害怕的事终究还是来了。”伺服机器人抱起了黑匣子，走向救生舱，我摁下了控制键。根据动量守恒，为使救生舱获得极大的速度逃离出荷尔特人的射程，我不得不滑向外星舰队群。望着小小的隔离舱飞速飘向了遥远的地球，我的眼睛在不知不觉间充满了泪水，伴随着舱内响起的古曲《十面埋伏》，我冲向最近的一艘荷尔特飞船。“人们啊！觉悟吧！不要辜负了我和这三颗行星上的无数生灵用死换来的书籍，重新拾起书本，书中自然蕴含着未来的希望。”

愿人们能重获老、庄的睿智。

愿人们能再得陶潜的豁达。

愿人们能重温梁、祝的柔情。

愿人们……

愿人们……

茫茫宇宙中，突然光亮一闪，一架小型战斗机撞上了荷尔特人的一艘飞船，在真空中听不到震耳欲聋的爆炸声，只是在燃烧的冥王星旁又多了一个燃烧的亮点。

(注：荷尔特人，因其具有心灵感应能力，称之为Heart；卜克家族，为英语 Book 的音译。)

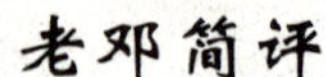

老邓简评

补充交代了事情的来龙去脉，使我们弄清了故事情节的发展变化；增加了对人类精神欠缺的说明，书籍的重要性不言而喻——修改后的文章内容更丰富，思想更深入，结构更完整，情感更有依托。

这篇文章已被浏览41次。
记者秋水共长天发表
于2003-4-1
22:38:50

**窃读 在吃

我喜欢那种感觉。

在书店，把自己小小的身体藏在角落里，或是热闹的人群后面，捧着自己慕名已久却苦于囊中羞涩没有能力带回家去安安静静舒舒服服地阅读的那本书，悄悄地、如饥似渴地吞读里面的字句。

读书本来是一种享受。阳光明媚的午后，在阳台支上一把躺椅，沏上一盏香茶，手捧一本心爱的、厚实的、用手摸上去充满诱人质感的书本，那感觉，会是何等的滋润，何等的体贴?

奈何市场经济的浪潮下，书本的价钱比牛市的红线飙升得还快，如今我这个靠父母赏与的零散碎银过活的穷苦学生，已经鲜有余力把大把的钱投到昂贵的“文化资源”上了。

于是我选择“窃读”。

凡事一有了个“窃”字，似乎就会变得不那么和谐不那么温存。

然而我觉得，窃读当算是世上最辛苦最无奈却最高尚的劳作了。

当初在那个街边古色古香的书店里，我一连三天坐在地上，抱着同一本书，埋着头，肆无忌惮地读。终于，第四次——一双大手和我的手同时伸向了那本书——

“同学，你到底想不想买这本书?!”

我抬头，遇到了书店老板愤怒的责备的目光。

“我、我、我……看看……看好了，就买……”我自己都觉得这争辩是那样无力。

“盯了你好几天了，每天都冲着这本书来，一看就是一下午。我们这小本生意哪儿禁得住您这么关照啊?”……那店面本来就很小，老板这一嚷，所有的顾客都把头扭向了我，我第一次感觉幼嫩的自尊受到了难以磨灭的伤害。

在所有顾客或疑惑或同情或嘲笑的目光中，我淌着泪飞一般逃离了那令人窒息的地方。

虽说第一次的经历以失败告终，但我终不甘心让自己就此放弃这惟一能接触到我最喜爱的书本的机会。于是我开始盘算开始动用我的智慧开始真刀真枪地和各路书店老板进行真正的“攻坚战”。

我终于明白第一次的失败是因为我缺乏经验:

我应该选择铺面更大、顾客更多的书店，应该藏在老板看不到顾不上的角落，应该有更大的灵活性而不是每天的同一时间出现在同一间书店的同一个角落奔向同一本书。

从此，我学会了隐藏和假装: 把自己藏在老板的视线之外，偶尔也假装要买书的样子煞有介事地向路过的服务员打听书的销售情况。而且大店铺里一般没人顾得上来轰我这样的小孩子，于是我便更加如鱼得水，肆无忌惮地吞咽书里的每句话、每个字。

有时候窝在那里半天下来，腿很酸，腰也像要折了一样的疼，头昏眼花，又饥肠辘辘，更甚的是想要靠在人家的书架上睡上一觉来解乏……

但是那感觉还是吸引着我，无法放弃。

就这样，我读下了不知多少本书。

窃读是最需要耐心的一项活计，一点不龌龊，一点不难以启齿。

真的。这是真正爱书的人才有的执著和认真。

老邓简评

题目即夺目，真可谓过目难忘也!

古人云：书非借不能读。你则过之无不及也!书呆也! 书虫也! 书痴也!

孔乙己窃书，你窃读，一字之差，读书人本性不变，读书人憨态未改，只是孔兄食古迂腐，吹兄古灵精怪，此所谓青出于蓝而胜于蓝矣!

见徒儿嗜书如命，为师我得无说乎?!

文章生动活泼，妙趣横生，一气呵成，欲罢不能。结尾道出读书真谛，可谓水到渠成。文笔之流畅令人难忘!

妙文也!

精益求精:

1.“凡事一有了个‘窃’字，似乎就会变得不那么和谐不那么温存”中的“和谐”与“温存”表意不够准确，与下文的“高尚”难以呼应，可改为“不那么高雅不那么道德”。

2.“当初在那个街边古色古香的书店里”中“那个”应放在“街边”之后，注意语序啊，一不留神就是病句了!

3.“而且大店铺里一般没人顾得上来轰我这样的小孩子”一句中“而且”一词连接的主语相同吗?病句啊!

这篇文章已被浏览 59 次。
记者 faye_1984 发表于
2003-3-30
15:32:02

＊读到生命的最后一天

super_f16

自古以来，书籍一直是人类的思想结晶，也是人类的精神食粮。生命一代代繁衍，文明一代代传承，而书籍陪伴着每一个人度过短短的一生。一位大学教授曾经说过，要读到生命的最后一天。不错的，每一个人都应该把书籍当作自己终身的伙伴。

书籍不仅可以使人们获取知识，开阔视野，还能帮助人们在茫茫人海中找准航向。凯勒曾经说过："一本新书像一艘船，带领我们从狭隘的地方，驶向无限广阔的生活海洋。"书就像岔道口上的路标，为我们指明正确的方向；书就像茫茫海上的灯塔，给予我们希望，引领我们远航。

书籍能够陶冶情操，修身养性。卢梭在《忏悔录》中呼唤人们远离假、恶、丑，奔向真、善、美；罗曼·罗兰在《贝多芬传》中构筑了一个崇高而神圣的世界；孟轲在《孟子》中展现了那锋芒毕露、气势充沛的逻辑力量；司马迁在《史记》中用那饱蘸满腹情感的笔墨写下了无数动人心魄的故事。在书的海洋里，人的心灵能得到净化，人的情感能得到丰富，人的思想能得到升华。

书籍帮助人们记下历史，使后人感悟到前辈身上那些难能可贵的精神。先辈们曾经用手中的笔赋予书籍新的活力；书籍则把他们伟大的人格和深刻的思想悄然无息地放在所有人的心里。如果没有书，我怎么能看到李白的"行路难，行路难。多歧路，今安在"，而为他心中的苦痛与惆怅泪流满面?我又怎么能吟出"长风破浪会有时，直挂云帆济沧海"，而为他的壮志豪情感到由衷钦佩?如果没有书，我怎么能知道白居易的"醉不成欢惨将别，别时茫茫江浸月"，从而理解他"谪居卧病"中的凄凉心境?我又怎么能见到那句"座中泣下谁最多?江州司马青衫湿"，从而真切地体会到他在偶遇知音后无比的感慨与激动?如果没有书……

书中凝结着人类的智慧，书中饱含着人类的情感。请不要放下手中的书，因为那一本本薄薄的册子是人类的展台，是人类的宝藏，是人类的精华，是人类的灵魂。因为在那页页纸间还有许多未曾见过的事物，耐人寻味的话语和意味深长的文字。

就让我们手捧书卷，读到生命的最后一天!

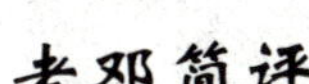

老邓简评

哈哈，欢迎蝙蝠侠归来！我又看到了充满睿智的拱固啦!

看看这令人低回玩味的题目，看看严丝合缝、滴水不漏的开头结尾，多么谨严的构思啊！整体上就给人一种深沉而厚重的感觉。

再看看文章的内容，古代先贤，现代文豪，信手拈来，自如引用，当论据，做过渡，展示出丰厚的文化内涵与精神力量，能不启人心智吗?!

语言尤其好!

不可忽视的问题:

第三层开头说“书籍帮助人们记下历史，使后人感悟到前辈身上那些难能可贵的精神”，下文选取的李白和白居易的例子表现了他们各自怎样的精神呢?特别是白居易，似乎与精神没有关联啊!

好好斟酌一下!

这篇文章已被浏览47次。
记者super_f16发表于
2003-3-30
15:46:57

* * 书是什么？ hz

有人说，书是黑暗里的一丝光亮。

给你勇气，给你信心，给你希望，在你黑暗的心灵被照亮的那一刻，你找到了自己的信仰，书中那一个个鲜活的人物在为你演示生命。不仅如此，他们是社会的缩影，密封的心灵由此感受到外界的丰富与宽广。

有人说，书是灵魂的一面镜子。

在它面前，你看清了自己，镜子里的影像不是你。而是书上一个个或高尚或卑劣或无私或忠贞或奸诈或普通的人物形象。也许他们每一个人都不完全像你，但至少能从其中找到你。

有人说，书是巨人的肩膀。

站在巨人的肩上，你看得更远、更深、更透。几千年的战乱纷争，不过是一场如梦的游戏——在你安静地坐在灯前读史书时如是想。一个个伟大的作者，用自己犀利的深邃的思想铸起一座巨人的丰碑，你所要做的，就是攀缘而上，站在这思想巨人的肩膀上，俯瞰世间百态，或许有所悟，或许有所感，无论如何，你已经跨越了自己，你是站在巨人的肩上，你的感悟凝集了许多伟大的灵魂的精髓。

有人说，书是永恒。

或许几百年前它诞生了，或许几百年后它被丢弃，但永远，都不会被遗忘，它在人们的心里留下深深的印记，它的精髓是人类财富。你可以烧掉一本书，却无法把它从人们的心里抹去，生命的尽头，才是书的尽头。

我想书是千百年来人类智慧的结晶。

老邓简评

祝贺你成为本周最佳写手！

文章睿智而深刻，每一个比喻都是思想探索的结晶！

文章饱含哲理，每一个层次都留下意韵丰富的想象空间！

文章诗意盎然，每一个段落都有动人的诗句熠熠生辉！

“生命的尽头，才是书的尽头”。不是诗是什么？

只可惜我不知你的真实姓名，无缘见偶像，痛苦啊！

这篇文章已被浏览60次。
记者 wojiger 发表于
2003-3-30
16:25:17

＊看书 cswords

我喜欢看书。在我眼里，世界因书的存在而广阔，自然因书的存在而神奇，历史因书的存在而悠久，生命因书的存在而丰富，人类因书的存在而进步。

“书”是以文字为主要手段，用于正式记载的一种工具。书在人们的生活中起着重大的作用，推动着社会的发展，一直是最重要的文化载体。史书、工具书和诸多学术作品都传承着“书”的基本意义，小说、诗歌、散文集则给了我们美的享受。无论作为艺术或一种工具，书都起着记载、传播文化的作用。有了书，我们就可以分享文化果实，像牛顿那样站在巨人的肩膀上。

我喜欢看中国古代文学作品。四大名著，我一字不差地看过很多遍。现在我重看它们，只需随手翻一页，一点都没觉得情节不连贯，而且仍看得津津有味。《西游记》和《水浒传》还是我小学时看的，现在仍能清晰地记得其中的细节。读《三国演义》，那种驰骋、纵横的英雄气令人荡气回肠。这些名著上的一些诗、词、曲、章回题目、灯谜、人物话语……至今我还能背得滚瓜烂熟，有的甚至成了段。古人的情趣、审美、胸怀、志气，通过这些作品融入了我的大脑。《封神演义》、《岳飞传》、《母亲》、《三个火枪手》……我看中外名著，感觉就如同李白“虚步蹑太清”，遥看仙人指路，细品瑰丽无穷，每每回味不已。

我喜欢看科普读物。这类书大大地激发了我对自然科学的好奇心。它们将世界和宇宙中自然现象所包含的丰富哲理深入浅出地描绘在我眼前。每当我真正看懂一个科学命题，那种茅塞顿开的兴奋之情使人感到无比快乐。这些书向我展示出科学家的广阔胸怀，试想，没有广阔的胸怀，又怎能有心思去关心毫无生命的数字、宇宙那一边的星星?因此，我非常敬仰科学家，把他们视为我心中的偶像，也更加喜爱他们的书。如果说我还算有一点思想的话，这一点正是来源于科学。

我也喜欢看一些更专业的教科书。可以说，这一阅读爱好秉承着我对科学的热爱。初中时，我看了一本叫做《相对论与时空》的书，它向读者介绍了相对论这一深奥的物理理论。由于数学知识不够，这本书我当初只看了四分之一。我还看了《普通物理》等大学教材。与看科普读物时相同，我每学到一点知识都兴奋得睡不着觉，上学放学的路上总是来回琢磨才看过的内容，幸运的是至今没因此发生交通事故。其中我最得意的是对高等数学的学习，因为从那以后我的水平产生了质的飞跃，《相对论与时空》那一类书也能几乎看完了。我看了许许多多的教科书，不少于我看的科普读物。至今，我仍在有的晚上捧着一本《无机化学实验》看得直乐。

“书中自有千钟粟，书中自有颜如玉，书中自有黄金屋”。我从书中获得知识，获得力量，获得智慧，获得情感。或者不如说我从书中获得了自我。

书，是社会发展中人类不可缺少的朋友，也是我一生的朋友。

老邓简评

秦晓宇，好小子！不可小视之人哪！

一本书就是一个丰富的你，这篇文章成就了一个崭新的你！你的博览群书，你的孜孜以求，你的多样情怀，你的广泛见识……

文章以书为线，洋洋洒洒，说古道今，结合自己的读书经历，使书籍的价值与魅力得以尽情展现。

开头最是气度不凡，颇得《过秦论》铺排之精髓，表达效果奇佳！

推敲之处：

文章起笔高屋建瓴，而下文转入介绍自己的读书经历，给人一种头重脚轻之感。如果能紧承开头，分层展开论述，文章绝对另有一番厚实感。

你仔细琢磨琢磨。

* 书缘 孙飘飘

一缕午后的阳光，一杯浓浓的咖啡，一段悠扬的音乐，这一切是那么和谐，但似乎又缺少了些什么，让人心里空荡荡的，不踏实。一阵微风吹来，掠过案上的书页，哦，原来是少了你，你在这惬意中又平添了几分充实。不知何时起，我喜欢上了这种感觉，也许正因为如此，我与书结下了缘。

盼 书

小时候，我最喜欢做的事情，就是听妈妈讲书里的故事，那里是另一个世界。我时常幻想自己拥有魔镜，问问它，谁是世上最美丽的人；幻想自己和丑小鸭一起变成天鹅；幻想拥有一只水晶鞋，等待着王子；幻想……从书中我知道了世上的真善美，并且立志做个好孩子。书对我的吸引，从那时起便在我幼小的心灵里，埋下了种子。我时常捧着一本书，对着上面类似于蚂蚁的东西发呆，我知道这是我长大后要学的。于是，我盼望着长大，盼望着读书。

爱 书

一本本书由新变旧，我一天天地长大，我不再满足于那个童话世界。蹬上椅子，偷偷打开家里的大书柜，面对着一个个陌生的名字，面对着一个全新的世界，兴奋的我一时不知道看哪本书才好。拿过一本就看，不管能不能看懂。就这样，竟也囫囵吞枣地看了许多书，什么《卓娅和舒拉》的故事呀，什么《居里夫人》呀，还有《堂吉诃德》……每次看完一本书，只觉余香满口，细细回味，真是滋味无穷，就在那时，我爱上了书，爱其中的人，爱其中的事，更爱其中的思想。

恋 书

不知这是第几次看同一篇文章，如此亲切，但似乎又有些陌生，文章还是那个题目，文章还是以那句话为结尾，一切都没有变，难道是人变了？书陪伴我走过一个个春夏秋冬，见证着我的成长。书没有变，我对书的情却越来越深。我的枕边总是放着一本书，或厚或薄，或新或旧，每天临睡觉前，我都会信手翻开，没有固定的顺序，风吹开哪页，我就看哪页，将自己浸在其中，品味，回味，似乎读过一篇好文章，这一天才算完整。如此痴迷于书，自己想想也觉得可笑，但是没办法，谁让我与书有缘呢。

我与书的情缘说不完，也说不明，她融化在那午后的阳光中，沉淀在那杯浓浓的咖啡里，随着那悠扬音乐飘向远方……

老邓简评

文章写的是平常事，抒的是常人情，可读来却诗情浓厚，余韵悠长！

细心体会，你会发现作者很善于设计：以成长经历为顺序，以“盼——爱——恋”的情感为红线，串起三个与书籍密不可分的生活片段，层层递进，内容连贯，思路清晰可辨。

文章把重点放在抒情上，着意刻画爱书、恋书的心路历程，使文章自然带有强烈的感情色彩，以情动人，避免了空洞的说教气。

飘飘的文章开始形成风格了！好啊！

精益求精：

1.“你在这惬意中又平添了几分充实”中“在……中平添”不准确，改为“你为这惬意平添……”。

2.“每天临睡觉前，我都会信手翻开，没有固定的顺序，风吹开哪页，我就看哪页”句不太合情理：哪儿来的风？电扇吹的？每天？

＊＊读生命 胡潇潇

生命是一本书，我用生命去研读。

当嫩绿色的小草从泥土中钻出，毛茸茸的小鸡在软绵绵的窝里破壳而出，手术室里传来第一声啼哭时，天空在微笑，阳光在眨眼，庆祝又一个美丽的生命跳出地平线，来到天地间。云朵看着他们，虽然自己被视为纯洁的化身，但她深知什么才是真正的洁白，于是暗暗艳羡生命中那份不可企及的纯净。面对一个生灵，望穿那双清澈的眼睛，我看到了整颗心的透明。任瓢泼大雨落下，漫天黄沙飘舞，天地变幻莫测，那颗心却可以剔透依旧，一尘不染。从那一个个最原始最朴素的表情中，我读懂了生命的单纯与质朴。

当一丛丛鲜红的玫瑰在阳光下盛开，矫健的雄豹展开身躯在原野上奔跑，夏威夷的男女老少头戴花环在海滩上狂舞时，一种无形的火焰在燃烧，一种无声的乐章在奏鸣。生命的火山在喷发，岩浆使大地变得炽热，地球发出耀眼的光芒。在这片炫目的色彩中，我读懂了生命的热烈与奔放。

当枯老孤独的白杨依旧倔强地挺立在平原之上，瘦骨嶙峋的骆驼依旧在大漠中背负着沉重的行囊，双目失明的女子依旧探寻着前面的不知所终的路时，生命之花在顽强的绽放。大自然是神圣的，然而，生命中埋藏的终极信仰却更加有力量。那是我们的能量之源，静静释放，却可以冲破一切的物质，这份坚韧，谁也无法抵挡。在这束奔腾于灵魂的洪流中，我读懂了生命的执著与坚忍。

当直立傲骨的腊梅在枝头昂首，翱翔自来去的海鸥与轻涛低语，飘逸如仙的隐者与山水共眠时，看起来那样客观的世界顿时变得飘渺浪漫，灵动多彩。生命不是简单的物质循环，人毕竟不是只靠吃米活着的。每个生命都蕴藏着广阔深厚的内涵。马寅初告诉我们生命的潇洒与泰然自若：宠辱不惊闲看庭前花开花落，去留无意漫观天外云卷云舒。在思考与理解的瞬间，我读懂了生命的诗意与深刻。

还有生命的包容，生命的博大，生命的深沉……

生命是一本书，我用心去领悟，直到生命的尽头。

老邓简评

潇潇啊，你篇篇都应当是这样的文章！这是我对你的希望！这是你完全能够达到的目标！这样的散文才是你思想、学识、才情的集中体现！

精益求精：

题目改为“研读生命”更准确，更深厚，还与开头照应。单音节的一个“读”字显得轻飘，且语意较模糊。

“在这束奔腾于灵魂的洪流中”句中“一束”应改为“一股”。

精彩花絮

收件人：wojiger 发件人：陈志强 主题：读书的挽歌

发送时间：2003-4-13 是否已被收件人浏览：True

我现在要精益求精，这周只写了一篇，但我感觉还可以(逻辑上还不算太好)，不知道您的看法如何？

您要是有时间的话，快写一篇(邓虹回复)，给我提一些要求和鼓励。

请您仔细看(不要着急，晚上看的滋味是一种什么感觉)并多写一些点评，快快行动，焦急地等待着您的回信，不要让我失望呀(美丽的萤火虫)。

老邓回复：

一篇短文浓缩了多少阅读的精髓——这是我读完你的文章后的强烈感受！所以，首先要肯定你的广泛积累！

本文对读书有多方面的认识与阐释，将读书的价值与兴味

精彩花絮

表现得丰富而具体，大量引用名言警句使文章很有内涵，语言隽永深刻。

但是必须指出的是，你的文章存在严重问题，这也是你常犯的错误:

1. 本文题为“读书的挽歌”，“挽歌”是什么意思?与下文谈读书的价值与意义有关联吗?依照这样一个题目，应当安排怎样的内容?

2. 文章说“惟一的抵抗方式是重返经典阅读之乡——经典书籍”，下文是紧紧围绕“经典书籍”而展开的吗?经典阅读与一般读书有何不同?

如果文不对题，再丰富的材料、再有价值的内容都是无本之木! 切记切记!

千万不要无目的地掉书袋子!

“一模”前夕大练兵

公告发布：2003/4/5(网上作文指导第十五次活动)

如梭呀——开学第八周

老 邓

孩儿们：

复习得天昏地暗了吧？别着急，且让俺老邓助你们一臂之力！

美言佳句我已经放进“哲理哲思”中了，请查看。

闲话少说，下面就跟着我进行紧急训练！

1. 人生有许多台阶，有向上的，有向下的……

国家也有台阶，例如一年一个新台阶……

请你以“台阶”为话题作文。

2. 台湾一个学者说，人生的种种努力不外乎两个字：回家。

请你以“回家”为话题作文。

3. 每一座大厦都有支撑，每一个生命也有支撑……

请你以“支撑”为话题作文。

4. 寂寞的感觉因人而异。也许你曾在夜晚，品味过寂寞的滋味；也许在熙熙攘攘的人群中，你忽然会有挥之不去的寂寞……

请你以“寂寞”为话题作文。

5. 俗话说无利不起早；古语说天下熙熙皆为利来，天下攘攘皆为利去……

请你以“利益”为话题作文。

能成文当然最好，写提纲也蛮不错嘛！别忘了拟一个“回头率”高的题目哟！

祝你们“一模”考试成功！

这篇文章已被浏览36次。记者wojiger发表于2003-4-4 9:14:45

* 寂寞让生命如此美丽

方圆

寂寞是深夜里的一株昙花，缕缕的幽香和淡淡的身影便是她动人的美丽。

寂寞是沙滩上的一只海螺，隐约的轮廓和内心的涛声便是他诉说的故事。

寂寞是绿茵中的一棵小草，望着飘远的蒲公英和隐去的彩虹，不知不觉中露珠也从叶尖坠落。

寂寞——无声，却有情。

“红藕香残玉簟秋，轻解罗裳，独上兰舟。”在瑟瑟的秋风中，独自踏上兰舟，望着窗外清秋的景色，虽不如春之娇艳，夏之火热，冬之晶莹，然而，那凄清之感，却是四季中最为细腻动人的，难怪但凡人间真情的吐露都要选在清秋，就是因为秋的清静能使万物浮躁的灵魂冷静下来，能使喧闹的尘世拥有片刻的沉静，大家都守候在自己的内心里——这虽寂寞，但却是最为真实的一刻，摆脱了平日的造作，面对最真实的自我，感受最真挚的情感——寂寞，使人们有了一份纯真，而真实不就是一种美丽吗?

寂寞——无声，却在无声中听到了心声。

还记得那个总在寂静之夜独自感伤的悲情天子吗?他的遭遇让人同情，他的诗句让人动情:“春花秋月何时了，往事知多少。小楼昨夜又东风，故国不堪回首月明中。”这就是寂寞之时的心声，悲凉哀怨中流露出一种凄美，一种独特的美感，感染着人们的心灵，同样也有了一种美感。

可见，人们常常在独处的时候才会发现自己内心中久藏的情感，难怪古今诸多表达内心情感的名篇佳作多写于独处的时刻，就是因为那是情感最真挚浓郁的时刻；而在我看来，就连品味这些作品都应该选择独处的时候，因为只有这样，才能有深刻体验，得到最强烈的内心共鸣。

寂寞，不总是生命的阴影，它是生命的另一片天空，一片寻觅、寄托情感的天空，它同样拥有斑斓的色彩，丰富的内容。

寂寞——让生命如此美丽。

老邓简评

好题目！

诗情画意是本文最吸引人的地方！生动的描写本身已使抽象的寂寞呈现出奇异的美丽！

魅力还来自文章的文采！恰当的诗词引用中作者的才情得到一定展现。

精益求精：

1. 主体部分增加一段(变成三段)更丰满。

2. 仔细分析材料，你会发现材料一突出的是寂寞能除去心灵的尘土，回归内心的安宁，而与“真情”的关系并不密切；相反，材料二则是表示真挚的最佳例子。后主李煜曾被王国维称作“纯情”词人，他的词作流淌着最纯粹的激情与热血，他的词全是用生命书写出来的。

所以，建议你将两个材料的中心句改为：

寂寞——悄然无声，却能守候灵魂。

寂寞——沉默不语，却能聆听心音。

另外，应先突出其词句的“既真且纯”之后再阐释这种独特的艺术魅力，中心句与阐释句的关系才能层层递进。

你觉得如何？

这篇文章已被浏览58次。
记者 1221 发表于
2003-4-4
15:25:37

＊寂寞中的故事

刘墨

又是一个难眠的夜晚。又是一个人面对满樽的苦酒。孤独伴着月光洒落在他周围。在这异乡的黑暗中，就更是为他平添了几分落寞。为什么?! 为什么自己的才学不为人接受，为什么自己的主张不为人采纳，为什么自己空怀报国之志，却得不到施展，为什么自己满腔愤懑，竟找不到知己来倾诉?

王朝危机四伏，自己不是感觉不到。整日踏访名山，自己不是超然出世。一颗最真的爱国心，一腔最浓的报国情，却遭到了世人最无情的冷遇。历经坎坷，好不容易做上个官，正欲大展身手，又遭到小人最卑劣的排挤。遍访名士，希望得到别人认同，又得不到赏识……

他抓起酒杯，一饮而尽。“古来圣贤皆寂寞，惟有饮者留其名。”醉了，醉了好，好在梦中缔造自己最爱的大唐。

忽的一阵阴风，吹灭了案上的蜡烛。黑暗中，看着别家的灯火，他不由得一哆嗦。那昏暗的光就像邻人鄙夷、诅咒的目光，仿佛要把他吞噬掉一般。耳边像是又响起别人尖刻、恶毒的话语:“他怎么还有脸活着?”

他不是贪生怕死，更不是寡廉鲜耻。他也是堂堂七尺男儿，有一个不容受辱的灵魂，他更是一个士人，有比别人更强的自尊。然而造化弄人。刑不上大夫，他却被处以了最残酷的刑罚。

别人都以为他会去死。但他为了自己的追求苟活了下来。于是别人的不理解就变成了愤怒。没有人再去理睬一个受了宫刑的士人，相反，人们用最粗鄙、最野蛮的言语来淹没他。他走到哪里都是寂寞的，同时还要承担着骂名。

但是，为了自己的追求，寂寞算得了什么！屈辱又算得了什么！他重新点起了灯，继续在寂寞中书写着历史。

历史在这一刻，也记录下了他。

他望着青青的山，潺潺的河，和自己那一亩三分地。还真的有点后悔了。

谁“少无适俗韵，性本爱丘山”?谁甘愿“开荒南野际，守拙归田园”? 他也想做官，济世安民；也想从政，辅佐国君。但实在是仕途不得志，让他心灰意冷。与其与那些达官贵人、纨绔子弟鬼混在一起，不如隐居山林，养些猪、牛、羊为伴。在寂寞中还能保全自己的高洁，在喧嚣的尘世中只会玷污自己的灵魂。

于是，山林，泉水，夕阳，在他的脑海里又变得美丽可爱起来。至少，比外面的世界要干净得多。

从此，寂寞的田园里又多了一道亮丽的风景，多了一位清新的诗人，多了一个超然的灵魂。

老邓简评

这篇文章足以说明你是一个充满才情的人！

我更希望这是厚积薄发的明证！

文章采用特写的手法将寂寞浓缩成三个精彩的镜头，三幅生动的画面，使文章充满鲜活的力量——文学的感染力从字里行间自然渗出，令人动容！好功力！

如果结尾能紧扣话题，将三部分总结一下，文章的整体效果会更好！

这篇文章已被浏览26次。
记者 kramnik 发表于
2003-4-12
22:09:26

＊品一杯寂寞 冰

寂寞，就如同杯中有着苦涩味道的咖啡，细细品味，过后，却留下浓郁的香醇气息。

——题记

雨帘中，飘落的丁香，在草丛里，望着头顶那近在咫尺却遥不可及的枝叶，青翠中尽是那淡紫色的寂寞。那淡淡的哀愁、缕缕的惆怅，是挥之不去的凄凉。心里面那么多的向往，却无法道出。因为小草永远也不会明白丁香的情怀，而丁香的身边却只有小草。这便是寂寞。

即便是身边的人群熙熙攘攘，我的心中还是充斥着无尽的寂寞。

先是无声，却泪流满面。那是心中堆积的寂寞发酵出的酸楚和苦涩触痛了柔软的心。

热闹是别人的。那么多的热闹，却没有自己的一毫。尽管阳光那么温柔，却还是冷得发抖。尤其是在寂寞的夜里，没有了阳光的阻隔，心中寂寞的寒气直冲向四面八方。受不了这寒冷，我便恋上了咖啡。

寂寞的人都喜欢咖啡吧。那不加牛奶不加糖的黑咖啡，是对寂寞最充分的诠释。搅动黑色的液体就好像在搅动寂寞，感受着缓缓升腾、扑面而来的热气。品一口苦涩的液体，笑它还未苦过我的心。

合上日记的本子，熄掉台灯的光亮，躺在床上，眼睛却闭不上。总觉得世界那么空旷，没有一棵树肯让我依靠；又觉得世界那么狭小，没有一处可让我安家。闭上眼，就觉得身体在下沉，沉到不知什么地方。

慢慢的，灵魂就好像脱离了躯体。看得到自己憔悴的面庞，不禁心疼起来。

想得到曾经的欢乐，曾经的绚烂，往日的一幕一幕总是在眼前一遍一遍晃过。想起了以前的笑脸，以前

的心情，不禁为已逝的幸福惋惜。

寂寞中，也看得到身边的事，身边的人，他们与我无关的笑脸和幸福。此时，心中冒出来的，又是什么情感？

爬起来，披一件外衣，再冲一杯暖暖的咖啡。

坐在窗边，头转向外面的黑暗，眼盯住上升的蒸汽。喝得多了，也就习惯了那自找的苦涩味道，有时甚至已经感觉不到它是否还有味道。就像我已经习惯一个人走在人群中，却不被周围的拥挤打扰，只是走着自己的步调。以前那痛彻心扉的寂寞也变得如同丁香的气味。

泪不再爬满面，倒多了几分沉静。在沉静中，也多了时间和空间去思考。寂寞中，用寂寞的眼去看这世界，这世界里人与人之间微妙的关联。

其实，人群中的每一个个体都是寂寞的。根本不会有谁是完全明白另一个人的，只有自己了解自己。

这样就会想到凡·高和他那朵金色的向日葵。金色的幸福，那么的灿烂，可人却在寂寞中逝去，末了，空留世人的惋惜，一场梦幻般的悲剧。

同是寂寞的人，虽没有他那般壮阔，但我也不希望落下个悲戚的结尾。如果他在寂寞中继续寂寞，寂寞地创作更多的经典，等待寂寞过后人们的关注，坚强地玩味着寂寞带来的苦涩，那么，这世界就可以少一分寂寞的伤悲，得到更多的美好吧。

我寂寞，但我讨厌悲剧。我已经寂寞了，那么上天就不应该再那么残忍地对我；事实上，老天也没有再给我更多的苦涩。别的人和我是一样的寂寞，每个人都是一个现代的凡·高。同样的寂寞，怎么可以再彼此伤害？寂寞与寂寞，在这个寂寞的世界里碰撞，有谁能断言不会擦出火花？

向日葵在寂寞中枯萎了。凡·高，伟大的艺术家，终究败给了寂寞。

咖啡那么苦，可它还是生长着那苦苦的豆。当第一个人尝到它的苦味时，也许，不知留下了多少的咒骂，说它多么多么苦，说它没有蜂蜜的甜美，没有牛奶的温馨。它的最初，也是寂寞的吧，所以才生得出这寂寞的果。可它没有选择枯萎，它继续寂寞地生长，活到了现今，终于被寂寞的人们爱恋。

还好，咖啡是坚强的，让我们的寂寞可以融入它的苦涩，与它碰撞，真的擦出了火花。

习惯了寂寞，也就没有什么了。讨厌悲哀，也就会站起身坚定地望向远方的迷茫。

当我可以坦然地面对寂寞的时候，我便可以在夜晚安睡。走在人群中，看到的不再只是熙熙攘攘的喧闹景象。好像我似乎是也感到了一点香甜，正在空气中弥散开来。此时杯中咖啡里，也不再只是苦了，而是更多的，充满着一种浓浓的甘甜。

偶尔的，那一丝的苦涩还是会找到我，在我还没准备好的时候吓我一跳。

不过，我会笑一笑，找根细绳，牵着它到外面去散散步，去看看在草丛中绽放的丁香。

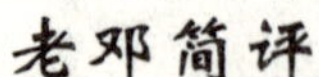

寂寞被你写活了——全然不见了抽象的面目，就挂在我们眼前的树枝上，脚下的草丛中，甚至可以牵着走！文章的开头与结尾最是绝妙！

初看主体部分，以为是不知愁滋味的强赋新词，到后来却发现文章视野越来越开阔，作者的心胸逐渐挣脱小家子气，心境的平和传达出坦然的人生态度，我不得不为作者思想的成熟而拍手叫好！

这一份寂寞品得好啊！

这篇文章已被浏览48次。
记者 Litchi 发表于
2003-4-12
18:59:01

＊人生的台阶 刘墨

人的一生就像是在攀登一座高山。当我们呱呱坠地的时候，就已经站在了山脚下。抬眼望去，一条曲折的小路通向山顶。台阶很高，每登上一级都要一年的时间。但刚开始的我们充满了好奇，不顾一切地往上冲。于是头几级台阶不知是怎么登上来的，就像猪八戒吃人参果一般，至于沿途的花草、石碑，我们全然没有留意。

大概到第六七级了吧，我们开始记事，又恰逢好奇心、求知欲最强的时候，于是很多此时看见的风景，就深深地印在了我们的脑海中。一片绿叶，一朵小花，一颗野果，一枚松塔，小到那些不值一提的东西，零零星星的，我们也全都装进了自己的行囊中。不要抛弃它们，不要对它们不屑一顾。因为这些可能就是我们此行中最美丽、最简单、最原始的快乐。这些就是我们在这个高度所能找到的最好的风景。它们虽然没有山顶的景色那样雄奇峻伟，但也别有一番闲适无忧的风味。

这时随行的同伴对我们总是很诚恳。大家一边玩耍，一边携手并肩往上登。摩擦在所难免，但总会雨过天晴。

每隔几级台阶，就会出现一个岔路口。无论我们选择哪一条，身边的景色都会发生变化，标志着我们到了一个新的高度，进入了一个新的环境。但每当这时，总会有一些熟识的同伴踏上另一条道路，离我们而去。同时又有一些新的同伴进入到自己的旅途。但无论如何，我们都会觉得，旧鞋穿着最舒服。现在大家虽然也是有说有笑，可总归少了份默契，多了份猜疑。少了份无私，多了份自私。

二十级台阶以后，我们在云里雾里欣赏着山川的美丽，陶醉于其中的景色，我们甚至希望能有个缆车什么的，直接将我们送上山顶，也省去攀登的痛苦。三十级台阶以后，山川离我们期待的模样越来越近了，小溪汇成了瀑布，飞流直下三千尺，小树长成了怪树，枯松倒挂倚绝壁。路越来越窄，山越来越陡，景色的瑰丽慢慢就变成了险恶，偶尔从林子里还会传来几声狼叫，使我们不寒而栗。那是有人正在算计着我们呢。于是为了生存，我们不得不步步谨慎，时刻提防。再美的风景也无暇去欣赏。我们再也不能随便碰路边的野草，它们会像小锯齿一样弄破我们的手指；也最好别随便捡野果，万一有毒呢。草丛间的蛇，蜇人的蜂……我们回想起山底的一草一木，从背包里拿出那片绿叶，那朵小花，那颗野果，那枚松塔，忽然觉得特别亲切。

于是我们麻木地机械地往上爬，心惊胆战地往上爬，再也顾不上什么风景，又像小时候猪八戒吃人参果那样。直到有一天，哪一级台阶，踩空了，我们掉了下去。儿时的那种原始的快乐，那番原始的风景又重现在我们眼前。

老邓简评

很是精彩呀，不鸣则已，一鸣就是双响炮啊，臭小子！

文章通篇比喻，形象生动，深入浅出，发人深省！好小子！

BUT，遗憾哪！

1. 为什么“二十级台阶”后就只写自然的险恶而不写有关同伴的内容了呢？想一想，同伴们还在身边吗？他们又在做什么呢？为什么？……多值得思考的地方呀！想一想，添上这一部分，文章将呈现出怎样的新面貌？

2. 结尾太仓促了！为什么儿时的珍藏又会成为我们期盼？深入挖掘一下吧，思想的厚度就在其中啊！

盼望你能“刷新”自己！

这篇文章已被浏览39次。
记者 kramnik 发表于
2003-4-4
17:26:49

回家

刘墨

儿时的我对家没什么感情，反而是觉得别人家好。逢年过节的，住在兄弟姐妹家，看着四周不一样的家具，很有一种新鲜感在里面。甚至，我还时常幻想，要是自己能有几个家，轮流住，该有多好啊。

后来，由于上学的缘故，我就一直住在了奶奶家。开始一段时间，我是怀揣着一种好奇度过的，我甚至还向小伙伴们炫耀过，我有两个家可以住。他们当时都露出了羡慕的神情。但时间长了，我也就开始习惯了周围的一切。我开始想念起自己远在石景山的家来了。于是每个星期的周末，不管作业有多繁重，不管身体有多疲惫，也不管刮风下雨，酷暑严寒，我都会坐上一个半小时的车，回家看一眼，住一晚。在那张熟悉的圆桌上，吃饭都是香的，躺在小时候睡过的床上，做梦都是甜的。

再大了些，我觉得住在自己最亲的亲戚家也总归是别扭。虽然在这里房间比自己家的宽敞，电视比自己家的高级，姑妈做的饭菜比自己家的可口，兄弟姐妹也很热情，可自己总是觉得不如自己家舒服。他们洋溢着笑容正是因为那是他们自己的家。他们熟悉这里的一切，他们可以在自己的床上安然入睡，他们半夜里闭着眼睛就可以找到厕所。我终于明白了“金窝银窝，不如自己的土窝”，我也明白了什么叫“安土重迁”。家再破，也是自己的归宿。漫漫长夜，当自己不在自己的家时，那一把木椅子，那一张旧书桌，那一盏绿台灯，就会成为我想回家的理由。每次漫漫途中的期盼，那种归心似箭的冲动与渴望，会在进家门的瞬间化作一种亲切与踏实，充满整颗心，整个人。回家真好。

可是，每当这个时候，我又会突然想到台湾，想到2300万想回家的人。和他们相比，我是幸福的，幸运的，我想家时，路途虽然远，但坐上车终究会到；而那个孤独的小岛，那个想家的孩子……但我相信，落叶总要归根，大地才是它的家；游子终要还乡，故乡是心中的牵挂。台湾也一定会回来，因为你的家是中华！

老邓简评

文章前半部分写得自然真挚，情感畅达，朴实无华的言语，朴实无华的心灵归依。

可惜结尾一段显得有些生硬牵强，给人穿靴戴帽之嫌。"可是"一词突如其来；"每当这个时候"，显得不够真实。如果能够自然过渡，相信效果会好得多。

梦 hz

在我八岁那年，我离开了家——温暖、舒适、安逸的家，我要去外面的世界寻找梦想，像所有幼稚的大孩子一样，我想成就一番事业。

我的第一个梦想是当科学家，那段时间里，牛顿、爱因斯坦、霍金……一个个光辉的名字不断浮现于脑海，然而事实上，刚刚学会用手绢擦鼻涕的我甚至不懂什么是科学，我设想在桃树下睡觉时能被一枚熟透的桃子砸醒，品尝美味的同时顺便搞出个“桃子定律”，我还设想某一天在将各种药水倒来倒去之后，发明一种既能当炸药又能当调味料的神水，这些显然不可能，我很快就意识到这一点。在我即将领略科学的博大与深邃之时，我退缩了。

我的第二个梦想是当侠客，像那些来去无踪的大侠那样仗剑行侠。我设想我可以随意地挥一下剑，刺死离我几十米远的那个昏君。我还设想我可以在轻轻端起酒杯的同时让一枚飞刀钉上奸佞的咽喉，这些显然还是不可能，于是在我初步涉足“科学”之后，我明白了。

我的第三个梦想是当军事家，可这世界上哪有那么多的仗打？我的第四个梦想是当政治家，可我一点也不喜欢政治，我只是喜欢当上政治家后的那种豪迈。我的第五个梦想……

终于，在我梦想当登山家的18岁，在一座小山上，面对夕阳，我突然有点伤感，我在外面玩得太久了，我该回去了。

回头一望，来的路已被洪水淹没，上面只有一座独木桥，它的名字叫高考。

简单收拾一下行囊，随着无数看不清面孔的人，我冲到了对岸，一条曲折的路重新出现在面前。

我走过荒无人烟的沙漠，我走过荆棘丛生的荒原，我走过流淌着冰冷溪水的小河，我走过终年积雪的大山。

我还是在寻找梦想，此时，我梦想化作沙漠里的一眼清泉，我梦想变成荆棘丛里的一条小径，我梦想成为冰冷小河上的独木桥，我梦想做雪山上的篝火。

直到有一天，在我生命的尽头，我确定我到家了。几十年前，我带着建功立业的梦想从这里出来寻梦，几十年后，我意识到我的一生都在绕圈，圆心就是那个梦想——建功。圆的周长就是我的生命，我又回来了。

从哪里来，回哪里去。

在我平静地面对死亡那灰暗的面具时，我想起许多年前兴高采烈地迈出家门的那个下午，回首过去的岁月，18 岁时登上的小山把我送上了归途。

现在，我可以静静地在家里死去，留下几十年前的那个梦——建功。

老邓简评

从某种意义上说，人生就是绕圈，生命的起点和终点常常是惊人的一致。然而，这并不妨碍我们去梦想，去登山，去追求。即便有时我们突然发现追求的竟然是虚无，可是追求的脚印却是那样的实在和清晰，于是，我们的灵魂也便回家了。

推敲：“一枚”能用来限制“飞刀”吗？

这篇文章已被浏览 44 次。
记者 wojiger 发表于
2003-4-5
21:15:11

＊利益（提纲）

刘墨

文体：议论文

观点：利益当前，我们要有正常的心态

材料：分正反两方面进行论述

正面例子：捕鼠，灭蝇，逮鸟，庄子，李白，近代仁人志士

反面例子：无数贪污腐败分子，当前的伊拉克战争

比较异同：捕鼠灭蝇逮鸟无一不是前面一块糖，后面一张网。庄子为了自由放弃了高官厚禄，李白为了气节不向权贵低头，近代仁人志士、英雄烈士为了民族的利益而抵制住了敌人种种的诱惑。很多高官都是为开始的一点小利而堕落，最终走向毁灭。伊拉克战争美国为了自己的利益而挑起了侵略战争，置国际法、伊拉克人民的生命、幼发拉底河的文明于不顾，结果是遭到世界人民的谴责和阿拉伯世界的敌视，更使自己的大国形象受损，使自己的政治处境更加孤立。另一方面，萨达姆疯狂追求自己的个人利益，自己修建行宫78座，个人资产超过300亿美元，却使伊拉克人民受苦，他的独裁统治的结束也是必然。

分论点：利益有时是一个陷阱：

利益不是我们的最高追求

疯狂追逐利益只能成为金钱的奴隶

题目：利益，有利？有益？

老邓简评

单看文章的素材还是相当丰富的，有了这样的准备，这篇文章肯定不空洞！

再看你列出的三个分论点，我已经能够感觉到文章清晰的思路！

由于你没有谈如何安排这些材料，所以我建议你：

1. 把“庄子，李白，近代仁人志士”等放在三个分论点之后，让文章再设置新一层内容：面对利益，正确的选择是什么？

这样，文章的正反论证才明确。

2. 题目改为“利乎？益乎？”似乎更合乎你想要表达的意思，对吗？

有了你的这番追求，作文还愁什么？！

孺子可教也！

＊站立的人生 九月

曾经，有一群大象无忧无虑地生活在一片荒原中，然而有一天，可怕的病魔突然降临到它们身上。但它们没有被病魔征服，它们中的大部分都摆脱了病魔的纠缠。可是，有一只小象一直没能恢复，眼看它就要支撑不住而倒下。但大象是不能倒下的，倒下就意味着置自己于死地——它的内脏是无法负荷身体带来的巨大压力的。就在小象即将倒下的那一刻，大象们用自己的身躯夹住了小象的身体，支撑着这脆弱的生命，用自己的血肉之躯与死亡抗争——最终，一群大象支撑起了一个即将倒下的生命。

以为，很多的时候，我们就如同大象一样，坚强却又脆弱地不堪一击，但我们仍牢牢地站立着，用我们的、他们的、大家的信念与意志，支撑着我们每一个人的生命，支撑起我们站立的人生。

马丁说："这个世界上，没有人能够使你倒下；如果你自己的信念还站立着的话。"于是，我懂得了他为什么能够站立在演讲台上，毫无惧色地说："我有一个梦想……"于是，我明白了那永不停息的抗争是源于一个不倒的信念。这个信念支撑起了多少黑人渴望自由的梦?这个信念又支撑了多少欲倒的人生?人生，正是因为有了信念的支撑，才能在岁月的风雨中，昂首挺胸。

一个女孩孤单地躺在病床上，窗外是一棵被秋风扫过的萧瑟的树。但奇怪的是：那棵了无生气的树上居然还有一片葱绿的树叶。女孩想：这片树叶掉了，我的生命也该结束了。于是她终日望着那片树叶，等待着它轻轻飘落，也悄然地等待着自己生命的终结。但那片树叶始终没有落下，直到她病愈出院，那树叶依然碧绿如翠。但她可能不会知道，那片支撑她生命的树叶，却是一位画家特意为她画上去的——一片树叶给了她活下来的信念；一个陌生人默默地支撑着她的生命。

这就是欧·亨利的小说《最后一片树叶》。信念能战胜病魔,但信念带来的却不仅仅是这些。有时候，正是这些信念，支撑着我们，让我们在经历了风雨之后，仍然能站立着，笑面人生。那些所谓的苦难、折磨，只不过是信念的桥墩下流过的湍急的河水，虽然来势汹汹，却依然冲不断那牢固的擎天石——石上支撑的就是我们站立的人生。

一片茫茫无垠的沙漠。一支探险队在负重跋涉。阳光暴烈，干燥的风沙漫天飞舞，而口渴如焚的队员们没有了水。水是队员们穿越沙漠的信心的源泉，甚至是苦苦搜寻的求生的目标。失去了水，失去了生的信念，他们就会永远地沉睡在这片荒凉的沙漠。这时候队长从腰间拿出一只水壶，说：这里还有一壶水，但穿越沙漠前，谁也不能喝。

——一壶水!

那壶水在队员们的手里传递着。沉甸甸的一种充满生机的幸福和喜悦在每个队员濒临绝望的脸上弥漫开来。终于，他们挣脱了死亡线，顽强地穿越了茫茫沙漠。他们相拥着为成功喜极而泣时，突然想到了那壶给了他们信念和意志以支撑的水。是那壶水支撑着他们战胜了死亡，是那拥有清泉的信念让他们支撑起自己的站立人生。

但，拧开壶盖，汩汩流出的却是满满一壶沙……

我们无法否认，人生就是这样：它需要有信念来支撑 而信念又坚强地支撑着它不会倒下。于是海涅才会说:“哪怕只有一点机会，就不能放弃生活。”而这，就是信念——让我们的人生站立的最有力的支撑。

站立的人生因信念的支撑，不会倒下。

老邓简评

文章材料丰富，联想丰富，情感丰富，诗意丰富——总之，丰富支撑起全文，使文章充满吸引力！

文章情感脉络十分清晰，段与段之间衔接过渡十分自然，看来作者深谙散文之道！

然而，万分遗憾的是，我依然要问你同样的问题：

1. 大象的故事突出“信念”了吗？小象的信念是什么？在哪里表现的？象群的信念是什么？在哪里表现的？

2. 女孩儿的信念是什么？在哪里表现的？

如何修改就能让文章光彩夺目？我相信你一定有主意！

这篇文章已被浏览32次。
记者 seraph 发表于
2003-4-12
21:26:44

生命的基石

冯翔宇

任何事物都需要有一个支撑它的支柱。树木的根，支撑着它那高大的身躯。高大的建筑，有坚实的地基在支撑着它。人也是一样。支撑着我们的，是我们心中的信念。

每个人都一定会记得伟大的音乐家贝多芬。贝多芬创作的音乐，铿锵有力，充满激情，至今没有人能够超越他。然而，在贝多芬生命最辉煌的时刻，他的双耳却再也不能听到任何声音。这对他来说，是一个多么巨大的打击！音乐家失去听力，就如同是一个歌手失去自己的嗓音，一个运动员失去了自己的双腿，一个画家失去了自己的双手！生活对贝多芬是如此的残酷！失去听力，意味着他可能要离开自己最热爱的音乐事业！而对于贝多芬来说，失去了音乐，就等于失去了生命。失去了听力的贝多芬痛不欲生，他甚至想到了死。当人们以为，贝多芬的艺术生涯就要结束的时候，他却出人意料地创作了更加震撼人心的作品。在他生命中最黑暗的时刻，是什么支撑他渡过难关的呢?是他执著的信念，是他心中永远不变的对音乐的执著追求。为了音乐，他忍受着失去听力的痛苦，继续他的事业，坚强地活了下去。是他心中的信念支撑着他。

我听说过这样一个故事：一辆车发生了交通事故，车里有一对年轻的夫妇。男的被卡在驾驶位上，腿断了，不能动弹，血流满面。女的看起来还好，还能左摇右晃地把受伤的男人向外拉。但是男人被卡得很紧，直到交警拿来撬置扛，才把男人从车里拉出来。在去医院的路上，女人虽然脸色苍白，嘴角还在向外溢着血，但她仍然坚持要抱着男人，男人这时候已经从昏迷中清醒过来，痛苦地呻吟着。她始终紧紧地抱着他。到了医院，当急救人员把男人抬出车子的时候，女人突然一头栽倒在地上。大口大口的鲜血从她的嘴里喷出来。她不行了，几秒钟后她就停止了呼吸。事后才知道，女人被撞断的肋骨刺穿了肺，并且脾脏破裂发生大出血。这种情况下，伤者往往是立即死亡的。是什么支撑这个女人在极端痛苦中多活了近半个小时?是她心中那要自己心爱的人脱离险境的信念。正因为有了这种信念，她能够忍受身体上的巨大痛苦，坚持着到达医院。是她心中的信念支撑着她。

我们心中的信念，给我们勇气，使我们坚强，勇敢地面对生命中的坎坷；给我们力量，承受生命中的痛苦。相反，如果失去心中的信念，人的生命也就失去了支撑。试想，一座大厦，如果没有了地基，那么，也许只是一阵微风就会将它吹倒。我们同样不能失去心中的信念。曾经有一个冷库的管理员，由于工作的失误，他将自己反锁在冷库中。被困的他心中想着 越来越冷了，我马上就要死了。第二天，当他的同事打开冷库的时候，发现他已经死去了。可事实上，冷库的制冷设备根本没有打开，也就是说，冷库内的温度与冷库外的温度是相同的，根本不足以置人于死地。那么这位冷库的管理员为什么会死呢?是因为他失去了心中的信念。他失去了活下去的信念。失去了信念，他的生命就如同那没有地基的大厦，很容易就倒塌了。失去了信念，我们会轻易地被生命中的困难、痛苦打败。

信念是我们生命的基石。它支撑着我们活下去。它是我们生命中强有力的支柱，给我们勇气，给我们力量，帮助我们战胜一切困难。我们不能失去自己心中的信念，否则，我们就会像没有根的树木，没有地基的大厦，没有源头的一潭死水，很快，就会失去我们的生命。我们的心中需要信念，因为，它是我们生命的基石。

老邓简评

文章的内容相当充实，特别是论证过程中准确运用正反对比的方法，使“生命的基石——信念”这一中心论点得以充分展示。

文章注意结尾与开头的关照与呼应，整体结构比较谨严。

不足的是文章语言有些啰唆，每一段都有重复的意思和句子，希望你锤炼一下语言，使之简洁凝练一些，文章的表达效果一定会大大增强!

期待你的飞跃!

＊＊爱，支撑起生命的天空 super_f16

众所周知，生命需要食物来维持，需要竞争来进化。其实，生命还需要爱来支撑。

有这样一个故事使我久久不能忘记：在美国黄石国家公园，一场突如其来的大火使一大片树林化为灰烬。大火被扑灭后，工作人员开始勘查损失情况。在一棵被烧黑的树下，他们发现了一只鸟。令他们惊讶的是，那只鸟虽然已成为炭黑，却像雕塑一样保持着双翅撑开的姿势。人们用树枝轻轻地拨动它，没想到几只毛茸茸的雏鸟从下面爬了出来。原来，那只鸟妈妈为了不让灾难降临到孩子们的身上，用自己的翅膀为他们撑起了一把保护伞，即便粉身碎骨也在所不辞。在场之人无不对面前这尊黑色雕像感到惋惜和叹服。

鸟妈妈本可以展翅高飞，找一处安全的栖身之所。但是她没有，她不能眼睁睁地看着孩子们一点点地被大火吞噬。最终，她用自己的死换来了雏鸟的生，用自己短暂的痛苦换来了雏鸟充满希望的未来，用无比伟大的母爱为幼小的生命支撑起了一片无限广阔的天空。

京城有一位老人，年逾花甲，体弱多病，家境贫寒，却收养了许多流浪街头的小猫。这些可怜的小家伙多半因事故变为残疾，被狠心的主人赶出了家门。老人不仅精心地为它们疗伤，还把它们请进了自己那不大的居室，悉心照料。如此一来就是好几年。猫儿们找到了避难所，而更重的负担却因此压在了老人那本来就不堪重负的肩上。老人的生活更加清贫了。但他并没有被压垮，反而生活得很快乐。因为他已经把那些猫儿当成了自己的孩子。后来，老人无私的爱感动了社会。人们踊跃捐款，使老人的生活得到了改善。

老人无私的爱使那些命途多舛的生灵获得了继续生存

的机会，老人博大的爱也让自己的心灵变得不再孤单。在这里，被爱撑起的，不仅仅是爱的接受者，而且还有爱的给予者。

从我们呱呱坠地的那一刻起，爱就无时无刻不包围在我们左右。父母的爱令我们感到亲情的温暖，朋友的爱令我们感到友情的纯真，恋人的爱令我们感到爱情的甜蜜。爱为我们的生命支撑起了一片天空，而这片天空能够放射出绚烂的光彩。

如果没有爱，生命就会弱不禁风；如果没有爱，生命就会孤独无助；如果没有爱，生命就会黯淡无光。因为世间所有的生命都需要爱来支撑。

老邓简评

两个典型事例：从自然界到人世间，让我们看到爱的巨大的支撑力，感受到生命因爱而充满温暖、甜蜜和希望！

两个递进的层次：单向的支撑和双向的支撑，让文章的内容充实而丰厚。还有结尾两段由点及面的议论与抒情，更使文章思想得以深化，感情得以升华！

祝贺拱固再创佳绩！

精益求精：

如果能将“爱为我们的生命支撑起了一片天空，而这片天空能够放射出绚烂的光彩”一句中的后半句的意思简要抒写几笔，具体而生动地展示出“绚烂光彩”的内容，文章的主题会更加突出！

这篇文章已被浏览 75 次。
记者 super_f16 发表于
2003-4-13
17:04:41

收件人：wojiger 发件人：19841216 主题：无标题

发送时间：2003-4-12 是否已被收件人浏览：True

邓老师：

能问您一个问题吗？如何判断话题是否给了限制？

以上周训练的“回家”为例，看到话题我首先想到的是香港的回归和台湾与祖国大陆的分离等待“回家”。接着又想到了人在精神上有追求，力求返璞归真也是一种回家。可这两种思路都与台湾学者所说的回家是不一致的。可否理解为话题已作了限制，只许写规定的“回家”呢？

老邓回复：

孩子啊，话题作文的材料仅仅是给你一个作文引子，并没有限制你的内容，只要以“回家”为中心话题即可。至于你想回哪个“家”，随你啦！

“可这两种思路都与台湾学者所说的回家是不一致的”，

精彩花絮

怎么不一致?人家的话多抽象多富含哲理呀! 你的构思不正是他的话的含义的具体展现吗?跟他有什么矛盾?

我看你的这两个题材都相当不错。特别是第二个,很有思想深度哦,快快成文啊!

收件人: wojiger 发件人: seraph 主题: 问题多多???
发送时间: 2003-4-12 是否已被收件人浏览: True

呵呵,我亲爱的邓老师,小生我在野火中苦苦寻觅,无奈却始终未发现那些可爱的、经典的文章,故斗胆一问: 佳文何处寻?

小生: seraph 敬上

老邓回复:

哪儿来的这么个糊涂的"亲爱的小生"啊?

要问佳文何处寻?刷新文章即可知!

你亲爱的邓老师!

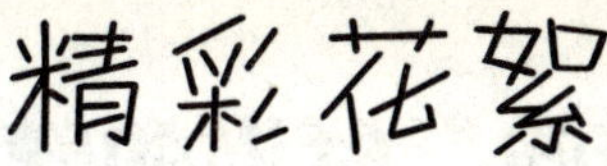

收件人：wojiger 发件人：hz 主题：给邓老师

发送时间：2003-4-5 是否已被收件人浏览：True

邓老师：您好！

您已经知道我是谁了，hzj 是我新名字的汉语拼音缩写，感谢您对我的培养和帮助，我会努力的，用好的成绩报答您和关爱我的老师们。

您的学生 hzj

老邓回复：

心花怒放啊！

"非典"时期的精彩(一)

公告发布：2003/4/26(网上作文指导第十八次活动)

非常周末(一) 老邓

孩儿们:

抗"非典"的三天里睡得怎么样?精力和体力都恢复过来了吗?

今天是非常时期的第一个周末，希望我们在网上的对话轻松愉快! 交流开始:

1. 认真学习"脱颖而出"栏目中关于"个性"话题的范文，对照自己的文章，找到差距和突破口。将学习重点放在提高思想认识水平上，特别要关注范文的思想内容是如何一步一步深化的。

2. 继续交作业吧——东城二模的作文题。不愿打字的话，当然也可以电话"批改"! 只要你能够按照"构思流程"的要求完成。

3. 继续关注"今日焦点"，关注我们的生活!

4. 继续解答作业问题。

准备提交吧!

这篇文章已被浏览94次。
记者wojiger发表于2003-4-26 9:23:07

东城二模

某人喂了两只母鸡，一只爱唱，一只喜静。每天，一听见“咯咯咯”的叫声，主人便从爱唱的那只母鸡旁边拾到一枚鸡蛋，因此主人特别偏爱它，喂它精饲料。一天，主人从鸡笼旁边经过，刚好看见那只喜静的鸡趴在草窝里产蛋，蛋一落地，它便起身不声不响地离开了草窝；而那只爱唱的鸡却大摇大摆地走到蛋旁，伸着脖子“咯咯嗒”地叫个不停。

主人一直都认为所有的蛋都是爱唱的鸡产的，此时才如梦方醒。

请以这则寓言的寓意为话题，自拟题目，写一篇文章。除诗歌外，文体自选，不少于800字。

* * 给喜静的母鸡的一封信

秋水共长天

母鸡你好:

首先我要向你道个歉，长久以来我一直没有发现那只骗子鸡的伎俩，让你受了委屈。你可能已经看见了，那只爱唱的已经被屠宰场的人带走了，但在此我还是要埋怨你几句，你为什么在下完蛋后，要静悄悄地离开，让那只鸡占了你的劳动果实?

也许你是真的喜欢安静，不愿与别人竞争，抑或不愿因此而坏了交情义气，还是怕那只鸡因为嫉妒而报复你? 但你可要知道，你险些因此而丧命。且不说在我没发觉这个骗局之前，你的饲料是多么的粗糙，也不说你的鸡舍是多么窄小，你可知道，我本打算只要再没看见你下蛋，你就是要进屠宰场的了。一旦你死了，那只鸡又下不了蛋，整个骗局也就揭开了，你枉送了性命，我也将追悔莫及。所幸悲剧没有发生。

记得有一句话说的是:“当忍则忍，忍能常乐。该争须争，争能常胜。”又有人说:“忍无可忍便无需再忍。”几年前，有一个叫曲小雪的中国留学生，在美国的一个银行家家里打工，却遭到那个看似绅士的美国富豪的毒打，在之后的长达数年之久的告状过程中，不少人曾劝过曲小雪:“拿那个银行家五千多美元，私了算了，谁让人家是商业巨头呢。”但曲小雪没有听，在艰难困苦的官司之后，小雪赢了，从美国的千万富翁手中争到了一个中国留学生的尊严。你看，连如此困难的官司，如果不怕困难，不懈努力都能获胜，那你还害怕什么呢?

也许你会说，我这与人无争是传统美德，俗话说的“吃亏是福”。但要知道，你这么做正中了那只鸡的下怀，正是因为你的不断退让，才造成了它的得寸进尺。台湾作家三毛曾写过一篇文章叫《西风不识相》，写了她在西班牙和美国求学时曾谨守传统美德，事事与人无争、处处有礼谦让，反而被认作是软弱可欺，直到她跟舍友们大闹了一场才得到了应有的尊重与权利。当然，这不是说传统美德不好，但这与人无争是要双方同时遵守时才好。如果你事事不争，遇到自己应得的反而退开，把东西拱手让人。若遇到心术不正之徒，不正助长了他们的气焰，这才可谓是开门揖盗。

鸡呀，你算幸运，有我这个还算不糊涂的主人，也正巧让我看到了真相。但世上还有那些像你的鸡、鸭、猪、牛……乃至人，因为不敢、不愿、不会争取自己应得的利益，而被冤枉、误解。

愿他们和你借此事共鉴。

你的主人
2003．4．24

老邓简评

成绩：57分(注：满分为60分)。

构思精巧，妙趣横生!

对现象分析较深入，论据相当充分，材料引用翔实，语言准确到位。

特别是文章充满情趣，开头结尾令人忍俊不禁，同时耐人寻味!

好样儿的!

＊＊看见的，听见的，说出的 bigxiexi

这世界上许多东西是用眼看不见的，用耳听不到的，用口说不出的。

海伦·凯勒没有眼睛看到了整个世界；瞎子阿炳没有眼睛看遍了人世沧桑；霍金用手指敲击键盘揭示宇宙的奥秘；阿炳用二胡道尽人生的悲怆凄凉。他们有心，用心耳观世界人生，更真，用心耳听社会自然，更切。

眼睛、耳朵是心灵的窗，却常常紧闭，关住心灵。主人听见的是咯咯声，听不到心灵的愤懑与无奈，看到的是一张得意洋洋的脸，看不到下蛋真正的辛苦。然而我们无权说主人蠢。难道我们除了听得到流水的叮咚，还听得到它漂泊无定的苍凉吗？难道我们面对沉默无语的树曾有过什么理解？难道我们看得出欢乐背后的忧伤，暴躁背后的纤柔，软弱背后的坚强吗？心没了眼，没了耳，没了口。心不再会敏锐地发现，不再会耐心地倾听，不再会娓娓地诉说！

是什么让心灵之窗紧闭不开？是什么让心灵冰冷而坚硬，犹疑而拒绝？

可以理解俞伯牙遇钟子期的狂喜了。是啊，在纷纷扰扰的为食、为利、为财奔波的人群中，谁会为了音乐而停下脚步？在物欲充斥的世界里，谁会为了倾听一颗心灵而浪费时间。子期的驻足不能不让伯牙喜叹“得觅知音”。母鸡的沉默是否与伯牙痛失知音后的断弦一样呢？创造生命的过程是严肃而神圣的，母鸡把它看作使命而非表演，要用轻浮的声音四处炫耀。而主人只把眼睛停留在鸡蛋上。母鸡便在抑郁和悲愤中沉默。

——是匆匆的脚步吗？是紧盯目标的双眼吗？是金

条的光芒耀花了眼睛？成功后的掌声阿谀堵住了耳朵？

人生中精彩的太多，值得追求的太多，漏掉的也太多了。是不是因为海伦·凯勒看不见金币的色彩才会永保对自然的敏感？是不是因为阿炳跟不上都市人群匆忙的脚步才会缓慢悠扬地倾诉心声？是不是因为霍金脖子无法转动看不到世人追名逐利的疯狂而只能仰望苍穹才心眼大开？

用眼睛我们到底看见了多少？用耳朵我们到底能听见什么？用嘴我们到底会说些什么？

亲密聊天室

bigxiexi 说：

肉袒伏文请罪！

wojiger 说：

果然是我的好徒儿！老师没有看错你！

老邓简评

成绩：58 分。

精益求精：

1.“海伦·凯勒没有眼睛看到了整个世界；瞎子阿炳没有眼睛看遍了人世沧桑；霍金用手指敲击键盘揭示宇宙的奥秘”三句话结构尽量保持一致！另外，改用“没有……却”的句式更能突出重点！

2. 结尾最好回扣题目并发人深省，不妨加上一段：“好静的母鸡沉默不答，而我们呢？”

这样，既是对上一段提问的回答，又可以引人深思，同时结构更加完整，绝对没有偏题的危险！谨记！

这篇文章已被浏览65次。
记者 wojiger 发表于
2003-4-26
9:04:51

如果钻石不发光

冯翔宇

如果钻石不发出美丽的光芒，有谁能够知道它是一颗钻石呢？不把自己作为钻石的价值体现出来，它也就失去了自己的价值。那么，它也不过是一颗普通的石子罢了，即使它真正的价值是一颗钻石。

不喜欢大肆宣传自己，这是好的，但是，这并不等于不让别人知道自己的优点。不把优点表现出来，别人又怎么会知道呢？我们不能总是等待幸运光临，期待着某个时刻出于巧合别人发现了我们的长处，或盼望有一个细心的人慧眼识英才，发现我们的优点。毕竟，巧合往往只在故事中出现，伯乐也不常有。

为什么苹果总是被高高地挂在枝头？它是苹果树在告诉人们：我结果子了！我是有价值的！一棵树尚且知道展现出自身的价值，更何况人呢？现今的社会，竞争日趋激烈，同去一家公司应聘，其他应聘者将自己的闪光的地方一一展示出来，而你却“喜静”，不把自己的优点表现出来，那么你又怎么会成为这场竞争的获胜者呢？要想在竞争中获胜，就要体现自身的优点。那只爱唱的母鸡，总喜欢表现自己，所以最初它受到偏爱，能够吃到精饲料。

只有体现出自己的价值，我们才会被别人认可，得到别人的肯定。那苹果树，不是在将红彤彤的苹果挂在枝头之后，才得到人们的肯定的吗？那钻石，不是在发出美丽的光芒之后，才得到人们的肯定的吗？那只喜静的母鸡，不也是在主人发现蛋是它下的之后，才得到主人的肯定的吗？

那只喜静的母鸡无疑是幸运的。虽然经过很久他的主人才发现蛋是它下的，但它作为一只母鸡的价值——下蛋——最终还是体现了出来。但是，在我们的生活中没有这么多巧合，如果我们不把自身的价值体现出来，也许，我们在别人的眼里，也不过和那只喜静的母鸡在它的主人眼里一样无能，只不过，我们更加不幸 我们可能要永远“无能”下去。

如果星星不在夜空闪烁，又有谁知道那里有一颗星星呢?它又怎么会得到别人的肯定呢?它又如何来体现自己的价值呢?

毕竟，如果钻石不发出美丽的光芒，它只会被当作一粒普通的石子。

老邓简评

成绩：47分。

文章结构形式很值得称道，开头形象化入题，结尾回到形象上，呼应前文，自然谨严。

冯翔宇啊，现阶段你的奋斗目标是进一步丰富材料内容，快速提高思想认识水平！你看这篇文章一个“钻石”用了多少回?一个苹果说了几次?理由都是一个！很容易成为车轱辘话来回说，没有更深入的思考了！

你说是吗?

我建议你多参考其他同学的同类文章，对照分析自己的问题，寻找提升的空间。特别注意让思考形成梯度！

你是个聪明人，相信你一定能够领会！

这篇文章已被浏览32次。
记者你是我挚爱发表
于2003-4-25
11:57:07

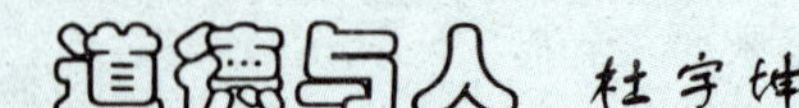

* 道德与人 杜宇坤

在那天，爱唱鸡被主人抓到厨房拔了毛炖了汤喝，喜静鸡从此过上了好日子。这也算是善有善报，恶有恶报。

想那爱唱鸡虽平时吃得好地位高，走起路来都大摇大摆，可它心里未必踏实。这样的好生活过上了就不愿失去，因此就这么一天一天地霸占人家的蛋，也一天一天地增加着负罪感，当然，如果它还有点良知的话。关键的是它总是担心着被主人发现，暴露了自己贼的面目。虽然物质上优厚了，可总是这么提心吊胆的，日子能过得舒坦吗?反观那喜静鸡，虽说吃了些亏，日子也过得清贫，可他问心无愧。所以说，君子坦荡荡，小人长戚戚。

寓言只是讲给人听，道理也是说给人听的。鸡当然不会有那么复杂的思想。而人是要受道德约束的，人要与自己的良心生活在一起。倘无道德的约束，良心的观照，人便与禽兽无异了。

然而人类的社会也从不缺乏贼。那些为了不劳而获得到钱财的人做偷鸡摸狗之事，相比捂头掩面苟且行事的人来说，那些夺人功绩窃人思想以获得权利名声的人，更加招致人们的厌恶。赵高、袁世凯之辈不都留下了千古骂名?而犹可恨者就是剽窃他人思想，抄袭他人作品的卑劣行为。他们打着文化传播者的旗号，玷污的都是人类文明最为神圣的一片圣土。相比财物而言，剽窃别人的思想智慧是更加卑鄙的行为。即使他们的行为没有被人认识到，没有被法律所惩罚，这些人也将受到良心的谴责，除非他们已失去了灵魂。

英国作家托马斯·迈考利说过：一个人的品格在于他永不会知道被发现时他将做什么。

每个人都将与自己度过一生，与一个受人尊敬的人生活总会好一些。

老邓简评

成绩：56分。

这才是我期待的杜宇坤！文章处处闪烁着思想的光芒，有深度，有力度，有杂文的特征！

如果人类社会的例子再充实一些会更佳！

值得推敲之处：

“那些为了不劳而获得到钱财的人做偷鸡摸狗之事，相比捂头掩面苟且行事的人来说，那些夺人功绩窃人思想以获得权利名声的人，更加招致人们的厌恶”这句话欠通顺。

这篇文章已被浏览59次。
记者 Dyk006 发表于
2003-4-26
20:35:18

真相 九月

我错了。我一直以为所有的蛋都是爱唱的鸡产的，但是，我错了。

我彻底地错了。我天真地以为明白了事情的真相。所以，我赶走了那只爱唱的鸡，给喜静的母鸡上好的饲料，我以为这样它就会更好地生活。但我又错了。在我把爱唱的鸡赶走的那天，它——那只与世无争的鸡，离家出走了。在它下蛋的那个草窝中，我找到了两个鸡蛋，还有，一封信。

“亲爱的主人：

感谢您这些天对我的照顾，虽然我知道您并不喜欢我。其实我一直都明白这是为什么，但我却希望有一天您可以发现我们间的秘密。但是，您让我失望了。请原谅我的不辞而别，也请您不要责怪我。因为，我欺骗了您。

其实我并不是一只喜静的鸡，而我的伙伴——那只爱唱的鸡——也不是爱唱的。我们只是为了一件事情，扮演了喜静与爱唱这两个不同的角色。可能您会生气，但请允许我向您解释这是为什么。

一直以来，我们鸡都认为人类是这个世界上最有智慧的动物——人类能发现许许多多掩藏在事物表面下的真相。这使我们，无知的鸡们，敬佩不已。于是我们心甘情愿地为你们工作，想要从你们那里学会什么是‘明察秋毫’，什么是‘真相只有一个’。我相信，能够发现那么多微小事物的你们，会教给我们很多。

但是，我们错了，我们开始怀疑你们是否像想象中那么明白。那天，您毫不留情地赶走了身边的管家，理由是他弄丢了您的设计图纸。但是，您是否看到，在您的柜子中安静地躺着的，就是您的图纸呢?很可惜，您没有。您甚至都没有四处寻找一下，就妄自断定是那个无辜的管家犯了错。原来这就是人类——自以为清醒却十分糊涂的人类。

但我不愿相信，不愿相信人类真的是这个样子。所以我决定对您——我的主人，进行一次测试。于是，就有了喜静的鸡和爱唱的鸡。我们想要知道，人类到底有几分清醒。还好，在测试进行到第47天时，您终于发现了下蛋的秘密。于是在那天夜里，我骄傲地向我的伙伴宣布——人类依然是清醒的，并决定第二天不再伪装自己，不再考验您。您已经过关了——我以为。

但，事实证明我们错得多么彻底。今天早上，我们还没来得及跟您说明一切，您就将我的伙伴赶了出去！您甚至不曾搞清楚这到底是怎样的事情！在您发现自己犯错之后，您又一次犯下了同样的错误！您说自己弄明白了，搞清楚了。但事实呢?您不曾调查，不曾询问，自以为正确地做了决定。

我绝望了，对您。所以我决定留书出走，去寻找我那无辜的伙伴。和它一起远离你们人类。主人，我似乎已经对人类绝望了。我不知道您看到这封信时是怎样的心情，但是我相信，在您看到草窝中的那两个鸡蛋时，您就会明白——其实它也是会下蛋的……

我走了，主人。虽然我知道这样对不起您，但我还是选择了离开。我把真相留给您，希望您在明白之后，能够不再糊涂了。

此致

敬礼!

‘喜静’的鸡”

看完这封信，我呆立在鸡笼旁，望着那两只洁白的鸡蛋，想了很多很多。原来，这才是真相啊……

亲密聊天室

九月问：

假如，对文章进行修改，是否可以改动两个鸡蛋呢?

ok，我懂什么问题了。如果只是单纯的两个鸡蛋的问题，那好解决；可是问题是在审题上，诸如此类的错误，应当如何避免呢?不大明白。

Wojiger回复：

1.你为什么不体会“以寓意为话题”的意思呢?是不是说明人家故事是有特定意义的呢?是不是首先要弄明白人家故事的主要思想倾向呢?

2.即便是续写故事，是不是也要建立在原有故事情节的基础上?是不是只能接着往下写?能够另编故事吗?续写等同于故事新编吗?

有了这样的思考，想来是不可能离题的！困难何在?

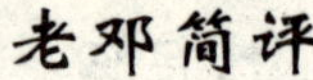

老邓简评

成绩：38分。

我十分沮丧地告诉你，你的文章离题了！虽然我是多么欣赏你的想象力！多么欣赏你的描述力！多么欣赏这个机智巧妙的故事！

但题目明确要求“以寓言的寓意为话题”，这就决定了作者必须尊重故事本身，不能改编故事，不能改变寓言的思想感情倾向。虽然根据寓言，我们可以从主人的角度构思文章，可以批评她的有眼无珠，但是擅自增添“两个鸡蛋”的内容却是对原文内容及思想的巨大改变。所以，你的文章是偏离题意的。

千万留心呀！错误很典型呀。

这篇文章已被浏览43次。
记者 seraph 发表于
2003-4-27
9:21:55

* 爱唱的鸡的辩白 李德隆

你们别得意了!你们还有工夫笑话我弄虚作假抢占他人劳动成果?这还不都是跟你们人学的——用个好听点儿的词叫模仿，说难听点儿不是效尤是什么!

我下不了蛋这事也不能怪我。你以为我不想下啊?我也得下得出来啊!本来，像我这样的无蛋鸡肯定是没人养的，就算有人养也是惦记着我这身肉，命苦啊。没本事我是没辙，但是你们人有辙——没本事用嘴啊。这种事儿你们都干熟了，用冠冕点儿的话讲，就叫“居功”。这年头儿就这世道，活儿是不是你干的不重要，重要的是你得能在上司面前“表”。表得好就是大功，表差点就是小功，表不好就是争功，就得挨批斗，就算活儿全是你一人儿干的也白搭。你们人聪明，我就想不出这招，可我学还不行么?我不会下蛋可我嗓子好啊，那没办法，光会下蛋的哑巴鸡不等着吃亏等着什么呢!

你说良心上受谴责?我呸!良心值几个钱?你以为青菜小米加香油和假冒伪劣糙饲料一个味儿啊?本来我也不太在乎这个，但是你们人教我啊。“人人皆为利活着”么!嘿!这论断，多精辟，多地道!你甭跟我讲道德，我这点儿撑死了也就算是个小打小闹，你们中那些贪污的受贿的行骗的使诈的，哪个赚的银子不够我吃上几万辈子青菜小米加香油的?我这才叫小巫见大巫呢!

我这样不清白?是!我是不清白。那哑巴鸡倒是清白了，一直是一清二白——天天都劣质饲料，能不清白么!同情它?得了吧您!我同情它谁同情我啊?“同情”这俩字眼儿都快入古汉语词典了，您还这儿同情呐?别逗我了!现在不流行这个啦!你问现在流行什么?四个字儿——尔虞我诈!你看看现在电视上都演什么?不都是这个么!什么《黑洞》白洞，《黑冰》白冰，《黑手》白手的，泛滥了!引句高深点儿的话，这就叫:“生活是文化萌发的土壤!”

得了!我也不多啰唆了。主人那儿磨刀呢，估计今儿晚上我就能上老阎那儿报到了。这我早料到了，光靠嘴吃饭的人没好下场。可我不后悔!我落得半辈子逍遥自在!

要是有下辈子，我还得长张好嘴！这世道，会下蛋？没用！没张好嘴你叫我怎么活呀！您别说我执迷不悟，您看看我那主人，以为我有用的时候，伺候得那叫周到；这刚知道我憋不出个蛋，就想要我的小命儿了——利欲熏心呐！您说说，当他的鸡，我不变成这样，还能变什么样？

亲密聊天室

李德隆提问：

邓老师啊，这个作文题目“以这则寓言的寓意为话题”，实在是很让我困惑。看到这个题目，我们必然要先找寓意。寓意不就是“生活中有些人默默奉献，有些人却光说不干”么。既然以此为话题，那么文章的主题难道就固定在这个寓意上了吗？

可是，看有些同学的文章并非如此啊，不懂。另外，这种出题的方式，如果我对寓言的寓意有不同的理解，那写出来的文章不就驴唇不对马嘴了吗？寓言这种东西，固然蕴含了作者的意思，但不同的读者读来必定有差异，甚至是巨大的！

综上所述，这种题目该如何处理？请邓老师指教。^__^

老邓简评

成绩：38 分。

寓言的寓意可以从故事中出现的各个事物或人物形象方面去确定，并没有限定在某一个事物上，你的理解片面了。

作文要求“以寓意为话题”，即说明对作文有明确的限制：这篇寓言故事的寓意显然是讴歌好静母鸡，批评另一只母鸡恬不知耻行为的。但这仅仅是从两只鸡角度考虑的，你当然还可以从故事的其他因素去考虑。但必须是故事本身的内容！

限制的同时，作文要求又是比较开放的。行文可以从四个角度入手：母鸡一；母鸡二；

主人；这样的事。而这几个角度又可以生发出许多条思路。例如：

肯定默默无闻或对此表示担忧或辩证看待其行为；

批评、揭露好唱母鸡的行径；

批评主人的有眼无珠；

这样的事在生活中比比皆是；

自然界的类似现象；

人类社会的相关事实；

……

诸如此类不是很宽泛吗？

但是无论如何也不能歌颂好唱的鸡替它打抱不平！因为文中有极其明显的讽刺性语言或贬义性描写，如“却大摇大摆地”，一个转折，故事的倾向性十分明显。

“寓言这种东西，固然蕴含了作者的意思，但不同的读者读来必定有差异，甚至是巨大的！”你说的差异巨大，表现在何处？故事的思考角度只有上述情节与人物，莫非你想改变故事吗？那还是人家的寓意吗？

“看有些同学的文章并非如此啊”，此话根据何在？有谁违背了这样的审题原则呢？

这篇文章已被浏览58次。
记者风之舞者发表于
2003-4-27
19:46:29

＊静水流深 super_f16

读到这则看似简单实则意蕴深刻的故事，我不禁想起了一个词——静水流深。一提到“静”，人们联想到的往往是“怯懦怕事”或者“死气沉沉”之类的词藻。但是，“静”真的只是像人们想象的那样，是没有活力的表现吗？

有渡河经验的人都知道，在涉水之前要向水中投入一块石头以测水深。水花溅得越高，水声越是响亮，河水也就越浅。而那溅不起多大水花，发不出多大声音的河水，必定是深不可测的。看来，水只有静才能流得深啊。

其实，静并不代表死寂。著名的数学家陈景润为了钻研自己所酷爱的数学问题，把自己埋在书桌里。他的一生几乎是在一支笔和几张纸的陪伴下度过的。但是，这几十年的沉静能说明他就是一个了无生气的人吗？事实上，他对数学的理解比其他人都要深入得多，他的思维比其他人都要灵活得多。他对数学有着常人难以企及的执著，更有着常人无法想象的活力。正因为此，他的研究成果才会吸引那么多的目光，受到那样高的评价。看来，静不仅不意味着死寂，而且还往往深埋着无穷的活力。

静也不代表软弱。印度著名的民族独立运动领导人圣雄甘地为了争取那宝贵的和平，即便在侵略者面前也不肯拿起武器以暴施暴，而是展开非暴力不合作运动，默默地与敌人抗争。与世界上其他著名领导人不同，在我所见到的甘地的所有照片中，他几乎全都是端正地坐在那里，宁静而安详。而从他那深邃的双眸中流露出的，是对侵略者的憎恶，对人民的怜悯，更是对和平的渴望。谁又能说甘地宁静的抗争源于他的软弱？为了和平，他不惜绝食以示反抗；为了和平，即便是有人要刺杀他，甚至政府要审判他，他也丝毫不放弃自己的信念。甘地墓上那一句遗言——“嗨，罗摩！”表面看来是虚弱的呻吟，而实际上可是有力的抗争啊！甘地的静，并不是因为他的软弱，而是源自他内心深处的坚忍、顽强和执著。

静更不代表永远的沉默。众所周知，金子是深埋在沙中的。在被人发现之前，它只会静静地躺在那里，经受自然的磨砺。难道说金子静静的等待只是表明它会永远"沉默"下去吗?在这漫长而"沉默"的等待中,金子能够得到充分的"磨炼"。而这时间越久,它所发出的光芒就越发耀眼夺目,它也就因此变得越发弥足珍贵。是金子,就总有发光的那一天,无论它是否去张扬。

静水流深,看来不单单指水。世间万物有哪一个不是在静中积蓄力量?而"深"更不仅仅是指简单深度,而是代表了丰厚的内蕴和深邃的内涵。这四个字,字面上很是宁静,不显山露水,不虚张声势,但它的背后却蕴藏着多么丰富与深刻的哲理啊!这不正是"静"的伟大力量吗?!

亲密聊天室

super_f16说:

这次我的作文分数比以往都高,但我不太明白它到底好在哪里。请您指教,以便今后继续保持。Thanks a lot!!

wojiger回复:

臭小子!早知如此,还不如给你36分呢!居然自己都不明白好在何处!这不是招我扁吗!罢罢罢,且让为师耐下心来调教调教你这糊涂小子吧!不过下不为例,啊?以后如果得了高分,必须交上一篇自述。公平交易,如何?

夸了你这半天,美吧?警告你别高兴得太早!如果每次作文都处于"无意识"状态,这样偷着乐的日子可长不了!

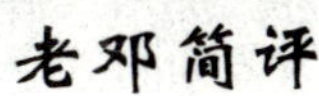

成绩:58分。

祝贺你拥有思想的"深流"从而使文章充满思辨的魅力!

文章妙在开头的联想:由"静"想到"静水深流",将"静"与"深"联系在一起,由表及里,发人深省!起调颇高!

文章妙在主体部分的三个"不代表":结构紧凑,句式整齐,论证有力,最难得的是内容层层递进,使文章思想认识层层深入,将"静"的内蕴揭示得相当充分。

文章妙在结尾的照应与深化:结构上呼应开头的联想,内容上总结上文,而且将其意义扩大到各个方面,自然深化了文章主题。

由此可见,文章思路多么严密!

这篇文章已被浏览88次。
记者super_f16发表于
2003-4-27
21:27:10

宫爆鸡丁 1

“咯咯咯嗒”。那只爱唱歌的母鸡又跑到草窝的鸡蛋旁大声地唱个不停。而喜静的母鸡则在下完蛋后静悄悄地卧在了草窝的门口。

“喂，傻家伙，你知道么主人刚才又喂了我一堆好吃的。”爱唱歌的母鸡高扬着头说道，“他还夸我能干，要我以后多给他下蛋。可他哪里知道那些蛋都是你辛辛苦苦下的呀。”它现出一脸遗憾的样子，仿佛十分同情自己的伙伴。

喜静的母鸡没有看它，只是说了一句：“我的职责只是下蛋。”

“哎哟哟，那你还真高尚！不求名不求利，就为好好完成自己的工作。我真应该召集全村的鸡给你开个表彰大会。”爱唱歌的母鸡现出一脸不屑，“可你不出去走走，听听别的母鸡是怎么说你的！”

喜静的母鸡闭上眼睛，一语不发。

“它们说你傻，属于自己的利益都不知道争取，你想学默默奉献的小草，那你就只能吸收树缝间漏下的阳光；你想学吃苦耐劳的老黄牛，那你就只能被人毫不客气地牵着鼻子走。现在都什么社会了，光靠实实在在卖力气就能吃饱饭?你看你那样子，爱答不理的。要不是咱俩住在一个屋檐下，我还不给你讲这尽人皆知的道理呢。”爱唱歌的母鸡抛出一串白眼。

“那我应该怎么办?像你那样，整日拿着别人的劳动成果吆喝着，没有真本事只以投机捣把投间取巧（注：短语使用不当，后有批改）混日子，你就没想到有一天主人会发现你的把戏吗?”喜静的母鸡非常气愤地质问道。

“主人！?你难道不知道我这些都是跟他学的么?主人年轻力壮本来应该骑车上下班，可他总是找借口去挤公司里专门接送老职工的班车，每一次都以自己哪哪有病为由占着座位不让，可你猜结果怎么样，公司特意给他两天假去检查身体；主人自己本来没电话，可一到月底他就四处找电话单到公司去报销，一直以来也没人问过他；主人吵吵着与公司小王搞手机开发，他对手机一窍不通，不是照样分得了一半的奖金么?这样的事情多得很，主人都没怕过，我怕什么?”

“可这样终究不对，你们迟早都会被发现的。”喜静的母鸡现出一脸愁云，“我还是安安静静地过我的日子吧，只要我有真本事，就一定不会饿死的。”它的眼中流露出无比的坚定。

爱唱歌的母鸡此时也不说话了，仿佛心中在盘算着什么。忽然它惊呆了，直愣愣地看着门口，只见主人红着双眼，怒视着它。原来主人听到了它们所有的对话……

不一会，桌上摆了一道菜——宫爆鸡丁，“白白喂了你那么多好饲料，今天我被公司炒鱿鱼，就拿你来驱驱晦气！”……

老邓简评

成绩：46 分。

文章的构思很巧妙，联想丰富而合理，符合原文的寓意。特别是通过“鸡学主人”这一心理分析，揭示人性的丑恶，很机智！

遗憾的是对主人问题的设置与鸡的行为表现不统一，影响了内容的整体性。

主人的劣习是投机取巧吗?不准确。

“投机捣把投间取巧”，这两个短语都有问题！ 应为“投机倒把，投机取巧”。最要紧的是你没有弄清楚“投机倒把”的正确意思，用在此处是错误的，与“投机取巧”两回事啊！

相信修改后一定能成为佳作！ BUT WHO ARE YOU?

＊＊打造"火眼金睛"

云野精灵

寓言最后说：主人如梦方醒。这个人醒了，别人醒了吗?殊不知天下有多少人仍被眼前的表象蒙蔽，错看了贤愚善恶。殊不知天下有多少无名英雄仍被埋没，又有多少无耻小人凭着一张嘴飞黄腾达?

我想所有正直的人看过这则寓言后都会反省，看看自己是否也犯过类似的错误。常言道：人心难测。即便如诸葛亮这般智慧，也被马谡的夸夸其谈所蒙蔽，误用其为将，以致街亭惨败。乾隆皇帝雄才伟略，也重用了专擅阿谀谄媚的大贪官和珅。想要看清每一个人的本质，当真不是容易的事。

自小看《西游记》，最佩服孙悟空有火眼金睛。任凭白骨精如何变化，在火眼之下也无所遁形。羡慕归羡慕，这毕竟是神话小说中的事，现实中又哪能找到这炼就火眼的八卦炼丹炉呢?

其实有一些高明的人当真有火眼，譬如唐朝的玄宗皇帝。当时李白文才名满天下，玄宗亦对他的诗喜爱有加，但他始终不给李白官职，不让他从政。世人对此贬多褒少，我倒觉得这实在是英明无比。李白清高狂傲，极易冲动，性格上就不适合从政；况且他的才华仅限于诗文，政治观点非常脱离实际。玄宗看出李白在政治上只是只会叫而不会下蛋的鸡，因而不予重用，其实是很正确的做法。看人不能为表象所惑，要全面考察，推敲其实质是否有用，这才能作出准确的判断。

但正所谓"智者千虑，必有一失"，更何况许多的时候我们的判断力本就有限，所以错误就难以避免。但有一个浅显的道理：骗子骗一人易，骗许多人难。倘若多几个人留意，那么爱唱母鸡的把戏就会早些被戳穿。唐太宗手下有贤相魏徵，就如同多了一双眼睛，自然就不容易受蒙蔽，政治因此清明。兼听则明，说的就是这个道理，只有广取意见才能最大程度地避免错误的发生。

进一步分析寓言中的情况，爱唱的鸡阴谋之所以能得手，除主人疏于观察外，爱静的鸡是否也有责任呢?爱静的鸡不可能不知道爱唱的鸡的伎俩，它为什么不反抗?我们不能指望鸡那么聪明，但倘若是人，不明白逆来顺受只能助长恶人气焰的道理，就实在不可救药了。试想如果人人是非分明，嫉恶如仇，那恶人必然无处可藏。因此我们应努力提高整个社会的是非意识，造就人世间无处不在的火眼金睛。

小人终将伏法，英雄总会闪光。人人炼就火眼，黑白自会分明。

老邓简评

成绩：58分。

文章层层推理，分析世相人心，揭示事物本质，论证逻辑严密，观点独到新颖，语言精练准确，有水平!

好样儿的!

这篇文章已被浏览60次。
记者 wojiger 发表于
2003-5-9
20:43:40

*心的世界 未知

"我们有两个世界：一个是用尺丈量出的，另一个是用心描绘出的。"

我们生活在哪个世界？

——心无语，沉默。

墨痕断处是江流。那纸上的空白无语，却在心的审视下，变成了一条奔腾咆哮的江，化成了一片汹涌澎湃的海。那沉默中水花的笑声竟清晰可辨……

高山无语。几百年？或是几千年？它就这么默默地站着：看沧桑变化，看世事变迁，看一代又一代的人喧哗地过一生。是心教会了山怎样思考，几百年，几千年，山见证着朝代的变迁，在心底将它们慢慢沉淀、归结，终于以它的沧桑写成了一本叫做历史的书。

金字塔无声。它绝口不提它的兴起和衰落，只是以自己的存在炫耀着人类的智慧。在心的眼里"他就像个不知从何而来的巨人，默默无声地表演了几个精彩的大动作后轰然倒地，摸他的口袋，连姓名、籍贯、遗嘱都没留下。"(余秋雨)

——无声，却让人心生敬畏。

母鸡沉默，或许在它身体内有着一颗哲人的心，是它能够漠视那些误解，那些不屑，因为他懂得什么叫做"沉默是金"，什么叫做"走自己的路，让别人说去吧"。

心无语，却为我们描绘出了一个诗一样的世界，在这里，没有喧闹声，只有诗中的那份宁静，于是心便愈是沉静了下来。——多美的世界！

不过，我们住在这里吗？

睁开眼，看见的是一片迷雾，用手中的尺用力挥去那烟雾，逐渐清晰的竟不是本真的世界！

仔细聆听那"发自肺腑"的声音，用尺去丈量这两心之间的距离，竟怎么也找不到那另一颗心，是这尺太短？——心与心的距离真的那么远吗？

张开嘴，想道出心中的话，却迫于周遭的眼神又硬硬咽了回去——终于悟出什么叫做“天凉好个秋”。

心，从此无语。此时的无语，却怎么也不能使心沉静下来。

沉默呵，沉默，不在沉默中爆发，就在沉默中灭亡……

够了！我不愿再生活在这尺丈量触的世界。我宁愿是瞎子，这样就不会再看到虚伪的表情；我宁愿是聋子，这样就不会再听到谄媚的笑声；我宁愿是哑巴，这样就不会再被迫说出那些违背心愿的话；我宁愿……只要让我保有这颗心，只要这样就够了。

只要有这颗心，我便可以住在那个用心描绘出的世界——那才是真正的世界！在那里，我将有一所房子，依山傍水；在那里，我会养一只母鸡，它沉默无语；在那里，我的心依然无语，却已找到真正的宁静……

老邓简评

成绩56分。

我几乎要给你满分了，只可惜：

文章一直在讲心中的世界与现实世界的差异，可是在“仔细聆听那‘发自肺腑’的声音，用尺去丈量这两心之间的距离，竟怎么也找不到那另一颗心，是这尺太短？——心与心的距离真的那么远吗？”这一段却突然提出“两心之间的距离”、“心与心的距离”问题，是何道理？哪两颗心？与上下文有何联系？

真令我扼腕叹息！

推敲：“尺丈量触”什么意思？

崇文一模：目标

同学们在讨论人生的奋斗目标。

有人说：“志当存高远！人生应追求不平凡的目标，应该把目标定得高远些，再高些，才能激励自己奋斗。没有大目标的人是庸才。”

有人说“人应当实际，空定一个大目标，只是爱慕虚荣的人自欺欺人。”

有人朗读一篇文章：“高处有月亮，但如果你的目标是苹果，就不要飞得那么高。因为你飞在一万米高空，你既得不到月亮也看不到苹果。对于月亮来说，一万米和零米没有什么区别，而对于苹果，却没有那么高的树。”

请以“目标”为话题，写一篇作文。要求：题目自拟，文体自选(诗歌、戏剧除外)，立意自定，不少于800字。

*鲲化为鹏 hz

我的家叫做北冥。

我的名字是鲲。

有人说，我是北冥里最大的一条鱼。我不知道这是不是真的。

北冥流传着一个神话：不知多少年前，一条鱼去了南冥，那条鱼成仙了。

人们都说，南冥也是天池。从我出生开始，我一直在做同一个梦：我飞在天上，下面是波涛汹涌的南冥。

南冥成了我心中永远的梦。

在一个普通的日子，我把我的梦告诉了我的好朋友梭鱼，我告诉他终归有一天我会到南冥的。他嘲笑了我。他说我不知道天高地厚。北冥到南冥有十万八千里，我怎么能到达？自古没有谁到过那里——传说不过是个神话。在这一路上，满是挫折，难道我能挺得住嘛？人们都说越往南就越热，食物越少，我怎么可能坚持住……他的结论就是："鲲呀，你还是老实在北冥活着吧！"

我不愿意。

我又把我的梦告诉了飞鱼。飞鱼听后炫耀地展开双翅跃出水面，拍起高高的水花。他的言论几乎和梭鱼一样："你是不是发烧了？北冥有什么不好？我们在这儿有得吃有得玩，干嘛要去南冥？再说，像我这么轻巧的身体都到不了那儿，更何况是你呢！"

可我一直在想我的梦。

终于有一天，我离开了家，向南游去。我不知道这样做是否正确，但我知道，如果不去试，我永远只能呆在北冥。梦永远只是梦。

南冥真的遥不可及。

我走了不知有多少天，前面仍然是无边无际的大海。水温越来越热，我觉得我快受不了了，我的血液简直就要沸腾了。我已经很多天吃不饱肚子了。我不愿退缩，就这样硬扛着一路向南游去。直到有一天，我看到了龙卷风。海水被剧烈地搅动，排山般的大浪拍在我身上化为无数细小的水珠。四周是一片白茫茫的浪涛。天上是白茫茫的云雾。我想，我是可以冲过去的！

当我游到龙卷风的中心时，随着一团水汽我被送上了九万里的高空——海面上的一切远了，耳边只有呼呼的风声。我有点害怕了，摔下去就一定粉身碎骨。但我没忘了我的那个梦，我的南冥。

空中风起云涌。一股大风把我推向南方。

向下一看，和梦境里的那个地方一样，同样的碧波滔天，同样的怪石穿空。

我到南冥了。

从此，人们改口叫我鹏。我成了传说中成仙的鱼。

回想起在北冥的日子，我不禁感慨：梭鱼与飞鱼之流，连想都没想过要到南冥，又怎么可能化为鹏？

只要有梦，就没有什么不可能。

老邓简评

成绩：45 分。

孩子啊，你为什么又不点题?! 自毁前程呀！都到什么时候了还没有培养起话题意识?! 你的文章是不是也可以被理解为“以梦想为话题”?是不是也可以被理解为命题作文“梦”?你凭什么让人一定能够理解为“以目标为话题”?!

话题是“目标”，看看你文章出现次数最多的字眼是它吗?会给人什么印象呢?

其实，本文如果在结尾加上一段：“人类将这梦叫做‘目标’。”就能够得 54 分！可现在呢?

多么好的题材呀！多么精彩的想象啊！却……

推敲：题目“鲲化为鹏 ”改为“鲲之为鹏”似乎文气得多。

✻ 鸿鹄之志 秋水共长天

“蠢货！鼠目寸光之徒。”周围的农夫都在盯着我，我知道要是我再出言不逊，恐怕就不是瞪着我这么简单了，但我还是要对他们说：“燕雀安知鸿鹄之志哉！”我是大秦国中一个小小的农夫，身份地位比住在城中的平民还不如。但有一点，我敢说我超越了他们，甚至超越了秦王宫中的许多大臣。我有比这世上多数人都远大的抱负、理想、目标——“我要灭掉秦国，自己称王”。这个目标在这些鼠辈的头脑里理所当然是大逆不道的，但我相信，只要我有毅力，有恒心坚持朝着这个目标前进，我是有可能推翻这个暴虐的秦王朝，再造一个新的世界的。

“王侯将相，宁有种乎！”我站在躺在血泊中的校尉身边，朝着这几百个与我一同发配到渔阳去戍边的弟兄，喊出了我几十年一直想说的话。我知道，高坐庙堂之上的皇帝，并非什么真龙天子，这世上的事情也不是什么“天命不可违”。就算是那曾收服六国、统一中原，创下丰功伟业的始皇帝——嬴政，也不过是出身于小小卫国的吕不韦的私生子罢了。秦王那供奉于太庙的祖先，也不过是西域的犬戎之族罢了。更何况现在这昏庸糊涂暴虐的二世胡亥呢？他竟把李斯都杀了，这世上还有谁会帮他呢？感谢命运，让我遇见了跟我有同样抱负的吴广，为了曾经立下的目标，为了天下的黎民，为了这世界的未来，我们杀了统兵的校尉，揭竿而起。

“报……楚地项羽的军队受到阻截，已经无法及时赶来救援了。”

“报……我军中了秦军的埋伏，被包围在山谷中了。”

“报……假王吴广因刚愎自用引起内讧，被秦将杀得大败，吴广被军士所杀。”

坏消息一个又一个传来，我知道起义军已经支撑不住了，想不到胡亥手下还有这么多将士，恐怕我是实现不了那年轻时就定下的目标了，难道是因为这个目标，所以我才会惨死于此，会被秦人后代史书上称为“寇”。不，不会的，秦国必灭，如今已不单是我一处反秦，世上的英雄云集响应，像刘邦、项羽……诸多豪杰一定能灭掉秦国，我的理想定会实现，后人的史书对我的评价也应该是誉多于贬。一只青虫，必须有坚定的信念和不易的目标，才能化成美丽的蝴蝶，我现在可能就要进入化蝶之前的蛹了。我要感谢我这个目标，正是因此我才能区别于那些庸庸碌碌之人，才能让我那本是一个农夫的生命燃烧得如此壮烈辉煌。

后记 十几年后，刘邦、项羽等诸多英雄果真灭掉了秦国，达到了陈胜的目标。在中国最伟大的史书——《史记》中也把陈胜、吴广两个普通的农夫列入“世家”，被后人在心中称为王。

老邓简评

成绩：54分。

大胆而合理的想象，精彩的细节描写与细腻的心理刻画，深化主题的“后记”，这一切使那远古的农民英雄兀立眼前，熠熠生辉！

精益求精：

结尾一句改为“被后人世代景仰”好一些。

* 做个普通人 19841216

(一)

女儿的心声：妈妈，当我第一次睁开眼睛，注视着这多彩的世界，耳畔为何只是一片寂静。为什么我听不见金龟子的吟唱，为什么我听不见黄鹂的啼鸣，为什么我听不见雷声滚滚，为什么我听不见夜晚的天籁。难道我要在无声的世界中生活一辈子。不，这不是我的生活。纵然双耳听不见，我还有一颗对生活充满热爱的心。我的人生路还长，我要活得像个普通人，拥有健全身体的普通人。

母亲的心声：女儿，先天失聪无疑为你正常的生活宣判了死刑，你不能像普通人一样，用听去感觉世界的美丽。哪怕你听不到我的倾诉，我也要对你说：你的路还长，千万不能对生活丧失希望、信心。既然命运带给了你不公，你就回赠命运一份顽强，去同命运抗争，夺回被命运剥夺的权利——过上普通人生活的权利。

(二)

女儿的心声：妈妈，为什么我的人生旅途会这样的艰难。为什么我努力用眼睛去"听"这个世界，这个世界还是那样的陌生。为什么我真心地同周围人交流，却还是被视为异类，从他们的目光中我能看到的仅仅是同情。难道就此放弃吗，把自己封闭在那个无声的世界。不。做一个普通人，这是我的目标。它早已化作一颗种子，在我的心里生根，发芽，长出枝蔓。只要我心中洒满阳光，只要我用坚韧的甘露去滋润，就一定有开花结果的一天。

母亲的心声：女儿，当你第一次含含糊糊地喊出"妈妈"的时候，我真为你的成长高兴。当看到你在交流时紧紧盯着别人的口型，我懂得了你在融入这个世界中，一步步走得是多么不易。或许你还没有被人接纳。不要伤心，挺起胸膛面对一切。在你的心里有一双真情铸就的耳朵，打开心扉，用它去聆听外面的美好。只要你始终以乐观开朗的态度看待生活，周围的人就早晚会把你作为他们当中普通的一员。

（三）

女儿的心声：妈妈，祝贺我吧，我要工作了。今天面试应聘者的考官录用我时脸上并不是充满着十二万分的同情，而是写满了肯定。我得到了一个普通人所能享有的尊重。妈妈，我达到了我的目标，我现在是一个普通人，我过上了普通人的生活。

母亲的心声：女儿，祝贺你。先天的不足仅仅是一条河，蹚过便是坦途。在人生路上你已成为普普通通的一个路人。“普通人”，这是对你最大的褒奖。祝贺你达到了你的目标。

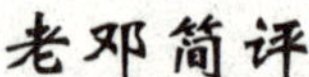

老邓简评

成绩：50分。

文章构思巧妙。三个片段展示一个残疾人完整的人生经历，母女心灵对话呈现实现理想、达到人生目标的精神世界，令人动容！

如果第二部分能够挖掘女儿笑对人生而非一味质疑生活的心路历程，女儿由弱到强的转变会更加合情理，文章结尾的“祝贺”内涵会更加丰富。

这篇文章已被浏览49次。
记者wojiger发表于
2003-4-29
10:08:31

＊英雄梦 damantou

我有一个梦，从小到大，不曾变更。我崇尚英雄，古今中外，处处寻觅他们的足迹。我想成为英雄，有朝一日，做出惊天地、泣鬼神的壮举，这就是我的梦。

年少的我，曾以为，在疆场上威风八面的人才是英雄。座下乌骓马，横握霸王枪，万军丛中，如入无人之境的西楚霸王项羽，"生当作人杰，死亦为鬼雄"，他是英雄一统华夏，转战南北，才智过人，骁勇善战的成吉思汗，"一代天骄"，"只识弯弓射大雕"，他是英雄；统治亚欧大陆，雄霸世界，戎马一生，气贯山河的世界霸主拿破仑，"敢与死神共舞"，他也是英雄。我梦想着自己像他们一样，征战沙场，所向披靡，仰天长笑无人敌！

成长中的我，对英雄有了新的理解，原来，执著于自己的信念，至死不渝的人也是英雄。"人生自古谁无死，留取丹心照汗青"，面对高官厚禄，文天祥没有动摇，身受严刑毒打，文天祥没有屈服，他是英雄；"我自横刀向天笑，去留肝胆两昆仑"，面对生的机会，谭嗣同选择了放弃，他的生命与变法同生同灭，用颅中的热血唤醒沉睡的民族，他是英雄。我梦想自己与他们一样，贫贱不能移，富贵不能淫，威武不能屈，面对死亡，放声大笑，留下荡气回肠的歌声，千古传唱！

现在的我，对英雄又有了新的认识，原来救民于水火，有献身精神的人就是英雄。荆轲为天下百姓，去刺杀秦王，"风萧萧兮易水寒，壮士一去兮不复还"，他是英雄为了革命事业献身的无数先烈们，"生的伟大，死的光荣"的刘胡兰，"壮士头颅为党落，好汉身躯为群裂"的周文雍，"砍头不要紧，只要主义真。杀了夏明翰，还有后来人"的夏明翰，他们哪一个不是英雄？近来，一直工作在抗击"非典"第一线的白衣战士们，在没有硝烟的战斗中，病毒对他们的生命虎视眈眈，可他们中的每个人，无不全力以赴，克服一切困难，坚守岗位，携手并肩，迎接恶魔的挑战。不愧于自己神圣的职业，无悔于自己坚定的选择，奏响了悲壮感人的英雄赞歌！他们都是英雄。我梦想自己与他们一样，为了天下芸芸众生，英勇献身，鞠躬尽瘁，死而后已。

我仍做着英雄梦，成为英雄是我的目标。我努力在每一天，只是为了梦的早日实现。我的心在飞翔，飘荡在梦升起的地方，我知道，终有一天，我也会成为别人的英雄梦……

老邓简评

成绩：56 分。

好一个英雄的梦想！好一曲英雄的壮歌！好你个大馒头！

文章思路十分清晰，时间顺序串联英雄梦，内容递进深化主题思想，结尾更是意味深长，充满豪情。看起来是《英雄梦》结束，实则“英雄梦”的开始——真可谓回肠荡气！

精益求精：

“‘一代天骄，只识弯弓射大雕’”褒他还是贬他？去掉后半句才对！

* 志当存高远 wm

我的目标是一团燃烧着的火焰，它越是跳跃、越是舞动、越是吐着火舌对我妩媚的笑，我就越难以压抑心中的渴望，难以冷却汹涌的激情。我需要一个目标，一个足以令我活动血脉、疏通筋骨、一往直前、不畏挫败的希望。

我无比赞同这句话："志当存高远！人生应追求不平凡的目标，应该把目标定得高些，再高些，才能激励自己奋斗。"因为很多目标不是用来被实现的，它像一盏明灯给予你的是指引，而不是要你真正站在它的脚下。然而如果那灯的光芒不是足够的亮、足够的美丽、足够的明艳，又怎么能牵动你的每一丝神经，让你执著地走呢？

就好像我站在茫茫无边的沙漠之中，我带着冒了烟的喉咙一步步艰难地跋涉，我此时头脑中幻想的仅仅是一杯水吗？一杯水足以润湿我的喉咙，但不足以润湿我即将枯竭的心志，所以我盼望的是在我的面前，能出现一片充满生命气息的绿洲，尽管我实际上需要的仅仅是一口水，但那勾勒出的绿色天地，那个存于我心中的一厢情愿的盼望，却彻底滋润了我的精神。精神上的酣畅淋漓甚至使我忘掉了干渴的喉咙，因为它战胜了我在机体上对水的需求。看吧，一个痴心妄想的目标拯救了一个筋疲力尽的跋涉者，因为它给了我坚持下去的勇气和情趣。

我敬佩在暴风法庭上不畏强权，英勇奋战的勇士，他说："我将战胜一切邪恶的势力，不论它们多么强大，多么难以颠覆。"这是一个人的神圣的目标。战胜一切恶势力，我知道这不可能，这个"志"定得的确高，的确远，然而我相信不会有任何人对他说："人应当实际！空定一个大目标，只是爱慕虚荣的人自欺欺人。"他的志存高远不是爱慕虚荣，不是自欺欺人，这目标给予的是指引，信念的指引，那盏灯亮得那么的动人，那灯光又是那么的圣洁，即使我们的战士不能真正地站在那盏灯的脚下，我们依然为他喝彩。

我崇拜在手术台上挽救生命，与死亡抗争的白衣战士，他们说："我们要尽最大的努力，用全部的心血留住每一条生命。"留住每一条生命？这不可能，甚至是痴心妄想，可是对生命的执著，却足以在他们心中树立起一座不畏艰险、永不放弃的丰碑，这是一名医生的最崇高的品质。志当存高远，一个高远伟大的目标竟如此广博地笼罩着这么多颗如此圣洁的心灵。

志存高远的真谛我懂，它炽烈而美丽，神圣而广博，洗去了一个人的懒惰与懦弱，照亮了那奋斗茫茫前路。

老邓简评

成绩：54分。

文章总体思路清晰，结构层次分明，段落过渡自然流畅。

最吸引人的是文章论证方式十分独特，主体三段都采用设问句式，自问自答，有悬疑，有实证，使论证过程起伏跌宕，摇曳生姿！

精益求精：

1.“一个高远伟大的目标竟如此广博地笼罩着这么多颗如此圣洁的心灵”中“广博地笼罩”用语不准确。

2.“那奋斗茫茫前路”不通。

目标当在何方 云野精灵

东岳泰山以十八盘险道名扬天下。我曾听一朋友形容他登泰山的经历：到了十八盘，抬头便可看见山顶的南天门，虽然高高在上，但毕竟一望而得，于是雄心大起，拔足前行。走了一段，抬头再看，那天门仿佛仍有山脚下看时那么高，不见靠近，心情略有烦躁。再行不久，已是疲乏异常，头昏眼花。此时看那南天门，竟似乎远了，自然越发灰心……

通常爬山，若是小丘，一望而见山顶，那便可一鼓作气，照着山顶这个目标冲上去便是；若是望不到顶的大山，一般须步步为营，以路旁大树、石碑等物作为小目标，一段一段往上爬。这样心中有底，也就不觉得多辛苦。但这泰山十八盘偏巧山势奇特，山固然极高，却可从山底直望到山顶。游人照老习惯，把山顶直接作为目标，自然久久不见接近，心里没数，便格外吃力了。

选目标不光是爬山的学问，我们知道做任何事都要有目标才能做好，但这目标倘若选错了位置，便像这爬泰山一般，效果适得其反。

那么，目标当在何方？

当年上小学时，在体育课上练习立定跳远。老师指点我说：如果你想跳到两米，那么跳之前你须望着两米二十左右的地方。若是照着两米跳，能力为目标所限，肯定跳不到两米；若是望着两米五十，目标太远不免心虚，自然也不行。定目标之所以有助于成功，主要是因为这样有助于调整心态。所以定目标要应放在“可望”与“可及”之间，方能获得一个有助于成功的适度紧张又满怀信心的心态。

我曾在杂志上看到沙漠探险家介绍经验，他说：在沙漠中迷路，最好就是往一个确定方向走。但要是没有指南针，人要单凭感觉前进，不多久就会走偏，甚至转回出发点，这叫做“鬼打墙”。这时候应该使用做路标的方法。路标做起来很有学问，要每走几百米就放上一个，放的时候要和原来的标记校准，保持同一直线，如此才能确保方向不变。我想这个经验很有用。我们平时定目标，也要牢记时时“校准”，将目标放在连接现实和理想的直线之上，方能让我们坚定不移地向理想前进。

目标当在何方？这个问题的重要性毋庸置疑，小到做人，大到治国，都必须要思考选目标的问题。新中国的历史上，曾犯过许多如“大跃进”、“文化大革命”这样的目标错误，这难道不该警醒吗？

我们知道选目标要判断好形势，远近要恰当，方向要明确。但目标究竟当在何方？这也不是一两句话能说清楚的。我们应该进行更多的思考。

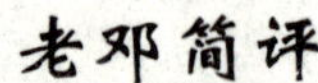

老邓简评

成绩：43分。

本来应是一篇不急不缓、由浅入深的好文章，却因为作者的心神分散导致文章虎头蛇尾，中心不明，令人扼腕叹息！需要引以为戒呀！

文章第四段明明已经得出结论——“所以定目标要应放在‘可望’与‘可及’之间”，第五段进一步阐释使目标“可望可及”的方法，行文至此，脉络相当清晰。

看样子第六段作者是想联系历史进一步从反面论证中心论点，可是你分析“大跃进”等跟中心论点之间的关系了吗？这样的目标有什么问题？与“可望可及”一致吗？令人气愤的是我们只看到作者将两个极其重要的反面事例三言两语抛出了事！产生论证作用了吗？

最令人费解的是结尾居然得出“说不清、道不白”的结论，特别看不到跟上文（第四段）的中心论点的任何关联，这样的总结岂非自毁前程？

莫非你自己也没弄清楚中心论点到底是什么？

希望得到准确回答。

这篇文章已被浏览39次。
记者wojiger发表于
2003-5-8
7:34:34

朝阳一模：成功

什么是成功的人？就是今天比昨天更有智慧的人，就是今天比昨天更慈悲的人，就是今天比昨天更懂得爱的人，就是今天比昨天更懂得生活美的人，就是今天比昨天更懂得宽容的人……

请以“成功”为话题，自行立意，自拟题目，写一篇不少于800字的文章。诗歌除外，文体不限。

惟一

gpn

曾经有人对我说，成功就是做一个好孩子；后来，又有人对我说，成功就是好好学习，考到重点高中；到了现在，他们都对我说，成功就是考上名牌大学；以后还会有人说，成功就是赚大钱；肯定也会有人说，成功就是有个美满的家庭；还有人说，成功是完美的人生。

我做过好孩子，好好学习过，也上了还不错的高中，可是，成功的概念与他们说的越来越远，我对于成功的理解在他们眼中，就是一种不求上进。

我每天在问自己，今天我得到了什么，又失去了什么，我对人生又有了什么感悟。我是不是比昨天有长进？我为自己每一小步的前进而欢欣雀跃。他们说："你在不断地向后看，不为未来想想。你这样是不会成功的。"我又问自己，今天我要学到什么，我要注意什么，我要用怎样的心情去面对今天的一切，我想的是不是比昨天更仔细？我为自己计划的明天而信心百倍。他们又说："你只会幻想未来，不吸取以前的教训，你不会成功的。"

于是，我总结以前的教训，计划着未来要做什么。结果，我确实成功了，但仅仅是在学习上，我不得不为每一分而焦头烂额，不得不为成绩的上下起伏而心惊胆战，不得不为赢得别人认可的目光而心力交瘁。他们说："你不要老看自己，看看别人，看看别人比你高了多少分？不和人家比，你怎么能成功嘛！"于是，排名、排名、还是排名，每一次都以它为成功的天平。

这是成功惟一的路吗？

我的心里，成功就在我的手边，我动动手指，就能碰到它。我打通了一个游戏，它来了；我完整地完成了一场比赛，它来了；我独立地完成了考试，它来了。它就在我的周围，我在长大，它也在长大。曾经吃完一碗饭就是一次成功，也有过得一朵小红花就是一次成功，直到现在，得到多少分就是一次成功。它逐渐被固定，被人穿上统一的服装。

成功，在他们眼里就是保险箱，什么事情成功了，它

就跑不了了。可是，成功不是永远的拥有，今天的成绩册明天仅仅是一张废纸，明天，名牌大学的毕业证也只能说明我在那里呆过四年。成功不是可以去任何地方的通行证，这次的成功，也许就是下次失败的开始，安史之乱，不正是从大唐盛世的顶峰开始的吗？

成功，也许是达到顶峰的惟一方法，但它不是人生的惟一。

亲密聊天室

gpn的求救信号：

邓老师，这次写作文没有感觉，到考试的时候碰到这类问题怎么办？

wojiger回复：

正如你所感觉的那样，这次作文真的没感觉！

你问遇到这类问题怎么办，你说呢？

想好才能写好！想深了困难，想浅点儿还不容易？“一条小溪，虽然浅吧，却清澈见底”。总不至于含混不清，不明其意！

老邓简评

成绩：38分。

需要引以为戒。

主要问题是思路不清，主旨不明。你到底想说什么？想分几个层次说明？文章不断回忆自己的经历，大量引用他人的观点，仿佛是要用自己来批判错误认识。但是他们错在何处？不清楚；你渴望怎样？也不明确。

为什么放弃你惯常的思路？为什么题为“惟一”，说明你想说成功不是人生的惟一？那么为什么不是惟一的？人生由什么构成？只有成功还欠缺什么？分三点阐释，还不容易吗？你这样一连串问过自己吗？你结尾句的结论从哪儿得出的？

说你思路不清还表现在既认为打游戏、得红花、完成比赛等是成功，为什么又说成功是达到顶峰的惟一方法？达到什么顶峰？不明确。

“成功”是一个多么平常的题目，为什么你没有感觉？其实正是因为这个词太普通了，太熟悉了，然而你却没有仔细思考过它！ 如果你静下心来思考

“成功”的含义，是不是仁者见仁，智者见智？

成功分几种？哪些方面？（事业？感情？生活？精神追求？……）

成功分哪些层次？有无境界之分？……

成功的道路是不是有千万条？……

你为什么叫成功人士？

成功的人生是怎样的？……

成功带来什么？……

你对这个题目作过这样的分析吗？如果做了，还是找不到一点感觉？可能吗？

这篇文章已被浏览34次。
记者wojiger发表于
2003-4-29
10:07:26

一种并不陡峭的高度

pengpeng

成功并非可望而不可即，它是一种并不陡峭的高度，“人们登上高地之后，会享受到成功攀登上悬崖的快乐。”罗曼·罗兰这样说过。

我们要正确地审视这高度 虽不陡峭，但并不是每一个人都能登高远眺，因为它抑或漫长，抑或曲折，也许有几处泥泞，也许有荆棘的羁绊，一些人退却了。我们仍然挑战这高度，渴望成功，无论漫长或是崎岖，无畏泥泞或是荆棘，因为我们渴望成功那甜甜的滋味，就像收割的农夫，关心的只是收获的果实，不是你的，不是他的，属于每一个成功的个人，喜悦，掺着泪水，但成功不会从我们的指缝跑掉，我们这时听到：“是花便总有开放的那一天。”

所以我们开始一次次地去攀登这高度。

成功需要目标。人不同，事不同，时间不同，地点不同，我们的成功不同。这成功的标准决定于我们个人，我们的每一次成功，就是要一次次战胜自己，超越自己。所以要想成功，必须要相信自己，自己能成功，启程前为自己确立属于自己的终点。

成功需要付出。做任何事都遵循一个原则，那就是付出才有回报，成功亦是如此，就像庄稼的收获，没有劳动，没有汗水，没有夏日的关切，冬日的呵护，怎会结出累累的果实，怎会成功？

成功需要恒心。成功并不是一时的精彩，就像很多事物，它的存在更多地蕴含于过程，当我们真正获得成功的时候，更多的是回顾为此的付出，而这正是很多人所不能感受到的，因为他们缺少的是恒心，有些事情只有用信念去坚持才会换来结果，就像水滴石穿、金石可镂。

成功需要有一颗成熟的心。成熟的心并非每一个成功者都有，也并非每一个成功者都要拥有，但它却能指导成功者使他们的成功更加完美，使他们能够更加平静、客观地去面对成功，然后更加有信心、谦逊地面对下一个高度，更好去迎接下一次成功。

成功，我们时刻提起，它总是在不经意间改变世界。爱迪生的千万次尝试，从发丝到钨丝，终于制成了世界上第一盏电灯，黑暗不再左右人们的生活的自由；瓦特的不懈努力，从壶盖的跳动到蒸汽机的问世，带动了一场工业界的革命，机器大生产解放了大量的劳动力；莱特兄弟一次次的失败，一次次坠落，终于化作了人类在空中的第一次旅行，从此，空中除了鸟影也有了人类的身影……它们的一小步，一次次攀登，一次次努力，一次次成功化作了人类的一大步，一次次飞跃，一次次进步，一次次变革，正是这每一个人的成功，每一个并不陡峭高度的叠加，使人类站得更高，看得更远，飞得更宽，走得更阔。

这便是成功——一种并不陡峭的高度。

老邓简评

成绩：35分。

文章最大的问题是没有想清楚，思路不明！

你的题目和结尾告诉我们文章的中心论点是“成功是一种并不陡峭的高度”。那么我问你，这句话的关键在何处？文章将要论证的关键是什么？你清楚吗？很显然，“并不陡峭”应当是你的主要认识。可是你看看自己的文章是围绕这一点展开的吗？看看你的三个分论点，哪一个与它有关系？

再看你的文章，哪些是你的主体部分？为什么三个分论点之前和之后的篇幅都要比主体部分的内容多得多？这些内容与你的中心论点是什么关系？这篇文章的详略是怎么安排的？你想过吗？

难道你是随便起的题目、随便加上的结语吗？没有思考它们与文章论述整体的关系吗？如果写之前没有想透彻，其结果只能是费力不讨好！汲取这个惨痛的教训！

这篇文章已被浏览30次。
记者wojiger发表于
2003-5-2
9:09:56

成功的人 小土鳖

成功的人，脸上荡漾着最骄傲的笑，笑脸的背后，是为挫折和失败而流下的泪水；成功的人，手中捧着最娇艳的花，鲜花的背后，是为培育和采摘花朵而流下的汗水；成功的人，站在最高的山峰顶端，身后，是为一路艰苦的攀岩而流下的血水……

中国国家男子足球队自1957年开始冲击世界杯，一直与失败为伍。就在人们逐渐对这支队伍失去信心，认为他们永远也无法冲出亚洲走向世界的时候，他们终于以不懈且不屈的努力，以预选赛六场不败的战绩，在四十四年之后，也就是2001年争取到了我们的国家队在世界杯足球赛上的首次亮相。

听过这样一个故事，原来有个将军在外带兵打仗，屡遭败绩。向朝廷求援时，他在上书的折子里写道："臣带兵不利，屡战屡败。"皇上见了这折子，认为他软弱无能，一怒之下撤了他的官发配边疆去了。而另一位与他遭遇相同的将军，同是在吃了败仗之后向朝廷求助，只将那折子里的"屡战屡败"改成了"屡败屡战"，皇上一见却甚是欢喜，认为此人虽遭败仗，却有股不怕死的冲劲儿和必胜的信念，于是毫不犹豫地满足了他所有的要求，甚至在那人带兵凯旋之际将他的官职连升三级。这简简单单的几个字却完全改变了两个人的人生，从一个侧面说明只有有韧劲儿、有毅力、有决心的人，成功才会向他招手。

"不经历风雨，怎能见彩虹"。真正的成功，属于坚忍不拔的人。坚忍不拔，意味着失败九十九次，还要再试第一百次……

资质本不算出色的普通人，凭着比别人更加辛苦的学习和工作，凭着比别人多出几倍的付出和劳动，最终取得辉煌的成功，这样的例子不在少数。从我们这个足球弱国走出去的球员李铁、孙继海，每一堂训练课都会比队友更刻苦更认真，自觉在课后加练，终于用汗水换来的进步打动教练，取得了球队的主力位置。王勇峰，一个平凡的中国人，身体没有多么强壮，配置的装备没有多么精良，却以他永不服输的精神，用汗与血征服了世界的屋脊！数学家陈景润，没有人告诉他，他在数学方面有其他人不可企及的天赋，但他却用一颗对数学研究事业最坚韧的心，取得了今天的成就，得到了所有人的认可。

真正的成功，属于真的敢于流血流汗的人。

“我的一生
曾经两次离开赛场
经历过 70 多次伤病
300 多场比赛失利
9000 多次投篮不中
正因如此
正因如此我成功!”
——麦克尔·乔丹

成功的人，是经过失败的磨砺和血与汗洗礼之后还能屹立不倒的勇士!

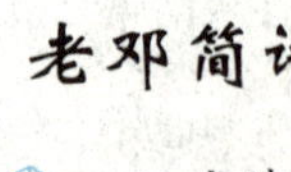

老邓简评

成绩：45 分。

这是个典型例子。

开头很好很形象，那么就应该在主体部分将这三句话展开来进行论证。首先要明确“三水”的不同角度和含义：

泪水——强调成功必然经历挫折；事例一。

汗水——强调成功必然经历奋斗；事例二。

血水——强调成功必然经历牺牲；事例三。

而成功的人则是能够经受住这一切的人!

接着再排比列举，概括论证，与主体部分形成“点面”关系，进一步突出中心。

这样，文章的脉络一定十分清晰，主旨一定十分明确。

你的文章的主体部分却难以与开头的总起构成明晰的关系：

1. 第二段(即主体部分的第一层次)想证明什么?不明确；

2. 中国足球队的例子已经用过了，为什么后面又用一次?

3. 主体一共有几段?每段的侧重点明确吗?概括举例与前面两段构成什么关系?

只要能够想通一篇议论文的结构，其他则以此类推！不要把它想得太难!

这篇文章已被浏览 51 次。
记者 faye_1984 发表于
2003-5-3
18:37:11

＊＊成功的途径 李德隆

是人都想成功。

彼得不是人，但是它也想成功。

彼得从出生的第一天起，就面对着眼前这堵红墙。这红是那么的凝重，那么的殷厚，如同太阳一般，温暖着它的心。后来它长大了，才知道那不是红墙，而是白墙上虚浮地贴了层红纸。这纸叫"成功鸭士榜"——忘了说，彼得是只鸭子——上面贴着一代代成功鸭士的头像。彼得自认为不浅薄，它懂得什么叫精神追求，于是它想上榜，于是它就要成功。

彼得明白，鸭子想成功，只有两条途径：蛋下得多或者肉长得肥。这点鸭子不如鸡。鸡能斗，鸭子就不行了，可惜又没人喜欢看鸭子比赛游泳。彼得本想走产蛋大王之路，为此它还作了长达五万字的"可行性战略分析"，但最后它无奈地发现自己的性别在这方面成了最大的屏障。于是它只好选择长，越肥越好。

彼得知道自己将来会被做成烤鸭——这是室友阿飞告诉它的。然而烤鸭也不尽相同，尚有挂炉与果木(编辑注：应为挂炉与焖炉)之分，每类又分为九个档次。彼得不喜欢挂炉，它喜欢果木，尤其是全聚德的果木一品。它明白，种类与档次间存在着巨大的差异：倘若是挂炉九品，只能被庸厨生了锈的铁刀胡乱剁成七八十块，放在还残存着洗涤灵气味儿的破盘子里，以28元的价格让一群小市民大快朵颐，未寒的尸骨还要担着喂狗的风险。倘若是果木一品，则会由万里挑一的名厨手执专用的金刀将你片成不多不少正好108片，放在雕花的玉盘里。享受你的人个个儿得西服革履，运气好你还能碰上个把老外。尸骨更不必担心，煲了汤还能卖钱。你的身价自然也扶摇直上，168，还是个谐音呢！

于是彼得每天都尽量地吃，尽量地睡，尽量地长，它恨不得自己能变成一个气球。由于它的多吃多占，阿飞每天的口粮自然就少了。日子一天一天过，功夫不负有心人，彼得终于长成了全养鸭场第一肥鸭！而阿飞呢，平时吃得少又勤于锻炼，长得很是精瘦结实。

这一夜，是"出师"前的最后一夜。

彼得兴奋得睡不着觉，它仿佛已经看到了红榜上自己幸福的笑脸。它怜悯地看了看精瘦的阿飞。阿飞今天早早就睡了，正均匀地呼吸着。“挂炉九品，”它打量着同伴，同情地叹了口气，“它这辈子都尝不到成功的滋味了，真是悲哀啊！”

太阳升起来了。笼门“吱呀”一声被打开，一只粗壮的大手伸了进来。彼得赶忙把脖子凑了过去，让大手把自己拽出笼去。

“真是只好鸭子！”它听到一声赞叹，心里像吃了蜜一样甜。

突然，它听到“扑棱棱”一阵翅膀急拍的声音，只见阿飞一个箭步，一紧身，一下窜出牢笼，昂首振翅，直冲云霄！

“该死！跑了一只！”它听到一声咒骂，同时感到一抹冰凉架到了脖子上。

血飞快地从身体里涌出，意识渐渐地远逝，彼得望着阿飞远去的背影，渐渐地恍惚起来。忽然，它听到了养鸭场高墙外传来了一个稚嫩的童声：

“妈妈，快看！白天鹅！白天鹅！”

啊，丑小鸭变成白天鹅，这竟也是一条成功的途径，却又是如此的迥然不同啊！

这是彼得最后想到的。

老邓简评

成绩：58分。

想象似乎很容易，想象真切合理却很难！

想象似乎很寻常，想象生动有趣却很难！

想象似乎很简单，想象内蕴深刻却很难！

由此，你的文章脱颖而出！

精益求精：

文章所揭示的不是成功的途径不同，而是成功的内涵迥异！所以，文章的题目直接采用“成功”更准确。

继续保持这种良好的竞技状态！

这篇文章已被浏览76次。
记者风之舞者发表于
2003-5-4
0:17:58

**辩词 苗森

亲爱的女士们、先生们，各位陪审员：

请允许我针对对我当事人提出的这两项控告做出最后的辩护。

有许多人认为我的当事人“成功”会毁掉一个人，使他们虚荣、自负、自鸣得意。事实证明这项指控根本不成立。

众所周知，一个人如果想要成功，就必须放弃许多东西，譬如享乐、安逸等等。在通向成功的道路上，他要克服各种困难，跨过各种障碍，在一次次摔倒后，在疼痛中获得经验。当然，在这条通向“成功”山顶的崎岖山路上，他也无时无刻不在感受着旁人的关怀，得到别人的帮助。正是这些无私的仁慈的帮助，帮他越过危险的沟壑；正是这些宽容的心、伸出的双手，将他从一个个沼泽中救出；正是这些谦虚的人，甘愿做他的拐杖，助他登上一级级台阶；正是……

当这个人终于到达“成功”山顶时，这一路的艰辛他怎能忘记?这一路所感受到的关怀他又怎能忘记?经历了这一切的他怎会变得“虚荣”，怎会变得“自负”，怎会变得……如果说他真的变了，也是他变得懂得“感激”了，变得更加“宽容”，变得更加“谦虚”，变得……他也变成了那个在山路上向别人无私提供帮助的人。

如果说这人身上本就有“虚荣”、“自负”、“自鸣得意”，那么这些世俗的东西也早已在这追求“成功”的道路上消失得无影无踪了：它们或是忍受不了艰苦的生活逃之夭夭，或是在一次次跌倒中被打磨干净了。

总之，我当事人“成功”不会使人变得“虚荣”、“自负”、“自鸣得意”。所以，各位陪审员，请你们再次考虑这项指控的真实性。

对于我当事人“成功”会让人感到孤独这一项指控，我当事人承认在某方面会给成功的人带来孤独的感觉，但否认这孤独感出现在各个方面。

而原告请出的李白、苏东坡、凡·高等证人所做的证词也不能说明我当事人在此项指控中有罪。

“高处不胜寒”的苏东坡的确有过饱尝颠沛流离之苦的

时候，但当他运交华盖之际，毕竟早已名满天下。

“举杯邀明月，对影成三人”的李白的确是胸有大志而不被人重用，但他的诗才却是举世公认，他的知音也是数不胜数。

凡·高生前的确不被人熟知，甚至还被别人当作神经病而疏远，但在人们把他当作美术界的神顶礼膜拜的今天，凡·高已不再孤独。

归结它们孤独的原因并不是因为“成功”本身，而是当时人们没有能力欣赏他们的能力。所以说，这项指控也不完全成立。

而且一个成功的人，就犹如宇宙中的恒星。他们体积太庞大，光焰太强烈、太灼热，以至于那些普通的行星、卫星一旦离它们过近便会被炙伤或熔化。所以说成功的人在某方面的孤独就犹如恒星只能永远孤悬在星空一隅一样，几乎是命中注定与生俱来伴随一生的。这并不能归罪于我当事人“成功”。

各位亲爱的陪审员，就像宇宙中行星不能没有恒星的指引，不能没有恒星的光芒一样，在我们的世界里，不能没有如那恒星一样的成功的人。当然，我们更不能失去“成功”。

最后，各位亲爱的陪审员，请你们做出你们真心的判决，你们将决定人类的宇宙是否从此黯然无光。

谢谢。

老邓简评

成绩：58分。

文章妙就妙在思想的深刻与形式的新颖完美地结合在一起！

“成功”本身何罪之有？“辩词”当然师出有名！为什么成功会带来负面影响？还不是成功者自身有问题！作者犀利的目光直视人们内心，挖掘人性的弱点，解剖成功的真正含义，这番努力很有价值！

看到苗森的写作渐入“牛市”，狂喜啊！

推敲：

结尾补上“XXX律师事务所XXX”或开头交代一句“我作为XXX的辩护律师”，可使文章的形式更加完整。

这篇文章已被浏览60次。
记者苗森发表于
2003-5-5
18:34:16

＊＊新生 郑弘

我看着那堆泥土，在我埋下它的第三天。

它毫无动静。

于是我给它浇水。

妈妈说冬天来了，它是不会发芽的，何况是种在这么冷的院子里。

但我不愿相信，我不愿相信在生命开始以前就注定了什么，注定了脆弱，注定了死亡。

第七天。

我憎恨这样的寒冷。每个寒冷的日子里我都可以听得到自己脆弱的心脏单薄地跳动的声音。

我用铲子小心地翻动着冻僵的泥土。

而它，静静地躺在泥土下面。

加油，连我的份一起，加油。我默默地祈祷。

让我看一看生命的力量。

第十天。有很冷很冷的风，凛冽呼啸着在窗外肆虐。

他们不让我出门，于是我只能坐在白色的床上，远远地望着院子里那一个角落的地方。

吊瓶中液体单调地响着。这是一个没有生气的地方。

它依然毫无动静。只有干冷的泥土，黑黄黑黄的。

我有些开始相信妈妈的话，这么冷的天，它是无法成活的。

但我还是让妈妈替我去看看它，它也许还在寒冷中等待呢，等待生命的萌发，等待破土的成功。

第十三天，下雪了。

很大很大的雪。当我睁开眼睛的时候，院子里已经一片苍茫。

突然我想起了它。外面那么冷，它却孤零零地躺在冰冷的泥土下面。我挣扎着坐起来又被妈妈按了回去。

“让我看看它，让我看看它，妈妈！”我喊着：“至少让我把它挖回来，外面真的太冷了。”

我裹得像个粽子般坐在轮椅里走进院子。厚厚的积雪把生命都掩埋。

我用手挖着，雪很冷，我不要有寒冷。

然后我愣住了。

绿色的，嫩嫩的如同新生的婴孩，还顶着晶莹的雪花，却那样骄傲且坚定地昂起了它幼小的头。

风很大，雪花满天。在这冰天雪地的世界里，在这一成不变的白色中，我终于看到了生命的影子。

“妈妈！妈妈！它成功了！”我喊着，不知不觉中泪流满面。

当冰雪消融的时候，我终于能够走出那个小院，用我自己的力量。我第一次感受着自然中柔柔的风，向着太阳扬起了我苍白的笑脸。

那是一个崭新的春天。

寒冷只是春天来临前的考验，坚强和等待，努力和忍耐，当真的从风雪中穿行而来，我们亦将无所畏惧，破土而出。

而这，也算是一种成功，是吧。

老邓简评

成绩：59分。

你写出了一篇美文，并赋予了成功崭新的含义——这亦是你的成功！

最欣赏文章的层层铺垫，显示作者精心的构思；最欣赏主旨水到渠成式的体现，不生硬，不突然，显示作者自如控制文字的能力。

还有文章以物喻人、物我合一的含蓄！

祝贺你！

精益求精：

“当真的从风雪中穿行而来”与“破土而出”如何承接？

这篇文章已被浏览77次。
记者 miepoy 发表于
2003-5-7
17:38:45

* 智者成功 云野精灵

成功需要什么?有人说:成功需要机遇,正所谓谋事在人,成事在天;也有人说:成功需要资本,所谓巧妇难为无米之炊;还有人说:成功需要能力,没能力只能白日做梦……我认为成功首先需要智慧,只有智者方能成功。

有这么一件事:一个年轻人去应聘。当他到达招聘地点时,发现已有很多人排在了他前面。他数了数,自己是第27个。只招聘一人,自己这么靠后,希望渺茫。他没有气馁,开动脑筋,想出了个办法。他拜托一位工作人员给负责招聘的人事经理送上一张纸条。经理看过之后大笑起来,原来纸条上写着:“请您不要在第27人之前做最后的决定,因为那个人是我。”这个聪明的年轻人巧妙地引起了经理的注意,在本来没有机会的情况下,最终被录用。常听人抱怨说生不逢时,没有机遇。殊不知机遇并不等同于天上掉馅饼,智慧的人能用头脑创造出成功的契机。所以智者总能成功。

火车站里总有些卖报的。有个开报亭的老大爷,有个背着包卖报的小报童。老大爷条件很不错,有店面,报刊种类多,而且天生大嗓门善于吆喝。小报童没这些,但是他的报总比老大爷卖得好。原来小报童有一套自己的办法:旅客一来,他就抢先把报纸发给他,说好了看完再给钱,不满意可以退。这样一来他就先抢到了顾客。旅客看完报,一般都会给钱。即便不给,那也无妨。因为既然他看完了报,自然也就不会到老大爷那儿去买,这也就压制了竞争对手。这是多么漂亮的营销策略!人常说成功需要资本,那是因为资本可以让人在竞争中获得优势。可是只要有智慧,就能像那小报童一样自己创造出优势来。所以智者总能成功。

伟大的数学家高斯小时候算算数的故事人人皆知。那些从1到100顺着加的小孩子,就计算能力而言,未必就比高斯差,有些甚至还要强。但高斯运用智慧,找到了捷径,最后脱颖而出。可见即便有能力,倘若一味蛮干,同样成功不了。有智慧的人可以用巧妙的方法让自己事半功倍。所以智者必能成功。

从古希腊的亚里士多德、阿基米德，到中国的孔子、孟子，这些真正有大成就的伟人的机遇、资本和能力也许各不相同，但无疑他们都具有超凡的智慧！

倘若机遇是通往成功之门，那么智慧才是开启这道门的钥匙；

倘若资本是成功必备的食粮，那么智慧就是让你平步青云的仙丹；

倘若能力是载你走向成功的马车，那么智慧会给马车装上火箭，让它能在天上飞翔。

成功不可无智慧，智者方能成功。

亲密聊天室

云野精灵说：

关于我的上一稿，我有一个问题，就是关于中心论点的问题，是不是像我这样的文章应该专找一方面详细阐述，而不能弄三个角度？还有是不是议论文忌讳说“这个问题没那么简单，还需仔细探讨”这种自谦的话。这样是不是会使论点不明确？

wojiger 回复：

角度多当然很好，但前提是保证每一个都能够说清楚。如果每个都讲不清，讲不深，讲不透，还不如集中到某一点上，使主旨更加明确，内容广而深，论证力度强。其次，既然你谈了半天都是简单问题，还根本没有进入实质，那文章的分量就可想而知了！所以这不是自谦，而是露马脚的话！

老邓简评

成绩：52 分。

这篇文章的行文思路和论证结构显然比前一篇清晰多了！同时材料很有现实性，论证过程点面结合，论证语言颇具文采，论证中心集中鲜明——这才是你应当显示的能力！

推敲：

结尾的几个“倘若”使用有误。

“倘若”一般接动态分句，应改为“如果”（可静态可动态）。你不妨造句体会体会二者使用上的差异。

这篇文章已被浏览 48 次。
记者 wojiger 发表于
2003-5-8
20:53:16

精彩花絮

收件人：wojiger 发件人：wm1wm 主题：第三次修改——花儿致叶儿的信

发送时间：2003-4-26 是否已被收件人浏览：True

邓老师，麻烦您再给我打一个分！

邓老师，谢谢您无私的为我评价了数回，也提出了很好的建议，老师，若有时间，我还会再写一篇这个作文。

邓老师，我觉得您的无私奉献组可以做我本文的论据了:）

老邓回复：

我只能给你40分。哎，真可惜了这番修改的功夫啊！你的文章跟话题材料有何联系？

千万要注意跟话题保持良好关系呀！否则有不切题之嫌！是由什么引发出这样一封信的？“我”何其高傲，为什么会“沉思”，会关注那叶儿？

精彩花絮

其实，只需在开头巧妙提及一句：“今天，我听说了好静的母鸡的故事，我才如梦初醒，并为以前的过失而深悔不已！”如此这般，一箭双雕！既紧扣话题，又弥补了事情脉络交代不清，花儿的转变突如其来之漏洞！

进一步斟酌：

1. 文章的重点应当如何安排？是歌颂叶儿顽强的生命力还是甘愿奉献、不图名利的精神品质？2.“我”要谢谢叶儿什么？相应的描写应集中在什么方面？

孩儿啊，不切题的毛病可是致命的呀！详略不当的毛病可是致残的呀！

收件人：wojiger 发件人：wm1wm 主题：请教

发送时间：2003-4-25 是否已被收件人浏览：True

邓老师，请问这篇文章怎样采用画面法呀？牧

精彩花絮

老邓回复:

画面式常常将几个看似无关的片段排列在一起，挖掘它们内在的联系。

你可以设置几个场景:

1. 花儿与叶儿;

2. 好炫耀与好静的母鸡（特别注意不要照抄原材料，一定要有自己的合理想象）;

3. 好炫耀的人和甘愿奉献的人。

仅供你参考，更希望你能超越!

收件人: wojiger 发件人: bigxiexi 主题: 论吃苦精神

发送时间: 2003-4-24 是否已被收件人浏览: True

老师，我实在想不出母鸡的话题作文，就写了一篇读后感。（《一种人生境界》叶延滨）

请您先帮我判一下这篇文章吧!

精彩花絮

老邓回复:

太可怕了！要是在考场上怎么办?弃权呀?

你这不是严重影响我评改的心情吗?挑衅是不是?叫板是不是?想挨扁是不是?

看在你一贯严格要求自己、作文常常出彩的份儿上，我今天姑且强压怒火为你一评，以体现我礼贤下士的胸怀:

文章主题鲜明，结构十分谨严，论证条理极其清楚，却得不了高分!

为什么?

文章主体部分由三个论证层次构成，分别由三个分论点引领。我们不难看出，前两个层次的思想内容和论证材料是大家都相当熟悉的。而第三层却是你的独特感受与认识。然而，令人万分遗憾(不，是气愤!)的是这一层恰恰写得最空洞、最简略、最粗糙! 人生该有怎样的追求?如何通过吃苦来成就怎样的人生?你到底对此有无真正深刻的认识?

着实可惜了叶延滨的那句极富哲理的话! 你的文章涉及

精彩花絮

人生体验和人生境界了吗?

收件人: wojiger 发件人: wm1wm 主题: 提问

发送时间: 2003-4-30 是否已被收件人浏览: True

邓老师，我看到那些高分作文觉得也不过如此，有时我觉得我想得比他们深刻，可为什么每次都不如他们高呢，是因为每次的小问题吗，难道到了高考，也只有那些没犯一点错误的人才能得高分吗?邓老师，我觉得满毅的那篇文章《英雄梦》的写法很好学，我一直认为这种写法是不妥，没想到那么高，我不知道它的文章是靠什么取胜的呢?

邓老师，我越来越不会写了，每次都冥思苦想出点新奇的立意，可到最后，依然不理想，我都有些灰心了，我的语言和表达不好，因此我只能在立意与形式上创新，可现在，我都快山穷水尽了，写画面式，越写越觉得缺少新意。邓老师，我希望您能够教我写写画面(我习惯那种夹叙夹议的),

精彩花絮

下载

搜Q下载 注册新用户 资费标准 帮助

比如画面什么时候需要写出人名之类的方法。谢谢了!

老邓回复:

孩子啊，追求思想深刻值得赞扬，但是你必须注意的是思想的深刻要以思路的清晰为基础。好比跟人说一件事，我们首先要知道你在说什么，然后我们才能判断你说得好不好，有没有独到的见解。是不是?

你现在一味追求立意新奇，形式新奇，但是我们如果还没有弄明白你在讲什么，想突出什么，文章的思路是什么，那么，我们就很难体会新奇立意。同时，如果文章内容不明确，新奇的形式只会起到添乱的作用！文章的形式和内容必须统一，不能是两张皮!

用不用人名跟你使用材料的目的有关。你想用名人来证明观点，能不写他的名字吗?

世界上有完人吗?有完文吗?更不用说考场上！好与差只是相对而言，这居然也成困扰你的问题了?

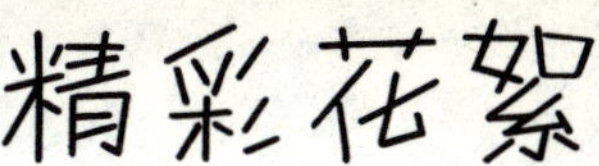

收件人：wojiger 发件人：faye_1984 主题：您好

发送时间：2003-5-3 是否已被收件人浏览：True

邓老师，占用您几分钟时间帮我解决个问题吧。

这几天在家写作文，一点感觉都培养不出来，总觉得看到题目以后脑子轰的一下就一片空白，完全没有头绪。比如说母鸡那个题目，我首先怕自己把握不好寓言的寓意，所以逡巡不前不敢下笔；还有另外那两个题目，看到之后就突然呆滞了，以前练过的东西也不会用了。您说这是怎么回事啊？

我这两天在家应该干点什么呢？

谢谢您！给您鞠个躬！

老邓回复：

怎么啦，怎么啦，傻了呗，还说什么呀?!

害怕管什么用？瞧你那点儿出息，还是我课代表呢！

唉，骂也骂了，看我孩儿窝囊成这样，我忍心不管吗？毕

精彩花絮

竟相依为命三年了啊!

我说，一个故事大概要说什么，你还是弄得清楚的吧?这不就是寓言的寓意吗?有什么难的?至于你所说的看到一些题目脑袋就懵了，如果真这样，不妨先不要急于构思作文，先就这个题目组词组句，看看有没有妙词佳句，然后发问，问一连串的为什么，以此激活思路，激发灵感，“山穷水复疑无路，柳暗花明又一村”，你的写作基础那么好，还真的傻了不成?只是你不愿写出平庸之作罢了，哪至于像你所说的那样!

如果你真的傻了，那我以后就可以毫不客气地用傻孩子的写作标准给你打分——哇噻，不得了，回回满分呢!

免鞠躬啦，飞过来拥抱一下吧!

永远支持你——我心爱的徒儿!

faye_1984 回复:

您这一骂，我顿觉茅塞顿开!

精彩花絮

您的支持，恍如一道昆仑霞光照在我迷惘的心灵上！

让我的拥抱穿过您的网……

向您敬个礼，我去努力啦！

嘿咻嘿咻……

老邓回复：

“嘿咻嘿咻……”天哪，形象死啦！看到你努力的模样儿啦！有出息啊！

收件人：wojiger 发件人：Litchi 主 题：……

发送时间：2003-5-8 是否已被收件人浏览：True

邓老师呀，因为这回的这些题目，我真的觉得没的可写，一点感觉都没有啊！

我也觉得现在这样很不妙，但是没办法，似乎就是写不出个所以然来！

我觉得现在就是思路打不开，每天都憋在家里，没什么

精彩花絮

新鲜气儿，也就一点思路都没有了。最近您往那些栏目里发的小文章也越来越少了啊，素材素材，灵感灵感，都跑不出来了啊~~~~~~~~~~~~~~~~~~~~~~~~~~~~~~~~~~~!

老邓回复：

一提到狼，你的文章立刻显得从容——写作与作者的个性爱好有着多么密切的联系！而这一规律正是我们应当自觉遵循的！

你不是感叹对这几份试卷的作文题几乎没有感觉吗？其实，在审题和构思时有意识地进入自己熟悉、擅长的领地，根据题目的要求，灵活运用自己平素所偏好的材料，不失为一条化消极为积极的途径。

如果构思不幸陷入“鬼打墙”的迷途，索性放弃它，另辟新路！

洗洗脑子，换换材料，别一条道走到黑！

一做考试题目，去浏览素材的人就少了，我有受冷遇之感。好，听你的，我马上“扩仓”！

“非典”时期的精彩(二)

公告发布：2003/5/10(网上作文指导第二十次活动)

非常周末(三) 老 邓

孩儿们:

高考如期进行，假期继续延长，咱们照旧网上惦念关怀吧！遭遇“非典”的日子很烦，幸亏我们还有心灵的基地！

孩儿们啊，交作业之前一定要多看看其他同学的作业，千万不要像上次，明明老邓列出了好几篇不切题的“典型”，却不断有人“前赴后继”、“视死如归”！我拦都拦不住啊！你说这咋整？能不好好儿收拾他(她)吗?!

今天的内容:

1. 继续提交假期作业(在家模拟“二模”考试，时间要掐准啊)。
2. 刷新全部文章，浏览老邓今天提供的15篇新文章，特别关注“今日焦点”中的几组观点针锋相对的文章，借鉴文章的立意和写法，包括标题的拟定。
3. 阅读《距离》一文，开阔思路，并以“距离”为话题作文，具体要求跟高考一致。

怎么样?自行选择吧!

时间不多了，加油啊!

有问题及时跟我联络!

西城二模：说“不”

阅读下面的材料，然后按要求作文。

一个同学，放学后本想赶快回家去做自己心爱的航模，可朋友们非拉他去看电影，他不好意思推辞；一位国家公务员，心底的良知告诉他受贿有罪，可当厚厚的几沓美元放在了茶几上，他却无力拒绝。

对潮流说“不”，是为了追求个性的张扬；对强权说“不”，是为了捍卫平等的权利……

请以“学会说‘不’”为话题，自选角度，自拟文题，写一篇不少于800字的作文。文体自选。

*"不"字难说亦须说

李德隆

有些字历来是很难说出口的，比如说"不"。

"不"表回绝，而回绝别人总归是不大容易的。这个"不大容易"大致可分为两个方面：一是不好意思"不"。俗话说"人活一张脸，树活一张皮"。对别人有求必应，那是很能挣足面子的一件事。若是"不"字出口，则未免会见得我们吝啬或冷血了。二是不能"不"。有时候，面对观念、信仰的束缚或是强权暴力的压迫，我们不敢于说"不"。因为"不"字出口，不是亵渎了信仰，就是受到打压，反倒不如逆来顺受了。

然而不言"不"就真见得正确了吗?恐怕未必尽然。"好好先生"是从不言"不"的，这固然挣足了面子，但是后世使用这个词来形容别人的时候，未必尽是褒义。秦桧是奸臣，因为他不敢对金人言"不"，断送了我大好河山。岳飞和韩世忠虽皆忠良，但一个饮恨风波亭，一个终老洞庭湖，都没能完成收复河山的大业，终究是受了封建礼教思想的束缚，不敢对昏君言"不"造成的。相反，历史上真正成大事的人物，都是是非分明，敢于言"不"的豪杰。关云长虽受曹操解白马之恩，但面对曹操求贤的请求，果断地说了"不"，终于辅佐刘备成就了一方霸业。魏徵敢于直言上谏，对皇帝老儿不当的言行说"不"，辅佐君主开创唐朝盛世，终传为了千古佳话。

由此可见，"不"字难说亦须说。说出"不"字，是敢于鲜明地表现出自己反对的立场，是敢于果断地拒绝对方不合理的请求。不敢言"不"，不是黑白不分，就是懦弱怕事；敢于言"不"，则是是非分明，勇于斗争的表现。

有些字历来很难说出口，"不"就是其中的一个。然而，朋友们，让我们摆脱虚名强权的束缚，在该说“不”的时候，大胆地站出来，挺起胸膛，把它说出来吧！

“不”，宛如一面坚固的盾，替我们抵挡一切邪恶。

“不”，仿佛一把犀利的剑，帮我们刺穿一切虚伪。

“不”，就像一轮火红的太阳，照亮那条属于我们自己的成功之路。

老邓简评

成绩：55 分。

要是文章的内容再丰厚一些就更好了！主体论证部分再来上一段！

这篇文章已被浏览69次。
记者风之舞者发表于
2003-5-10
22:38:54

*不，老师 秋水共长天

面对着眼前码了满满一桌子的钞票，我不禁一呆，说实话，我是头一次看见这么多钱。扭过头，看了坐在一旁的导师一眼，心里想，他从哪里得来的经费，有这么多钱。

“你不要瞎想，这是世界上最大的体育用品商‘飞快’给咱们赞助的经费。”他说，“希望咱们能造出世界上第一个转基因人类在将来作为他们的形象代言人，我决定把猎豹和人的基因进行重组，如果在20年后的奥运会上，这个‘豹人’能突破人体百米赛跑极限9.50秒，‘飞快’将再付给咱们10亿美元。”

“不！”我忍不住喊了出来。

“为什么？”

“这项技术还远没有成熟，重组的胚胎成活率仅为百分之二，况且还不知道对人体有无副作用。那些被重组了猎豹基因的小白鼠明显地显出了烦躁、凶猛和喜好啮咬同类的现象。教授，这些您应该比我清楚。”

“不错，确实有这些现象。可我认为那是试验中出的误差，在人那浩如烟海的碱基序列中插入不到万分之一的猎豹基因，我看不出会有什么差错。况且你要知道……你要知道人是有理智的，他可以控制自己的行为。”

“但，老师，这样做是不道德的，也违反了奥林匹克公平的原则。这样造出的人，肯定不会被查出使用了兴奋剂，但对其他的选手公平吗？如果这种转基因人被允许参加比赛，那么必然会引起各大国的生物技术竞争。”

“更多的人来关注生物技术不好吗？”

“那奥林匹克运动会存在的价值也就荡然无存了，如果今天拥有万分之一猎豹基因的人来参加比赛是可以的，那么明天就会是拥有万分之一人的基因的猎豹来比赛可不可以呢？”

“想想吧，如果我们成功就会成为有钱人了，10亿美金咱们二一添作五。”

“您，您是为了钱才这么做?”

“还有，我们将成为这世界上的明星的，诺贝尔生物奖一定会是我们的，我们制造了另一种生物。想想吧，我们相当于上帝了。”

“为了名和利，您竟能如此，那个‘豹人’会怎么样，‘他’会受到世人的歧视，地位比当初的黑人还不如。照此下去，我们还会造出游泳的‘鱼人’，跳远的‘袋鼠人’。这些后人类，我姑且称之为后人类，会在人类的理性和动物的兽性之间痛苦挣扎。不！太可怕了！老师，我不能答应您。”

“想清楚吧，你会变成世界名人的。”

“也许，我们还会遗臭万年。老师啊，您从前不是这样的，您给我讲过科学史上无数的英雄人物。哥白尼被宗教法庭迫害致死，布鲁诺被烧死在罗马广场上，开普勒最终被饿死，伽利略的后半生只是在与钟摆做伴，老师您，在‘文化大革命’中被打成反动权威，关进牛棚也不曾有丝毫动摇。您曾说过，您鄙视牛顿，他在后半生不甘忍受科学研究的穷困与孤寂而在英王前讨了一个小官，老师啊，难道您要成为第二个牛顿?”

看着导师脸上那依然是不以为然的神色，我愤怒地大吼了一声：“老师您错了！以前我一直是您听话的学生，但今天我要说‘不’，我绝不同意您做这个试验。”

我跑出门，奔向实验室，在导师赶来之前摁下了清除键，所有的人和猎豹的细胞都被高温在瞬间蒸发了。

成绩：52 分。

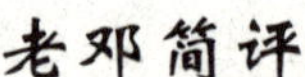

无论科学发展到什么地步，人类都不能失去良知——你的故事耐人寻味呀！

文章内容极具现实意义，主题无疑是对人类心灵的拷问，很有思考价值。

令人尊敬的教授是如何变成道德沦丧之人的?文章相关铺垫还有所欠缺，读来有突兀感。是不是?

这篇文章已被浏览43次。
记者秋水共长天发表于
2003-5-11
15:16:46

生命中的"不"

佚名

在这世界上每个生命，都以它顽强的生命力存在，都以它独特的方式说"不"。

冬日的枯草，将根牢牢地深深地扎于地下。面对寒风，面对冰雪，面对随时的死亡，它以弱小的身躯更以顽强的意志说"不"。它拒绝死亡，拒绝消沉，它坚信春天的到来和生命的延续。

苍鹰面对牢笼说"不"，面对衣食无忧的生活说"不"。它拒绝做笼中之鸟，它渴望在长空中穿梭，在云中翱翔。

古老的苍松，在凛冽的风雪中傲然挺立，它以这样的姿态对风雪说"不"，拒绝风雪的劝降，它相信风雪之后终有晴空。

月亮教会我对黑暗说"不"；大海教会我对嫉妒与狭隘说"不"，学会坦诚和包容；莲花告诉我要对污浊说"不"，使自己的灵魂超脱洁净；蒲公英告诉我要对颓败与消沉说"不"，让我懂得了生生不息的真谛。

人啊，不可思议的生命，它更加懂得说"不"，他们更加勇敢。

战国时代的屈原，无畏朝中小人的讥讽与谗言，面对咄咄逼人的权贵们说"不"。高歌"身既死兮神以灵，魂魄毅兮为鬼雄"，以身投江，为了真理与正义，更为了唤醒无道昏君和蒙昧的百姓。

岳飞也同样用死来告诫人们要对贪婪与名利说"不"，以死来诠释生命的意义，以死来见证他炽烈的精忠报国之心。

正在SARS一线与病魔战斗的白衣天使们，他们向SARS宣战，他们对SARS说"不"。面对可怕的传染病，面对随时被感染的危险他们无所畏惧。他们说过："这是我们的天职，是我们的责任，为了打败病魔我们就算死也在所不辞。"

人之所以不同于动物就在于他们拥有思想，他们的“不”更加震撼，他们的“不”更加让人激动。“不”使他们的灵魂更加美丽更加高尚。

我要学会说“不”，以我的方式拒绝，守着自己心灵的月亮，即使我会一生孤独。

老邓简评

成绩：53 分。

文章由自然而人类，由存在形态到内在心灵，自然过渡，层层深入，将“说‘不’”的意义有价值充分展示，很有感染力。

君君果然是响鼓啊！

语言还须进一步流畅。

推敲：

“在这世界上每个生命，”此处为什么加逗号？

“他们的‘不’更加震撼”此句不通。

内心的呐喊 damantou

对世俗说“不”，是圣洁的心在呐喊；对强权说“不”，是平等的心在呐喊；对凶残说“不”，是善良的心在呐喊；对欺骗说“不”，是诚实的心在呐喊……

你会说“不”吗？你的心会呐喊吗？

我会说“不”。面对勾心斗角的官场，我说“不”！我不为五斗米折腰，“悟已往之不谏，知来者之可追”。我要去过那向往的田园生活，“方宅十余亩，草屋七八间。榆柳荫屋檐，桃李罗堂前”，“久在樊笼里，复得返自然”。听到吗？这是陶潜的心发出淡泊名利的呐喊。

我会说“不”。面对乌江边的渡舟翁，我说“不”！我不会苟且偷生，我是世间的霸王！“力拔山兮气盖世”，是我推翻了残秦的统治，是我平定了大江南北，我是举世无双的英雄。我不会向无耻的小儿称臣，死则死矣，有何惧哉！“生亦为豪杰，死亦做鬼雄”。听到吗？这是项羽的心发出英雄无悔的呐喊。

我会说“不”。面对一展胸襟的机会，我说“不”！“天生我才必有用，千金散尽还复来”，我有着满腔抱负，我有着惊世之才，我更有着铮铮傲骨，“我本楚狂人，凤歌笑孔丘”，我岂能为淫逸骄奢的皇帝老儿歌辞作赋，我怎会向阿谀奉承的宦官贼子点头行礼。“安能摧眉折腰事权贵，使我不得开心颜！”听到吗？这是李白的心发出的愤世嫉俗的呐喊。

我会说“不”。面对敌人的威逼利诱，我说“不”。贫贱不能移，威武不能屈，富贵不能淫。我不会背叛我的国家，背叛我的民族，高官厚禄买不了我的忠骨，毒刑拷打伤不了我的气节。“人生自古谁无死，留取丹心照汗青！”听到吗？这是文天祥的心发出的忠义气节的呐喊。

我会说：“不”。面对一张空白的美元支票，我说

"不"。我虽已年逾六十，但我心念祖国，日日夜夜，都想回到魂牵梦绕的故乡。新中国成立了，我一定要回到祖国去，把自己的余生贡献给新中国！"我要回国，不要美金！"听到吗？这是李四光的心发出的热爱祖国的呐喊。

你的心会呐喊吗？学会说"不"，让你的心发出圣洁，善良，诚实，无私……的呐喊。

"不"，我大声地呐喊！

老邓简评

成绩：54 分变 48 分。

Poor boy! 一篇好文章就生生被你的结尾句戕害了！

请看文章最后两段的"精彩"表演：

你会呐喊吗?

"不"，我大声……

孩儿啊，你想过这种设问恶果了吗?最后的一个"不 "字否定掉了什么?!

* 命运之神 方圆

生命对于每个人是公平的，因为只有一次。

然而，在人们看来，命运对每个人却称不上公平，因为幸运儿总是寥寥无几。

那么，你信命吗？

在我看来，生命正如在茫茫大海上航行的船只，而为这些生命之舟掌舵扬帆的船长，就正是我们自己。每个人都会有自己的理想和目标，那正是我们航行的目的地，然而航程中将经历的风浪却是未知的，这使得许多人因此而胆战心惊，甚至是畏葸不前，松开了握着船舵的双手，使得生命之舟任凭风浪摆布，摇摆不定，危在旦夕。

我们都在这片汪洋中航行。看啊，又一阵大风呼啸而来，又一个巨浪咆哮而至，船上的那些舵手，或不知所措，或仓皇弃船，他们的生命之帆因此而倾倒，他们的生命之舟因此而沉没；他们中的有些人甚至还没有确定航行的目标，有些人只与胜利的彼岸相距咫尺之遥，就因为没有通过这最后的考验，而功亏一篑。

然而，就在这生命面临命运的挑战，遭遇接踵而来的时刻，总有一些船只将风帆高高地扬起，那舵手竭尽力气地把握住船舵，硬是要与那风浪拼一拼！

听啊——

“我要扼住命运的喉咙，它决不能使我完全屈服！”这是谁的声音？寻声而望，一个身材矮小却粗壮刚硬的人，向着汹涌的命运之海，大声宣布着自己的决心——跳动的脉搏和着那钢弦的颤动发出了生命的最强音！虽然在与命运的搏斗中，作为一位音乐家，他被无情地夺走了宝贵的听力，然而这使得他更加勇敢而努力。也许，生命对于他来说过于短暂，但他那富有生命气息的创作依然让人们感受到了他的心声——对命运中的不幸说“不”，感受到了他不对命运低头的超人气魄和不屈性格！

其实，生命就是充满了不幸和遭遇的，但这就是对生命的考验；只有通过这一次次的较量，生命才能更加坚强，就像那燧石一般，受到的敲打越厉害，发出的光才越灿烂！

朋友，你是否已经做好准备去迎接一切挑战了?大胆地扬起生命的风帆吧！让我们对命运中的不幸说“不”，乘风破浪，坚持到底，到达我们远航的目的地，作自己的命运之神！

因为——平凡的人听从命运，只有强者才是自己的主宰！

老邓简评

成绩：53 分。

文章大胆挑战命运，充分表达出强者的豪迈与坚毅，给人以积极向上的引导力量。通篇的比喻论证更使文章充满感染力！

惟一的遗憾是题目难以准确涵盖文章重点内容和充分体现全文主旨。建议改为“向命运说‘不’！”

＊二次石破天惊 hz

音乐厅内座无虚席。

小泽征尔深深地吸了一口气。这是本次指挥大赛的最后一项内容。

随着他手中那只指挥棒的轻轻摇动，迷人的旋律顿时萦绕于整个音乐厅。

宛如山涧间丁冬作响的小溪。

评委的脸上浮着一丝不易察觉的笑意。他们的瞳仁中立着全身心投入的小泽。

忽然，一个不和谐的音符调皮地跳了出来。小溪中滚下了一块大石。

小泽的眉头皱了。

评委脸上的笑意浓了。

小泽果断地让乐队停下来。他仔细看了看面前的乐谱，确信他没有看错。

乐队又重新开始了演奏。小泽有点慌张，他知道这次比赛的重要，他也知道评委的权威。又到了刚才的那一乐章了，小泽凝神倾听。

流畅的旋律又一次被打断了，还是那个不和谐的音符！

小泽又止住了乐队。他的左手有点发抖。他再一次仔细地读了乐谱。

“评委们，这乐谱有问题！”

这声音飘荡在音乐厅上空，石破天惊。

评委们都是一脸严肃。

“小泽，继续比赛，这可是世界上级别最高的指挥家大赛。在座的无一例外都是顶尖作曲家、指挥家。”主持人提醒着。

评委们的脸上没有丝毫笑意。他们的瞳仁里立着一个满脸通红、微微颤抖的小泽。

小泽真的慌了。

他不知道应该怎么做。这乐谱……这些权威……这场比赛……

“小泽，做人最重要的是尊重真理，这就要求他学会说不!”小泽想起了许多年前父亲的话。

“小泽征尔先生,请继续指挥!”一位满头白发的评委,一字一顿地说。

灯光打在一动不动的小泽的身上,汗水轻轻流下他的额头。

继续比赛?学会说不?他在犹豫。

“小泽征尔先生!乐谱没有问题!”还是那位评委。

小泽看着面前的乐谱,盯着那个不和谐的音符呆立着。

忽然,他大吼一声:不!

又一次石破天惊。

随之而来的是掌声。

权威的评委们站了起来:“小泽先生,你赢得了这场大赛:成为一位优秀指挥家首先要学会向权威说不。你做到了。”

急促的喘息渐渐平息了,小泽征尔惊讶地看着这一切。

从那天起,小泽真正学会了说不。说给权威听。

老邓简评

成绩:50 分。

文章充满悬念,行文处处设疑,情节起伏跌宕,铺垫充分扎实——这一切都显示了作者的构思与叙事功底!

结尾的含义似乎有些单一,缺少更加丰富的内蕴。你琢磨琢磨。

* “不”该怎么说——看伊战前外交中的“不”

神来知

伊拉克战争结束了，但仍然有一些东西值得我们思考。

伊战打响之前，美国人大棒在手，气势汹汹，却又迟迟不肯动手。明眼人早就看出，这仗是一定要打的了，可美国在等什么呢?

他们在等三样东西：伊拉克人的心理崩溃，以及联合国的动武授权，土耳其人的领土支持。

然而，三个“不”字，响起在布什的耳畔。

伊拉克人说“不”，是一副镇定的姿态。萨达姆说“真主保佑我们，让一切异教徒的入侵有来无回。”而另一方面，伊使尽一切手段，和美国人周旋，继续上演老鼠逗猫的好戏，摆出合作与无辜的表情。是呀，面对强大的敌人，这“不”字虽然无力，这笑容虽然强颜，但这种周旋到底的策略，却在困境中赢得了同情，显示了力量。

与此同时，法国人也说：“不!”是一副仗义执言的姿态。希拉克说：“世界需要和平，联合国的权威必须得到尊重。”法国人何以如此大胆?法德主张欧洲一体，自然要用自己的声音说话，有了法德的团结，顺应了国际和平的潮流，讲起话来就义正词严。甚至，法国还威胁使用安理会常任理事国的否决权来阻止战争。终于，在法德等国的反对中，联合国没通过英美的提案，使动武得不到联合国的授权。可见，坚持自己的正义立场，反对包括霸权主义在内的一切非正义势力，大声疾呼，义正词严，必能给坏人们以震慑和打击。

最后一个“不”字，出人意料，竟是土耳其发出的。这个“不”字，虽然微弱而含糊，却引起了众人的关注。土耳其是伊斯兰国家，与伊拉克信仰同一个真主，加上复杂的库尔德问题，他当然不想打伊拉克。可是由于经济困难，他又不得不求着美国这个“盟友”。面对美国提出的开放领空，使用基地，“借用”边境等要求土耳其进退两难。于是就演出了一场政府通过，议会否决的好戏。从三月到四月，这戏一拖再拖，终于以小部分满足美国要求而结束，既不得罪美国，又不违背本意。其实，这婉言再婉言也是弱者在矛盾中生存的必需的说“不”技巧呀！

不过，伊拉克战争还是打响了。而这场战前的外交战，却反映出同一个“不”字，不同的国家，不同的说法。

其实，在生活中，拒绝与反对这件事并非简单的一个“不”字就可以完成。当你身处险境，为歹徒所胁迫，这时的“不”字往往会招来杀身之祸。不如学学伊拉克，巧妙周旋，不卑不亢，寻找逃脱之机。当你在朋友之间，进退维谷，既不愿让别人失望，又不想违背本心，这时的“不”字往往会伤害友情。不如学学土耳其，婉言谢绝，表白自己的难处，赢得理解。当然，在你面对不良行为甚至是违法犯罪时，就理应学学法国，挺直腰杆，据理力争，义正词严大胆说“不”。

总之，“拒绝”是“不”，“不赞成”也是“不”，说哪个“不”，就要看情况和立场而定了。

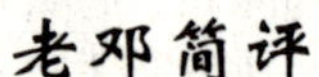

老邓简评

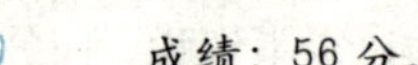

成绩：56 分。

你活脱一个外交家！审时度势，充满智慧！

你决非投机主义者！善恶不混，是非分明！

你的文章清楚地表明了你鲜明的立场和情感！

水样的温柔

冰

一日晚，母亲为我准备了一碗热气腾腾的牛奶。

我一直不喜欢喝牛奶，她还逼我喝，我就理直气壮、字正腔圆地说：“不！”随即一个潇洒的转身，便走开了。

许久，没听到母亲的脚步声，却听到金属勺撞击瓷碗、搅动液体的声音。那种声音在此时听来，就好像一袭寒风吹进整间房子。让我的心中也开始搅动起来。而后，母亲又端着牛奶过来了，还是一如既往的柔和语调“我知道你不喜欢喝，可是这是为了给你补充营养的，你现在马上就要高考了，身体又不像别人那么好……我都吹半天了，不烫了，赶快喝了吧，啊？”那几乎是乞求了，温柔的母亲，对她不孝的女儿的乞求。

此时我深知自己铸下了怎样的大错，明白了那样的一声“不”是如何变作利刃刺进母亲的心的。

窗外的黑影隐约的还可看到些形状。我们现在就是生活在这些钢铁的世界里，寒冷得连吹凉的牛奶都还在冒着热气。

就是这样的冰冷世界里，人们的心都躲了起来，在一次又一次、或大或小、不可避免的寒气的侵扰中，越来越敏感，越来越脆弱。每个人都好像是一只蜗牛，被毫无恶意的人轻触了触角，就用比自身前行快百倍的速度缩进壳里。

总是对世界充满着畏惧，用壳来伪装自己。然后，用自以为的强硬来面对世界。好似无所畏惧的模样加上一身正气，对恶势力、坏人坏事说“不”到还是很好的，可是，说的多了，正气过头之后，就没完没了的把冷冰冰的“不”抛给别人、丢给自己，竟忘记了怎样变得柔情。

“做水一样的人。”不知是哪里看到这么一句话。水一般的人，很是有一番滋味。人要有滴水穿石的刚毅，也要有涓涓细流的柔和。面对黑暗，应有吞噬天地的汹涌；面对光明，则应是润泽万物的谦和。

不是要在生活中委屈自己成全别人，而是学着委婉；不是阿谀奉承、八面玲珑，而是让他人感受到你内心的温情，从而融化他人心中的冰雪。

“不喝！我就是不喝牛奶！”

“我刚才喝了好多水，实在是喝不下了。而且我觉得麦片比牛奶好喝，营养也不少，以后喝麦片吧？”

同样都是在告诉母亲自己不想喝牛奶，同样的说“不”，但一个冰冷、一个温暖，一个尖刻、一个柔和，相信所有的母亲都喜欢温柔的女儿。

仅仅是多说几个字，仅仅是放缓自己的心，对自己是轻而易举的，可是却带给别人这钢铁森林中少有的、珍贵的阳光。有着温暖的阳光，总有一天，再厚的积雪也会化作潺潺的溪流，蜗牛也会抛下那给它避难的重壳吧。

就像学习任何事情一样，学习说“不”也是要下工夫的，不可以“死学”，要学会“变通”，用心去看、用心选择，不同的时候应该用怎样的方式说“不”。说“不”说得好了，也就成了一门艺术了。变化多端，神秘莫测，时而刚强、时而委婉、时而尖锐、时而温存……

英勇的面对恶势力说“不”固然是必不可少的，但在人们心中仍充斥着寒冷的时刻，还是让“不”更多的化作那暖人心田的温泉，总是要比变成严厉尖刻的冰要好得多吧。

老邓简评

成绩：43 分。

文章以小见大，显示出作者敏锐的观察力！但是，实在令人遗憾！你找到一个很好的题材，却与它擦肩而过！

1. 文章的立意很牵强，似乎要告诫人们注意说话方式，心中要存有温情。文章把心冷的原因归咎于钢铁的世界——明明有母亲无限的关怀，何来冰冷？多牵强啊！

2. “正气过头之后，就没完没了的把冷冰冰的”不“抛给别人、丢给自己，竟忘记了怎样变得柔情。”人变得生硬冷漠是正气过头的原因？二者没有必然逻辑关系！

3. “寒冷的连吹凉的牛奶都还在冒着热气”如何理解？

你为什么不就此写随随便便的一个“不”其实是最伤人心的？

你为什么不就此写一个“不”字铸下的大错？

你为什么不就此写一个“不”字就是拒绝一个温暖的世界？

你为什么不就此写一个“不”字就是一种习惯，就是一种封闭？

你可以开掘出多少新颖、别致的内容啊！

问题很典型。唉……哀啊！

这篇文章已被浏览 35 次。
记者 Litchi 发表于
2003-5-16
21:59:45

开不了口　皓子

亲爱的妈妈:

您是否还好?在那另一个国度，您是否仍旧一心惦念着我?

其实，杀死您的凶手是我，并不是您自己。如果当初面对那一帮所谓的朋友的强迫，面对他们对我的侮辱，我可以坚决地说“不”，您也不会最终丧命于自己的刀下，然而，出于男人的自尊，面对他们的挑衅，我开不了口，我拿起了摧毁我的一生、您的一生的那支烟。如果后来我面对毒瘾发作难受难忍的折磨，面对那白色粉末的诱惑，我能够坚强地说“不”，您也不会这么早就离开了这个世界，丢下我一个人继续忍受身体与心灵的折磨，然而我却开不了口。

作为您的孩子，我很惭愧。您是那么的爱我，倾您所有，用您的整个心灵在您短暂的生命中为我谱写爱的动人歌曲。但是我听不到，我带给您的只有哺育、抚养我的艰辛，只有我由于没有父爱而对您的责怪，只有您眼睁睁看着我日渐消瘦的心酸，只有您自杀前对毒品欲罢不能的痛苦……

如果您能少爱我一点那该多好，那样的话，您不会看着我痛苦的表情、伸出的双手而开不了口，说不出那个早已在撞击心灵的“不”；您不会将家里仅有的钱、变卖所有物品所得的钱以及您东奔西走、苦苦求人而借来的钱一次次放到了我那双颤抖着的手中；您不会因为不忍看到我拖着虚弱的身体出去买毒品而帮我去买；您更不会为了帮助我戒毒，为了给我戒毒的信心而去做我的“榜样”——一个戒毒成功的人。

天真的人总是会被残酷的现实所伤害。您天真的想法使您再也离不开了那白色的粉末，那肮脏的东西。先前的信念，以往的笑容，全都消失了踪影，只剩下蜷缩在角落瑟瑟发抖的您的身影。我知道您想说“不”，对毒品、对命运，然而您不能，您开不了口。您最终奔向了厨房，举起了菜刀……

您就这么走了，丢下我孤孤单单一个人。我现在被带到了戒毒所，日日夜夜以泪洗面。可是，面对命运我依然不能说“不”，我决定去寻找您的影踪。

明天，明天我就可以与您相见了，在那鲜花盛开的地方，在那幽静沉寂的地方，在那遥远飘渺的地方，我们可以团圆了。那里不会有肮脏的毒品，不会有肮脏的心灵，即使有，我希望我们能够学会说“不”。

妈妈，我们明天再见。

您的爱子

×年×月×日

亲密聊天室

皓子说：

老师：不好意思，调制解调器被人“偷”了，幸亏“小偷”还有良心，今儿个给我还回来了~~~

老邓简评

成绩：57分。

我的面前，一个痛苦的灵魂在挣扎、在忏悔、在倾诉对最美的最后一丝渴望与憧憬，我的复杂的感情一如他复杂的内心——看来自己确实是被文章深深打动了！文章的成功首先体现在丰富的内涵、丰富的情感上！

其次，文章采用双线结构，在主人公痛苦的回顾中我们清晰地触摸到母子两个人的命运。作者的叙述与描写繁而不乱，很见功力！

这篇文章已被浏览53次。
记者 pingmoon 发表于
2003-5-17
3:59:35

* 万水千山更是情

super_f16

提到"距离"，跳入人们脑海中的往往是诸如"零距离"之类的词藻。与朋友"零距离"接触说明友谊的深厚，与爱人"零距离"接触说明爱情的甜蜜，与偶像的"零距离"接触更是体现出自己无比的忠实。的确，从人与人的亲密接触中能够看到浓烈的感情，但是，真的只有像这样"零距离接触"才能一表真情吗?

"千里送鹅毛，礼轻情义重"是一句广为流传的谚语。其中的情谊之重并不在于几片"鹅毛"，而是在于那"千里"啊! 可以想象，当送礼人经过长途跋涉，越过千山万水，终于站在受礼者面前的时候，两颗火热的心会怎样的激动与感动?在这里，感情的真挚与深厚不正是因为距离的遥远而体现出来了吗?

其实，人与人之间的感情并不在于身体的疏远或亲密，而更重要的却是彼此间心灵的距离。

现在全国各地都在遭受着非典的袭击，而首都北京更是病毒的肆虐之地。所有中国人都在齐心协力，共同抗击着这场突如其来的瘟疫。前不久我从电视中获悉，在美国有许多中国学生和学者，在得到祖国遭遇"非典"的消息之后心急如焚，纷纷慷慨解囊，捐款捐物。虽然他们身处地球的另一边，与祖国相隔千山万水，但是他们的心却与所有炎黄子孙紧紧地贴在一起。他们的爱国之情宛如滔滔江水一般，流向神州大地，融进每个人的心里。也许那几千元钱对整个北京不值一提，那几箱口罩对千万人口也难以应急，但正是因为两地间遥远的距离，这片片"鹅毛"承载上了一颗颗赤子之心，也蕴藏了无私与深厚的情谊。

电视里曾播出的一幅画面使我久久无法忘记：一位"全副武装"的白衣天使出现在可视电话的屏幕中，而电话的另一端是她的丈夫。在这个特殊的时期，他们用这种特殊的方式向对方问候着、鼓励着。从她的眼睛里流露出对丈夫的歉疚，对儿女的牵挂，但更多的还是坚强！也许此时他们相距并不遥远，可是被分隔在隔离区的内外，两人之间的距离毫不逊色于千山万水。但是，我想他们两个人一定从未像今天这样理解对方；两颗心一定不曾像此刻这样贴得如此之近。

看来，心灵的“零距离”才是真正的“零距离”。无论是在天涯还是在海角，只要心心相依，真情就会与我们在一起。而且，往往，万水千山更是情！

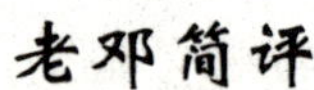

成绩：52 分。

文章思路清，层次明，想得深，写得美。

最可贵的是紧密联系现实生活，同时突破“非典”题材的一般写法，从“距离”入手讴歌心灵之美，新颖巧妙！

精益求精：

1.“人与人之间的感情并不在于身体的疏远或亲密，而更重要的却是彼此间心灵的距离”。病句！“而更重要”应改为“而在于”。

2.“也许那几千元钱对整个北京不值一提”中“不值一提”使用不当！

“也蕴藏了无私与深厚的情谊”一句后面应加上“从而显得格外珍贵！”否则意思残缺，与前文脱节。

3.结尾句的“而且，往往”很别扭，语意不畅。何不改为：“有道是：心灵相同无阻隔，万水千山更是情！”

如何？

你看你看诱惑的脸 April

面前这位年轻俊朗的青年便是芮成钢——毕业于外交学院，中央电视台英语频道主播，2001年全球明日精英。两年内采访了二百多个世界政要、经济巨鳄、学界名流。

面对这样杰出的青年，身为记者的我不免有些紧张，我觉得被他身上的光环刺得睁不开眼。

他自己倒是不以为然："那些'精英'之类的名号都是花哨的东西，我其实也就是一个记者兼主持人。"

"记者啊，"我感叹道，"从外交学院毕业的人中很少有做记者的。"

"是啊。当时摆在我面前有四条路，一是去外交部当外交官，二是去中国银行做行长的外事秘书，两个单位都已经向我发出了诚挚的邀请。三是出国留学，那时我手里握着英美两国名牌大学的全额奖学金，还有最后一条路就是去中央电视台正在筹建的英语频道做记者。"

"条条大路金光灿烂，条条大路指向成功啊。"我不由感慨道。

"的确，这是一个非常艰难的选择。"

"诱惑你的地方太多了。"

"这是我第一次面对诱惑，"芮成钢的眼眸闪着光芒，"无论选择哪一条路，对另外三个说'不'都是一件非常痛苦的事情。这对大学刚毕业的我来说太难了，但我想，人生中总会处处面对诱惑的，总得学会说'不'呀。这仅仅是一个开始。"

"所以，我就开始不断比较、权衡。首先放弃的是外交部。我的学长们大都去了外交部，但我觉得在政府部门工作对我来说挑战性太小了，我当时还是挺有野心的。中国银行的金色地毯真的很耀眼，太多的权力和金钱在前面等着我，我当时就想，如果真的去追求了这些，人生未免太苍白了吧。虽然当时父母都极力支持我去那里，但我还是放弃了，这并不是我真正向往的。"

"出国留学呢?这是一个迅速镀金的方法啊。"

"的确，这个'不'字最难说出。因为年轻吧，我觉得自己应该在国内积累几年再出国，虽然出国留学一直是我的梦想，但我想我真正需要的是中央电视台这个洁净的平台，让我在上面尽情挥洒自己的才华，而出国，我想可以再等几年，等弄明白了中国的事情再说。我想我年轻，处处都是机会。所以，最终向留学之路说了'不'。"

我长吁一口气，"许多年轻人都会像你一样面对诱惑经历着这样一份痛苦的挣扎吧。"

"没错，能向诱惑说'不'，不是一件容易的事情，这本身就是一种成长。"

面前这位滔滔不绝的青年终于让我折服，从他坚定而冷静的目光中，我才明白他的成熟、他的睿智来源于对自己信念的一份坚持。正是因为这份坚持，才使他学会了勇敢地向诱惑说'不'。在荣誉、名利的光环下，我看到了他以最清醒的头脑作出了选择，并朝着自己的方向坚定地走下去。

亲密聊天室

April说：

邓老师，最近头脑真的很混沌呀，坐在电脑前痛苦死了，实在没心情写作文，您凑合判吧，我会把另两篇也写好交给您的。

wojiger回复：

哇，脑子混乱之时还能写出一系列文章，威猛啊！我好好佩服你耶!!!!　但我感受到了你的痛苦：这篇文章与另两篇相比，明显减少了挥洒自如的从容气度。

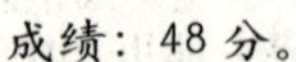

老邓简评

成绩：48分。

看得出作者急于交代文章的主题思想，缺少合理的构思，自然的铺垫，人物性格塑造有些生硬牵强。

比如，主人公始终坚持的是什么？不够明确；他的痛苦挣扎有哪些？不具体。

但是，我想告诉你的是，无论如何，你的文章风格突出，你的才华挡不住！

这篇文章已被浏览55次。
记者wojiger发表于
2003-5-17
14:57:53

海淀二模：对手

对手是什么?

有人说，对手是要战胜的对象，要想尽办法击垮他；有人说，对手是竞争的伙伴，要在竞争中共同发展；有人说，对手是要攀登的高山，山越高，征服它就越能体现自身的价值；有人说，对手是论坛上的辩友，失去了一方，另一方也会失去意义……

请以“对手”为话题，立意自定，题目自拟，文体自选(诗歌除外)，写一篇不少于800字的文章，所写文章必须在所给的话题之内。

* 对手—知音 damantou

对手，是知音。常言道："棋逢对手，将遇良才。"只有势均力敌的双方，才可称为对手。无论你对对手是爱是恨，是嫉妒还是畏惧，你都不免会有崇敬之情，因为他是你的知音，他身上有你自己的影子。有对手的争斗才会精彩，有对手的人生才会愉快。

春秋时期的管仲与鲍叔牙，在齐国为官，当齐国公子争夺王位时，二人各为其主，出谋划策，针锋相对。后来，鲍叔牙辅佐的公子小白当上了国君，鲍叔牙却推荐管仲为相国，自己甘居其下，管仲深有感触地说道："生我者父母，知我者鲍叔牙也。"这就是管鲍之交，曾为对手，却是一生的知己。

三国时期，诸葛亮设下空城计，于城上凭栏而坐，焚香操琴。司马懿立马侧耳倾听，谓其子曰："琴声悠然，高耸巍峨如绵绵之山，浩浩荡荡如流淌之水，非心旷神怡者不能为之，听孔明抚琴，如观其肺腑也。吾能为孔明知音，实是平生之幸也。"司马懿与诸葛亮是对手，无不想致对方于死地，而二人互为知音，因为二人都钦佩对方的才智，孔明六出祁山，却最终星落五丈原，皆因司马懿的缘故；司马仲达受辱，乃至兵困上方谷都是孔明所为。诸葛亮曾言："吾欲伐魏久矣，奈何司马懿总雍、凉之兵。"可见，他们是由衷地佩服与忌惮对方。

曹孟德与刘玄德煮酒论英雄："今天下英雄，惟使君与操尔！"周瑜仰天长叹："既生瑜，何生亮！"如此种种，无不是对对手的了解与敬畏，只有在与对手的角逐中，才会兴致勃勃，才会竭尽才智，放手一搏，征服他，才会体现自己的价值，能让自己体现出价值的人，当然是知音。

如果失去了对手，你的价值就无从体现，从而变得高处不胜寒。金庸笔下的剑圣独孤求败，剑法通神，毕生但求一败，却终生未能如愿也。寂寞高手的孤独，难以想象，见他最后隐匿山中，终日与禽兽为伍，让人不禁为之怜惜。他站在海边，眺望茫茫大海，感叹:“知音茫茫! 知音茫茫!”

对手，是知音，他会挖掘出你的潜力; 他会给你无尽的动力; 他会让你体现自身的价值; 他会让你享受竞争的乐趣。这就是对手! 这就是知音!

老邓简评

成绩：53分。

相当不错的一篇文章！你果真是愈战愈勇了！好状态！

如果能够进一步突出开篇的“精彩”一词的特点，写出对手使生命光彩夺目，文章必能意趣盎然！

* * 陪我一路走过

pangxue

一个巴掌拍不响。没有双方的竞争，第一名不会诞生；没有与对手的较量，显不出胜者的强大。一生中，我们在与对手的拼搏中，慢慢成长，享受生活。

人们总把对手视为敌人，其实对手是你最好的朋友。在不断的竞争、拼搏中，你了解了他，他了解了你。就在你历尽挫折、想要放弃的时候，对手从你眼前闪过。于是，带着不服输的个性，你又一次踏上了奋斗的征程。但是成功之后，对手不会让你有感谢他的机会。因为他那不服输的眼神，又向你发出了挑战。于是在这一次又一次成功与失败中，你与他都变得坚强、成熟，在心中，你会默默感谢，感谢对手那挑衅的眼神，感谢你与他之间的比赛，感谢上帝赐予你这样一个朋友。他与你共同分享着一路上的酸甜苦辣，他与你一道经历着一路上的喜怒哀乐。

虽然对手总在与你竞争，但唇亡齿寒的道理是亘古不变的。没有了对手，竞争就毫无意义，胜利也不欣喜。坐在冠军的宝座上，当没有人再向你挑战的时候，你是否会感到一阵空虚，一种寂寞？记得曾看过一种高空挑战游戏：两个人站在两根高空钢丝上，相互借力使力，走完全程。试想如果一人退出这场游戏，另外一个人必然也随之退出。在行走中，相互推着对方，只有双方都出力，才能走到对岸。

还记得看过这样一个故事：海边，两位老人在钓鱼。一位瘦瘦的，一位胖胖的。瘦老人把鱼饵做得很大，只钓大鱼；胖老人把鱼饵做得很小，钓小鱼。一天下来，胖老人提着一桶小鱼笑眯眯地走了，瘦老人也提着空桶欣然离去。人们都说还是胖老人会享受生活，瘦老人也正因为对生活的完美要求一无所得。但如果这海边只剩下了一位老人的身影，这种对生活的不同追求又何以体现呢?对手是一幅两个人的图画，如果画上没了他人的衬托与对比，只能算是一幅单调的自画像。

一路走来，你在与对手的竞争中成长。有些对手有形，有些对手无形;有的对手是他人，有的对手是自己。在与对手的较量中，你不仅成就了自己，也成就了你的对手。在相互不断的竞争中，你的人生路变得更加充实、不再寂寞。

我想，应该对对手说声谢谢，谢谢有你陪我一路走过。

老邓简评

成绩：56 分。

文章在从容不迫的论述中展现一种精神追求，一种雍容气度。没有震撼人心的奇效，却有拈花而笑的睿智。

推敲：

1.“虽然对手总在与你竞争，但唇亡齿寒的道理是亘古不变的。没有了对手，竞争就毫无意义，胜利也不欣喜。”这句话中“虽然对手总在与你竞争”的言外之意是什么?后面的“但是”应当表达什么样的意思?“无意义”，“不欣喜”能否准确阐释前一个分句的意思?

2.“一个巴掌拍不响”这个俗语一般指矛盾的产生大家都负有责任。此处运用不当。

3.“一幅两个人的图画”什么“一幅”?

这篇文章已被浏览 67 次。
记者 wojiger 发表于
2003-5-12
10:54:11

**魂之语 hz

一切都完了。

当我的魂魄目睹到沛公引兵攻入秦宫的那一刻，我知道了：我的对手，不！是大秦的对手赢了。

想我当年，灭六国而统一天下，征四方蛮夷，扩展疆域。一座阿房宫，昭示天下我的英明神武，而今呢?楚人一炬，可怜焦土。我的对手把它烧了。

想我当年，开创百世之基业，自号始皇帝，欲延万世而为君。现在呢？我的大秦只延了三代就被我的对手灭了。

我总是犯这样的错误 那已经不是我的对手了。那是大秦的对手。我的魂魄只能眼睁睁地看着戍卒叫，天下反，诸侯任意欺凌我的子孙。

这些该死的对手！他们一定已经不记得当初我革灭殆尽之时，他们的先祖是怎样落荒而逃的了。

我会牢牢记住他们的：陈涉、项羽、刘邦……

现在还有谁会记得当初的嬴政是怎么把他的对手一个个击败，让整个天下臣服？现在人们只知道嬴政对手的子孙成了嬴政子孙的对手，并且人们只知道，嬴政的子孙输了。连嬴政的宗庙都被烧毁了。人们还知道，现在的嬴政，不过是个孤魂野鬼！

没错。我真的成了野鬼。在阿房宫的焦土上一驻足就是几百年的野鬼。我在想我要向大秦的对手复仇。陈涉、项羽、刘邦……

直到有一天，在我目睹了又一次战乱之后，我听到了又一朝天子的肺腑之言：水能载舟，亦能覆舟。我不禁想起当初陈涉揭竿而起之后的应者景从。我回想起当时的天下大乱。我想起了戍边士卒怨恨的眼神。我有点害怕了，我和大秦的对手，不光是诸侯，不光是陈涉、项羽、刘邦。我们的对手是整个天下。

我黯然了。复仇？向对手？向整个天下复仇？

一位俊朗的文人，在目睹了我驻足的这片焦土之后，香毫轻挥，留下了《阿房宫赋》。“呜呼！灭六国者六国也，非秦也。族秦者秦也，非天下也。嗟夫！使六国各爱其人则足以拒秦。使秦复爱六国之人则递三世可至万世而为君，谁得而族灭也？”

我呆住了。我想到了我当初的荒淫，我想到了赋税徭役的沉重，我想到了我的苛政。

还有什么可说的？我的对手一直都是我自己。

我和我的大秦是被自己打败的。

至于当初的一统天下？那文人说得很清楚了，六国的对手也不是我，而是六国自己。

老邓简评

成绩：59分。

让虚无的魂魄来审视真实的历史，文章的构思可谓精巧！给人的震撼或启迪更能发自心底！

文章的铺垫、烘托技巧相当娴熟：层层剥笋，卒章显旨，水到渠成！

祝贺你成为本周最佳写手！

精益求精：

请注意标点符号与内容表达的密切关系：

“我在想我要向大秦的对手复仇。陈涉、项羽、刘邦……”改为“我在想，我要向大秦的对手复仇：陈涉、项羽、刘邦……”似乎更准确。

这篇文章已被浏览74次。
记者 wojiger 发表于
2003-5-13
15:54:58

对手——成功路上的铺路石 xuxu

一位年轻人问一位哲人:“成功之路上需要什么?”哲人笑着说:“成功之路上惟一不能缺少的是对手。对手使你激起奋斗的火花;对手使你拥有永不放弃的目标;击败了对手,你就会在成功之路上迈进了一大步。对手就是你成功路上的铺路石。”

伟大的军事家:他的宏伟战绩中缺少不了击败对手的经历。罗马大帝凯撒在他长达十年的征战中击败无数对手,率领着当时最强大的军队扫平欧洲,建立了强大的罗马帝国。建国之初,他面对着当时国内的反叛分子首领庞培,毅然立起对手之旗,率领军队在整个欧洲追击庞培,镇压各地的起义。他的勇敢使人民更加坚信了他的力量,凯撒平定内乱回到罗马,民心恢复稳定,这为他日后维持国家繁荣奠定了牢固的基础。当对手来临时,正应该像凯撒一样勇敢地冲上去,迎接对手的挑战。因为,击败对手的经历将是你人生史册上又一宏伟篇章。

商业场上的赢者:他曾面临无数对手,只有将对手各个击破,才能在市场中拥有自己的一片天空。在美国石油大王洛克菲勒的美孚石油公司成立之初,当时的美国市场中有无数强大的竞争者。洛克菲勒认为在充满竞争的市场中,弱肉强食、大鱼吃小鱼是天经地义的事,只有公司足够强大才能够有统一市场价格、维持市场稳定的能力。所以他此后吞并了他的对手们,最终垄断了全美的石油业,给美国经济称霸全球创造了有利条件。在洛克菲勒的人生字典中,“对手”二字对他来说有着举足轻重的意义,是对手给他提供了获得巨大成功的机会。

成功的外交家:拥有对手是他工作的前提。我想,就对手而谈,外交家是最需要的了。没有对手,外交家和谁去谈判?又从何去展现他非凡的谈判技巧呢?美国前国务卿基辛格对此感触应该最深。在他的谈判生涯中曾与多少辩论高手交战？基辛格都是以他胜人一筹的姿态向世人展示了他的才华。击败了对手，他便又为祖国作了贡献。美越之间的和平协议，指导中美关系正常化发展的《上海联合公报》都是在他的努力下完成的。没有对手，就没有这样伟大的外交家。

对手，有些思想狭隘的人认为那是他们的绊脚石。然而我却认为事实正与此相反，对手给了我们挑战的空间和永不熄灭的奋斗之光，这使我们的人生有了意义。对手是人们成功路上的铺路石。

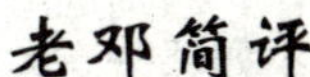

成绩：40分。

文章搭建起了一副很好的骨架：引用哲理故事开头并总领全文——主体部分分三个片段、三个角度阐释主旨——结尾从反面入手回扣题目，深化主题。

思路多么清晰！

不过还必须注意以下问题：

1. 三个片段的组织结构不统一：片段一在概括叙事之后得出结论照应开头，而后面两个片段却没有这部分内容，属重大失误！因为“片段式”的关键恰恰体现在这样的分析作结上！

2. 片段三在客观叙事过程中突然穿插进一个“我”，不伦不类，破坏了“片段式”的行文特点！

3. 既然题目将“对手”作为论点的主体，很显然，文章阐释的主体也应该是对手。所以，每个片段都应该从“对手如何使某某获得什么样的成功，为某某铺平什么样的道路”这一角度论述。

推敲之处：

“镇压各地的起义”中“镇压”一词的效果是褒还是贬？

有“赢家”一词，无“赢者”一词。

好好儿琢磨琢磨啊！问题很典型。

这篇文章已被浏览51次。
记者 wojiger 发表
于2003-5-14
16:06:08

✻✻梅花香自苦寒来

方圆

那年的隆冬，我在花园中见到了她们。

她们还是那样的幼小，她们还是一个个幼嫩的花苞，轻轻地睡在一根根梅枝上。

我环顾四周，在这树梅的旁边竟再没有绽放的花朵了，只有干黄的小草和蜷缩的枯叶，就连松柏也没有了盛夏时的生机，黯淡了往日的翠绿，在一股股凛冽的寒风中阵阵颤抖。

我不禁为那树娇梅担心：在这世界万物中，惟有花草最为娇气。因为她们既不能和飞禽走兽一样，遇到危险或身处困境时可以躲避或逃离，而且筋骨也不如那些高大的乔木强硬，可以抵得住风寒；所以但凡是美丽的香花碧草，都绝不选择在这样的季节中生长、开花，她们需要温暖阳光的呵护，甘甜雨露的滋润，和煦清风的爱抚。而在这隆冬时节里，花草生存所需的条件一个也不能满足。

可是，梅啊，你却为何这样执拗呢?为何这样对待自己呢?是你不敢与百花争奇斗艳吗?可是你的美貌一点也不逊色于海棠，你的香气甚至比幽兰更胜一筹；那你为何要选择这样一个恶劣的环境?为自己找一个比拼的对手吗?你那弱小的身躯怎能抵挡住那样一个强大对手的猛烈攻势呢?

梅不语，依旧静静地睡着。那幼小的花苞上轻轻地泛着一丝红润。

我无奈地离开了；在以后的日子里，我常来看她们。

还好，在她们长大的这些日子里，天空一直是晴朗的，阳光虽不比以前温暖，但还是很灿烂。我为梅祈祷，但愿她们能够顺利开放。

可谁知，那一夜，雪花纷飞……

清晨，我着急地跑去看望她们，“她们会不会被……”我想不了那么多……然而眼前的一切却出乎了我的意料——梅花开了！虽然枝头上满覆着白雪，但花蕾还是从浮雪中钻出，面向阳光，开怀地露出了笑颜!

我走过去，只见白里透红的花瓣宛若孩子们的笑脸，一阵花香扑鼻，沁人心脾，陶醉了我的心……

梅，以她坚强不屈的性格和不凡的气魄支持着她羸弱的身躯，战胜了严寒风雪这个强大的对手。然而换个角度想想，梅之所以选择这样的对手并努力去征服它，不也正是为了证明自己不凡的精神价值吗！此时，我明白了梅的用意，心中对梅的钦佩之情便油然而生——梅啊，你是这样美丽！正可谓：赏梅更要品梅，赏梅之美丽，更要品梅之精神。

“梅花香自苦寒来”——梅之魂正由苦寒而生，也正由苦寒而证！

亲密聊天室

1221的疑问：

邓老师好。

请问我昨天发的那篇《梅花香自苦寒来》得多少分呀？为什么没有简评呀？是我写得不好，需要重大修改，还是什么别的原因？我很期待着您的评语。请您明示。

wojiger答复：

催命鬼！见“评改快讯”。

老邓简评

成绩：53分。

“梅花香自苦寒来”本义是指艰苦的环境磨砺意志，成就品格。而本文作者却从这句话中领悟到对抗的力量，巧妙地将这句古话引入“对手”话题，使熟语翻出新意，自然而贴切，并给人耳目一新的感觉。

好构思！好立意！好文字！

遗憾之处：

结尾跟你的话题有什么关系？这不是古话的本义吗？

将“梅之魂正由苦寒而生，也正由苦寒而证！”巧妙地改换为“梅之魂正由对手苦寒而生，也正由对手苦寒而证！”不就紧扣题目且耐人寻味了吗？否则文章的新意从何体现？

写话题作文，一定要增强话题意识啊！

这篇文章已被浏览62次。
记者1221发表于
2003-5-15
14:02:48

＊在最后的时刻

未知

四飞的弹壳不断打在我的周围，战友的血不断溅到我的身上。我知道，与我暗中对决的是苏军最好的狙击手，他的枪已经结果了几百个我方士兵。不过我深知，我才是他最大的目标。这样僵持已经几十分钟了。一旦他死了，我军的心腹大患就除去了。他真是一个好枪手，是我见过的最危险的对手。这是一场机智的对决。

攻歼机在上方盘旋，炮火声不断响起。我的心里却很静。因为现在任何的分神都可能导致杀身之祸。我仿佛能看见斯多林科愤怒的眼神。

又几十分钟过去了。我有些疲惫，脑中闪过一丝不祥的预感。我把身体往石头后再挪一挪。

这就是斯大林格勒?不，这是绞肉机。看着战友一个个倒下，闻到空气中弥漫的火药味和血腥味，我不禁打了个寒战。他们都说我是最好的狙击手，可我不是个好士兵。眼看生命在一秒中完结，我突然感到既茫然又恐惧。在心理的较量中，我先败给了斯多林科。因为他心中没有负罪感，只有仇恨，只有见一个杀一个的决心。我甚至可以看见瞄准镜后迸发仇恨的瞳孔。他在搜索一切可以搜索到的目标，他是在为国家效忠，他是在保卫他的家园。而我，在这里干什么呢?

我曾经多么热切渴望到这里来啊!为了帝国的扩张，为了一个疯狂的野心。几个月来，我的双手沾满了鲜血。而我的心，却被战火纷飞冷却了。

很奇怪，作为交战的对手，我很清楚斯多林科在想什么，而我自己却迷惘了。战争?他死了是民族英雄，而我，就算胜利了，也不过是个侵略者，是强盗，是凶犯。

真是见鬼，我越来越不能平静了。我看着被子弹穿过身体的战友，是一种彻骨的绝望。你们离开了家人，千里迢迢到了这里，杀人，抢地，你们得到了什么?满身的弹孔……其余什么都没了。而失去的，是亲人，是爱，是生命。这可恶的战争!

我的对手，我的敌人，不只是斯多林科，不只是苏军，而是和平，是正义，我们是在与爱为敌。而我醒悟得太晚了。

蝴蝶？很久不见这么美的色彩了。我伏起身去够。

“嘣”……

斯多林科，如果没有这场战争，你会是我最敬畏的朋友。而现在，我要回去了。

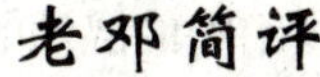

老邓简评

成绩：57分。

杜宇坤，果然不可小瞧啊！

选材多么新颖，构思多么出人意料！

还有文章那精彩的心理描写！让正义从一个侵略者的心中悟出，给人的思考多么不一般！

注意语言的准确，这对描写故事至关重要：

1.“结果了几百个我方士兵”改为“要了我几百个(?)战友的命”。

2.“你们离开了家人，千里迢迢到了这里，杀人，抢地，你们得到了什么？满身的弹孔……”中的“你们”应改为“我们”。

这篇文章已被浏览53次。
记者Dyk006发表于
2003-5-15
18:14:40

最后的对手 李德隆

“我不得不承认，我这一生从未遇到过这么强劲的对手。”贝克医生坐在一把木椅上，眼窝深陷，目光黯淡。

这是一间破旧的小木屋，屋子的三个角各摆着一张床，上面各躺着一个神形枯槁的男人。屋子正中是贝克的木椅，以及他脚旁燃烧着的火盆。屋子里再没有其他的摆设——除了地板上那一堆堆易燃的干草。现在同伴们都躺下了，然而贝克不能，因为他还有最后一件事情要做。

“的确。”躺在屋子西北角的一个衣衫褴褛的男人附和道，“要说我这辈子的对手可算是成百上千，但绝没有一个像这个这么难缠！”

“你？”东北角的虬髯客发出一串呼噜噜的混浊的笑声，“一个乞丐能有什么成百上千的对手？”

“怎么没有！”乞丐的声音尖了起来，“你虽是船长，但不要瞧不起我们叫花子！这座城里一共有412个叫花子，一日三餐大家都要去讨，要是动作慢了先被人家抢去，那就得挨饿！民以食为天，你说，这些和你抢饭吃的对手，算不算得？”

“算得！算得！”船长咧开大嘴，继续呼噜噜地笑着，像一头沉重喘息着的黄牛。

“可是我们这些叫花子真是团结。”乞丐没有理会船长笑声中的嘲弄，继续道，“若是有人欺侮了我们叫花子，大伙儿一准齐去帮忙！”

“嘿！我的对手才叫厉害呢，虽然还都及不上今天这个。”船长止住了笑，接口道，“我一生纵横四海，什么大风大浪没见过，它们都是我的对手。可是大海的儿子永远懂得征服！对手越强，征服它就越能体现英雄的价值！”船长的声音渐渐高昂，但突然停了下来，似乎陷入了对往事的回忆。过了一会儿，他继续道：“可今天，大概我是输了……呼……呼噜噜……”大家都听出，他自嘲的笑声中透出了一股无奈与悲伤。

“将军，你呢？”贝克对东南角的老人说。

老人穿了身几近褪色的草绿色军衣，平平整整地躺在床上，一动不动，仿佛一块凝固了的石雕。“战胜他们。”将军

的话简练而干脆。

“您总能战胜对手吗?”乞丐插嘴道。

“我一生大小战斗112次,败了59次,12次不分胜负。”

“呼……呼噜噜……那您可是经常被对手击败啊……呼噜噜……”

“对手是我的对手,我也是对手的对手。虽然战败,却要屡败屡战!人这一辈子,处处都会遇到对手,有竞争而相互支持的,又需要征服要我们永不退缩的,也有像今天这样的我们暂时没有能力战胜的,然而无论是怎样的对手,我们作为一个真、善、美的‘人’都是毫不惧怕的!”

“啪啪……”贝克带头鼓起了掌。接着他站了起来,扫视了一下他的同伴们,沉声说道:“朋友们,这是人类有史以来最危险的对手,但绝不是将来最危险的。这场鼠疫可以夺去我们全城人的生命,但绝不可能战胜我们人类。我们是人,人性不灭,即使面对再强大的对手,我们也决不会被击垮!好了,就到这儿吧。”

贝克说完,一脚踢翻了脚下的火盆——这就是他要做的最后一件事了。干草立即被火苗引燃了,跳动的火焰像狂舞的魔鬼,吞噬了一切——包括那些致死的病毒——却吞噬不了人的真、善、美。

“我们现在战胜不了它,但它永远也不能战胜我们。”

这是贝克最后的话。木屋中传出一阵“噼啪”声,不知是火焰的爆鸣,还是人们最后的掌声。

老邓简评

成绩:45分。

文章构思很有特色,小对手引出大对手,一环套一环,既展示人们与对手较量的日常生活、精神面貌,更竭力挖掘面对绝境时人类的巨大精神支撑,内容丰富,意韵深远。

不足的是文章有主题先行之嫌,并非水到渠成般自然表现出来:

1.“我们作为一个真、善、美的‘人’都是毫不惧怕的!”这样的话与语境缺乏必然联系,显然是游离于故事之外的概念。

2.为什么要焚烧一切?与“战胜”有何必然联系?

3.这些人为何会聚到一起?缺乏必要的交代。

这篇文章已被浏览31次。
记者风之舞者发表于
2003-5-16
19:29:51

＊对手亦朋友 bigxiexi

《西游记》中最让神通广大无所不能鬼灵精怪的悟空头疼的妖怪是六耳猕猴，非但师傅师弟难辨真伪，就连观音菩萨也束手无策。因为六耳猕猴与悟空太像了。且不说相貌皮毛，就连手段都一样厉害。可见，对手反而是与你最相像的，无论是能力还是性格。就这点说对手完全可以成为朋友。

也许是追逐的利益不同，也许是价值观不同，总之两个本应成为朋友的人便成了对手。但谁又能说这不是命运的一种巧妙安排，让彼此的人生有更多的起伏和精彩。斗争或是竞争的快乐并非每个人都能尝到。大海与小溪自会相容无事，但只有海潮与海潮撞击时才会产生惊天巨响，即使两相毁灭，但那一声巨响已经向天地昭示：我已存在过。

对手让你的生命更有意义，在于与对手的撞击中，自身价值得到了体现。就像对于登山运动员来说，登上顶峰是追求，风霜雪雨是对手，朋友只会帮你整理器具，帮你做准备，而对手才会激发你的意志你的勇气，才会使成功变得更有价值。这种撞击才会产生巨大的力量，就像水火相遇互不能容，升起的道道白烟化而为虹，映出一片五彩的天。《三国演义》中，刘关张初露锋芒，便是在合斗吕布时，双方激战多时，不分胜负。精彩、惊心，这才让众人知道刘关张与众不同。可以说，让刘关张得到发现与认同的，不是伯乐，是对手。

对手的赞誉和获得朋友的理解一样让人欣慰。获得对手的尊敬与获得朋友的感情同样可贵。《三国演义》中曹操与刘备煮酒论英雄便成了经典场面。曹操对于东吴无可奈何，不禁感叹“生子当如孙仲谋”。而孙权对曹操的评价“尔若不死，我食难下咽”，让曹操拊掌大笑，乐了半天。

对手亦朋友，在与他一番斗争后，对手在内心就像一位知你、懂你的朋友，让你觉得此生不虚度。

知音难觅，对手也难逢。古往今来，多少能人的孤独并不是缺少良朋挚友造成的，而恰恰是一种领跑的寂寞。武侠小说中有一位大侠武功盖世，无人能及，孤独难耐，自己改名作孤独求败，折剑入山。个中滋味就有如俞伯牙在未遇钟子期时的感觉吧。

对手亦朋友。不知你可找到了这位“知己”了吗?

老邓简评

成绩：47分。

文章驰骋联想，充分利用文学作品、历史传说中的相关材料，将对手与朋友之间密不可分的关系阐释得有深度，有层次。

文章的许多语句凝练而深刻，隽永而充满诗意，很有表现力和感染力!

但是文章局部存在着不可忽视的问题：论点与论据不统一!

1.“朋友只会帮你整理器具，帮你做准备，而对手才会激发你的意志你的勇气，才会使成功变得更有价值”。后一个分句的“而……才”说明对手与朋友有区别，这样的论据还能证明“对手亦朋友”吗?

2.“多少能人的孤独并不是缺少良朋挚友造成的，而恰恰是一种领跑的寂寞”句中“不是……而是”进一步说明二者的区别，这样的论据能证明你的论点吗?

明显的硬伤啊!

遗憾之作!

这篇文章已被浏览45次。
记者wojiger发表于
2003-5-18
11:18:39

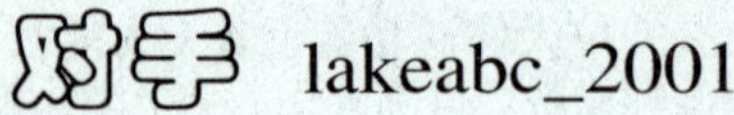

对手 lakeabc_2001

进藤光和塔矢亮是一对在竞争中共同发展的对手。

初次相遇，光是一名普通的小学六年级学生，而亮虽也是六年级，但已是世人关注的天才棋手。光被亮对围棋的执著与热爱打动，对围棋产生兴趣。而亮也被光的特质吸引，知道他将来一定会成为自己一生的劲敌，不禁把开始认真学习围棋的光当作对手。于是，两人相互交织的围棋奇谈就这样开始了。

"正因为是你才能走到这一步，正因为是你，才能让我走到这一步。"亮的这段话，也许最能形容这段历程。

"你那认真的眼神，逼得我痛下苦功，以追赶你这远远的目标，我要奋起直追，直至追上你的水平，终有一天，我会彻底击败你！"这是光在那天立下的誓言，他也的确这样做了，他每天练习，而且在听说亮马上就要成为职业棋士后，为拉近与他的距离，不惜与朋友发生口角，不惜放弃一直期待的校际比赛，去参加院生考试。(院生：在日本棋院属下机构接受培训，准备将来做职业棋士的小孩，院生不能参加业余比赛。) 光通过了院生考试，成功地向亮迈进了一步。这一点刺激了亮，他不甘落后地说："既然这样，我就向前走得更远，让他望尘莫及，不容他走近一步！"亮也的确这样做了，他更加努力地磨炼自己的棋艺，并在新初段赛上只要稳守便可以获胜的情况下仍不断进攻，仿佛在对光说："我向着前方迈进，我的目标只有顶尖棋士，至于你，我完全不放在眼里，有本事便追上来吧！"(新初段赛：新人棋士与顶尖职业棋士的对局，相当于新人棋士的序幕礼，新人棋士执黑子，有让子。)新初段赛也的确对光造成了影响，他再一次看清了与亮之间的距离，他的斗志更强了，练习更努力了，进步也更快了。终于，他通过了考试，成为了职业棋士。而那时，已升为二段、出道20场未有败绩的亮，仍是光要追赶的目标。而有着如此辉煌战绩的亮，却没有露出笑容。"你最近觉得很烦躁么？看你硬邦邦的样子，半点从容也没有，别那么紧张嘛！"在朋友关心的询问中，亮道出了自己的心声："可他通过职业考试了……"朋友没有明白亮的意思，但亮明白，他知道自己若不努力，便会被后方不断向他逼进的光追上、超越……

就这样，一次又一次地，不断前进的亮回望过来，拉光一把，再因光的接近加快脚步。在不知不觉中，两个人都进步了，比独自一人时进步得更多，进步得更快。这也许正应了亮的前辈的那句“一个人是下不了围棋的，需要两个人，不断切磋，才能出神招”吧！

对手会在竞争中共同发展，光和亮的故事明确地告诉了我这一点。我想，这不仅适用于围棋方面，也适用于人可能去做的每一件事上。

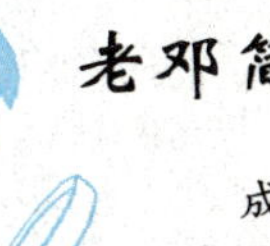

老邓简评

成绩：35分。

思路混乱是本文的严重缺陷！

本文是记叙文，对吗？记一件什么事？是两人在竞争中共同发展的经历还是两人关于对手的一次谈话？

如果是两个人的故事，中间穿插的那些话是谁对谁说的？什么情景中说的？毫无来由！

如果是你所说的“两人相互交织的围棋奇谈”，他们谈论的话题是什么？为什么会有这样一次交流？

还有文章中的一些特殊注释，屡屡阻断文脉。

总之，整个文章故事不像故事，对话不像对话，说明不像说明！形式混乱！

语句推敲：

“正因为是你才能走到这一步，正因为是你，才能让我走到这一步。”两句话有什么区别？

“在日本棋院属下机构接受培训，准备将来做职业棋士的小孩，院生不能参加业余比赛。”这是一句话还是两句话？表意不明！

思考一下，问题到底出在什么地方？

记者 lakeabc_2001
发表于 2003-5-18
14:12:12

* 对手（改） lakeabc_2001

“这是最后的一局了，棋圣先生。”光笑着对坐在棋盘对面的亮说。

“是啊，你赢了，棋圣的称号就是你的了。”亮盯着光的眼睛说，脸上没有一丝表情。

“你真是一点儿也没变！初次对局时你就是这样的不可爱，专挑不好听的说。”光撇了一下嘴说，这是他的习惯动作。

“那是15年前的事了吧，你还记得？”亮轻轻地说，眼睛习惯性地向左下方看去。

“当然记得！”光拉着长调说，“那时我败得好惨！从那天起，我开始把你视为对手，并为击败你拼命地练习。可我刚有一些进步，便听说你要成为职业棋士了。我生怕被你落得更远，想都没想便报名参加了院生考试(成为职业棋士的途径)。呵呵！那时你比我强那么多，我却硬要把你当对手，还大声对你说要击败你，你一定觉得很好笑吧！”

“不……”亮似乎有些不好意思，挠了挠耳朵继续说道，“其实我很在意你，第一次见面时，我便知道你将是我一生的对手。老实说，你当上院生后，我很紧张，总会感到你在我身后穷追不舍，因为你进步得很快，比我要快。这让我有些气自己，所以很拼命地磨炼自己的棋艺，想要走得更远，让你望尘莫及。”

“是啊，我有感觉。”光说，“新初段赛上你对王座(对某项围棋类锦标赛的冠军的称呼)穷追猛打，让我觉得你是在对我说：‘我向着前方迈进，我的目标只有顶尖棋士，至于你，我完全不放在眼里，有本事便追上来吧！’”

“我的确是这个意思。”亮冷冷地说。

“又来了，所以我才会说你的性格很不可爱嘛！”光皱了皱鼻子说，“不过也正是你这个举动刺激了我，激发了我的斗志，让我进步很快，在第二年就通过了考试，成为了职业棋士。可那时你又升段了，而且出道20场未有败绩。我好不容易拉近的距离，就这样又被你拉远了。”

“那时我也不轻松。朋友都问我是不是觉得很烦躁，都说我看起来硬邦邦的，半点从容也没有。其实……”亮顿了顿，道出了自己的心事："其实是因为你这么快就成为了职业棋士，让我觉得自己若不多努力一些，会很快被你超越。那种被你追击的感觉更强烈了，让我不敢有半点松懈。"

"这样的话，我就不用向你道谢了。"光笑嘻嘻地说。

"??"亮有些不知所以。

"咳、咳！"光清了清嗓子，故作严肃地说："本来我想谢谢你，因为你的存在使我有了压力，有了目标，让我不断地进步，比独自一人时更快的进步。可刚才听了你的话，我发现我对你也起着同样的促进作用。既然是互利关系，我想道谢就可以免了，对吧?"光对亮挤了挤眼睛。

亮被光逗笑了。

沉默了一会儿，亮意味深长地说："是啊！正因为有我，你才会走到这一步，也正因为有你，我才能走到这一步。或许，对手就是在竞争中共同发展的伙伴吧！"

"比赛时间到，请双方抓子。"这时，坐在房间角落的记录员通告了比赛的开始。

相互鞠躬并说"请多指教"的仪式过后，光按下了计时器。

"这次棋圣赛的挑战者很年轻嘛！"

"棋圣本人也很年轻呀！"

不知谁的话从远方飘来……

老邓简评

成绩：55 分。

这才是你应有的写作风范啊！

长于叙事，长于描写，长于刻画人物，长于抒情！

前文之所以不成功，主要原因还是在于写作准备不充分：没有确定好思路就匆匆下笔；没有确定好表现形式就仓促上阵；没有确定好详略就胡乱应对……结果扬短避长，漏洞百出！相信自己，只要想好了就一定能够写好！

赶紧查寻自己的写作档案，进一步明确自己的写作特点，迅速确定自己的写作风格！

看到你这么晚还在修改文章，我欣慰且感动！但是下不为例！注意休息！

这篇文章已被浏览 43 次。
记者 lakeabc_2001
发表于 2003-5-19
2:22:50

*对手 19841216

踏上天朝的土地已经几天了，战事一切顺利。我们的对手——清军，义和团民，都不能挡住联军前进的脚步。只是我身处异乡，心中不免思念着在柏林的温暖的家。

“报告库克将军，前方有清军。”

我举起了望远镜，“武毅军，聂士成。”是他?!

第一次见到他，是在莱比锡军校的摔跤馆。一次，两次……在第16次将他摔倒后，我不解地问我的对手，一个留着辫子的中国人:“为什么不认输?”“中国人从不认输，从不屈服，就是死也会站着去死。”在我的记忆中永远留下了一个身材短小的中国人的高大背影，和他的名字，聂士成。

从此，我，或者说所有的德国学员，都多了一个中国对手，一个永远在顽强拼搏的对手，一个从不向强者认输的对手。我以总分第二的成绩毕业，第一是聂士成。

耳旁传来几声枪响。这里已不是友谊第一比赛第二的摔跤馆，不是严肃中不失浪漫的军校校园，而是血雨腥风的战场。我是八国联军德军司令，而他，聂士成，是清军武毅军的统领。战场上相逢，只会有你死我活的对决。我缓缓地抽出了佩刀。老对手，领教了……

“报告，清军抵抗顽强，我军伤亡极大……”

“报告，已攻入清军阵地，清军没有溃退，还在抵抗……”

“报告，战斗结束，没有抓到俘虏……”

我们行进在清军的阵地上，一双双曾经和着军乐几乎踏遍世界的军靴在中国的土地上放慢了步子。阵地上，清军官兵倚着木桩或土墙而立，摆出要放枪的姿势，走近再看，早已身中数弹而亡。聂士成也在其中。我今日明白了“中国人死也会站着去死”的含义。

德军官兵都在以敬畏的目光看着这些尸体，就像是在敬畏地注视着一座高山。的确，那是一座高山，是一座我们用多么先进的武器倾泻多少吨钢铁也压不垮的高山，是一座我们派多少兵力围攻多少时日也休想征服的高山。是它，镇守着这片土地，是它，头顶着这方蓝天。今日，我更明白了，我们的对手不仅仅是一个聂士成，不仅仅是屡战屡败然而仍然屡败屡战的清军，不仅仅是千百万不惧死亡的义和团民，而是一个“死也会站着死”的民族在五千年的各种磨难中历练出的永不低头，永不屈服的民族精魂。

面对这样的对手，我们这些侵略者回家的日子恐怕不远了。

老邓简评

成绩：51分。

你选取的材料总是那么独特，那么新鲜，一如你不愿流俗的追求！

文章透过侵略者的目光反观一个民族的精神意志，讴歌一个屹立不倒的对手，视角不一般。

推敲之处：

1.“走近再看，早已身中数弹而亡。聂士成也在其中”——为什么不给老对手一个特写镜头？文章没有高潮！

2.“我以总分第二的成绩毕业”，有必要交代一下时间。

题目没有追求啊！

这篇文章已被浏览54次。
记者 wojiger 发表于
2003-5-20
8:34:55

＊＊感谢对手 April

高一时迷上了跆拳道，经过一年的努力，我终于获得了与对手实战的机会。在比赛前，教练用一节课的时间给我们讲述比赛的规则和选手应遵守的礼节，起初各种繁杂的礼节让我们很是不屑。教练反复强调着同一句话："跆拳道讲究'以礼开始，以礼结束'，这'礼'，就是指对对手的尊重，不要小看这'礼'，这正是跆拳道的精髓所在，跆拳道之所以能从朝鲜的一种简单的搏击术发展到今天，正是因为我们一直懂得在与对手不断切磋当中提高自己的道理，感谢对手，尊重对手，也就是尊重自己。"感谢对手，尊重对手——我反复琢磨着这一句话，在以前，我从来没有想过对手在生命中的意义。"比赛时，如果你单纯的技术犯规，顶多会被扣分，但你如果做出了对对手不尊重的行为，那么你将会被罚出场外……"教练不停地警告着我们，望着道馆墙上"礼义廉耻，忍耐克己，百折不屈"的大字，我才明白，原来，跆拳道之所以吸引了那么多人，不仅仅因为它精妙的腿法，坚忍的精神，更在于它的"礼"字——对对手以礼相待，相互切磋，共同进步。

那天，在电视里看到乒乓球世锦赛时，发现许多国家的参赛选手和教练都是中国人的面孔，不禁生气地骂他们"叛国贼"。"国家怎么能容许他们到外国去，代表外国参赛呢?"我气愤地嘟囔道。"要不这样，中国队哪找得到实力相当的对手呢?"爸爸在一旁笑着回答。我忽然明白了，中国乒乓球之所以在世界连续几十年一直保持领先地位，正是因为何智丽、焦志敏等优秀选手的外流，使对手的水平不断上升，我们才获得了前进的动力，从而在与对手的交流竞争中保持了优势。原来中国乒乓球队早就明白了对手存在的重要性，我们还要尊重，并感谢那些"叛国贼"呢。

上网时看到许多对高考状元的采访，我发现他们中很少有平时成绩总是第一名的——"我从没拿过第一，所以我把心态放得特别低，我把周围的同学都当作自己的对手，与他们一起学习一起比赛很快乐。而我们班的那个第一名，由于总是高高在上的，找不到自己的对手，体验不到竞争的乐趣，在高考中并没有发挥好，高处不胜寒吧。”一位高考状元这样说道。“我感谢我的对手们，没有他们，我不会取得今天的成功。”

跆拳道比赛前，我深深地向对手鞠躬表示尊重；考试前，我向对手们道一声“加油”送上我的祝福；运动会后，我与对手抱在一起告诉彼此“我们都是好样的”。因为明白了对手在生命中的意义，所以会一直感激着，在成长的旅途中，有许许多多的对手与我们一起努力，并肩而行，让我们的奋斗历程更精彩。

April说：

最近状态一直不好，写东西没感觉，这种文章，段与段之间怎么衔接呀？

wojiger回复：

不是假装谦虚吧？文章写得很不赖呀！

老邓简评

成绩：57分。

最欣赏文章的真实与真切。真实是说题材、立意直接来自生活体验，无须时时“淘古”；真切是说叙事、描写、感悟等一切都自然无牵强雕琢之痕迹，完全是真情的自然流露！

我欣赏这种形式的以小见大！

不足之处：开头内容太冗长！或者准确地说是没有开头！可以把第一句作为开头！

其实你的问题很简单：叙事性的散文，按事件的不同自然分段，衔接过渡完全可以由时间、空间的变化而自然转换！你实际上做得很不错啊！

这篇文章已被浏览55次。
记者wojiger发表于
2003-5-17
14:57:53

生命中的北斗星 April

在非洲撒哈拉沙漠的深处有一片美丽的绿洲，里边居住的土著几千年来从没有走出过这片沙漠。一天，一位英国的冒险家来到了这片绿洲，很奇怪这里的人竟与外面的世界如此隔绝，为了了解原因，他让土著人牵上骆驼，带上粮食，寻找走出沙漠的道路，他跟在后面进行观察。结果土著人在沙漠中走了许多天，都没有找到出路，又回到了原来的出发地点。这位冒险家明白了，土著人之所以走不出去是因为他们一走进沙漠就失去了方向，只是在原地打转。他告诉土著人，让他们每天晚上朝着北斗星的方向前进，永远不要偏离那颗星星，结果三天以后，土著人走出了沙漠。

其实，在许多时候，我们中的许多人都会像那些土著人一样在自己生命的沙漠中打转，每天重复着同样的学习，工作和生活，麻木而无聊。从未想过自己奋斗的方向，从未抬头寻找是否有那样一颗星在自己的夜空中闪光。甚至，我们还不如土著人，因为我们有时连走出沙漠的冲动都没有。十几年几十年，我们自然的老去，生命绕着圈子，最终只是回到了起点。

一位儿时的伙伴，曾经和我一起梦想着长大一起上哈佛大学。这对于我来说太遥远的梦想，早被搁置在记忆的角落。前几天，一直在国外念书的他给我发来E-mail说他已被哈佛大学录取了。我想我们没有理由抱怨命运的不公，机会的渺茫，每一个生命都是一个奇迹，只要敢想，只要认真地对待自己的梦想，只要一直坚持抬头望，生命中的闪光终会降临，没有什么实现不了。

一直被这样一个小故事感动着 草原上跑得最快的一头狮子，他的目标就是追上跑得最快的那只羚羊；而那只羚羊，它的目标只有躲过跑得最快的那头狮子。而羚羊和狮子每天做的，便是不停地奔跑。

所以，勇敢地抬起头，睁大眼睛，寻找属于自己的那颗闪亮的北斗星吧，然后，鼓起勇气，一直不停地奔跑，朝着梦想的方向，只要一直有一个目标为我们的灵魂指引，我们终会走出人生的沙漠，生命终会闪着耀眼的光芒。

老邓简评

成绩：55分。

多么充实的材料！多么丰富的联想！多么漂亮的语言文字！从容的叙述中沉淀着丰厚的哲理与哲思！

惟一的遗憾是狮与羚羊的故事没有利用好：

狮与羚羊的不停奔跑与“生命中耀眼的光芒”之间有何联系？

可惜啊可惜！

精彩花絮

收件人：wojiger 发件人：枯叶狂草 主题：作文

发送时间：2003-5-13 是否已被收件人浏览：True

老师：您第一次说的问题我注意到了，但侥幸没改。但第二个问题我有一定的疑问——对于同一个材料，我用不同的角度写能否有不同的效果——用生活的苦难类比对手的强大。

老邓回复：

你说的不是角度问题，而是不同层次问题。“对手如生活”这个问题还没有论证透彻就转换话题，说到“善待生活如同善待对手”问题，难道你没有意识到这是两个不同的问题吗？

比如你要说“后妈即亲妈”，那么首先要论证什么？重点要论证什么？是不是“后妈为什么即亲妈”？“善待后妈”可不可以写？当然可以。但前提是什么？

再看你的文章，你的第一个问题“对手为什么像生活”论证清楚啦？就那么两句话？而且仅仅是在片段总结处才由你说出

精彩花絮

的，根本不是片段重点描写的(你描写的重点是生活的特点，没有将它与生活的特点进行比较)!

收件人：wojiger 发件人：郭维娜 主题：无标题

发送时间：2003-5-13 是否已被收件人浏览：True

题一：石家庄市某中学的袁强、宋华、高山都刚满18岁，学习成绩都不错，袁强还是校学生会副主席。他们的家境也很好，父母对他们寄予了厚望，希望他们将来能考上名牌大学。然而他们三人却不想考大学了，立志要做当代“徐霞客”，徒步环游考察世界。他们的想法遭到了家长、老师的强烈反对，认为他们太不现实了；但不少同学却钦佩他们的勇气，赞扬他们有理想，有志气。请以“理想与现实”为话题，联系自己的经历、体验、见闻或认识写一篇文章。要求：①立意自定；②文体自选；③题目自拟；④不少于800字。

郭维娜问：我写的那篇《理想与现实》算不算跑题?引文想说理想与现实的差距，而我写的却不是。

精彩花絮

老邓回复：

你问的实际上是给材料作文与话题作文的区别。前者要求围绕材料主旨写作，后者只要与话题有关均可。前者限制性强，后者开放性强。前者材料理解错了，文章就离题或不切题了；后者的材料只是个引子或线索，作用在于开启思路而非限制思路。你可以沿着材料的思路写，也可以另起炉灶，关键在于是不是围绕这个话题展开。是则切题，不是则离题。由此观之，你的文章显然切题。

郭维娜回复：

那高考是考材料作文还是话题作文呢？

如果是话题作文，是不是引文就可以不用看了？

老邓回复：

你做过多少次话题作文了？老师分析过多少高考作文题和模拟题了？你怎么到如今对此还糊涂着呢？

你没作过《规则》吗？你没做过《心灵的选择》吗？你没做

精彩花絮

过《答案是丰富多彩的》吗?你没做过《等待》吗?你没做过《财富》吗? 你没做过《收藏》……吗?

赶快打电话! 气急败坏的老邓!

公告发布：2003/5/16(网上作文指导第二十一次活动)

非常周末(四) 老 邓

孩儿们:

还挺得住吗?马上就要复课啦！好好利用这最后一周假吧

上周收到不少好文章，真叫人高兴！一些同学在领到模拟试题的当天就发来作业，神速啊!

今日重点:

1. 浏览“今日焦点”、“哲理哲思”中的最新文章，及时“进补”。

2. 继续收西城、海淀二模作文。

3. 东城三模作文题我很欣赏，你们觉得如何?发来看看?

4. 勇于超越者继续尝试老邓的复习训练话题，练就写作好本领!

A、中央电视台近日正在进行“2003，站在第三极——纪念人类攀登珠峰50周年”中国登山队攀登珠峰现场直播活动。

英国著名登山家马洛里曾多次登上珠穆朗玛峰。有人问他为什么登山，他回答说:“因为山在那里。”对此，你有何感想或联想?自选角度，自拟题目。

B、古今中外几乎所有的故事或传奇都钟情于邂逅。

你是如何看待邂逅的?你最欣赏怎样的邂逅?如果故事的主人公是你，你渴望今生来世与谁邂逅?……

请以“邂逅”为话题作文。

有点儿意思吧?

快！第一名有赏!

这篇文章已被浏览72次。
记者wojiger发表于2003-5-16
17:06:11

东城三模：诗词名句随想

阅读下面材料，根据要求作文

诗词名句脍炙人口，百读不厌。读名句，可知古鉴今，可畅想未来，可体味情趣哲理，可涵养道德品行；名句，或许能开启你的心扉，或许能激活你的灵感……

请以“读诗词名句随想(三则)”为题目，写一篇文章。

(1)投我以木瓜，报之以琼琚。(《诗经·卫风·木瓜》)(2)路漫漫其修远兮，吾将上下而求索。(屈原)(3)奇文共欣赏，疑义相与析。(陶渊明)(4)安能摧眉折腰事权贵，使我不得开心颜。(李白)(5)会当凌绝顶，一览众山小。(杜甫)(6)向使当初身先死，一生真伪复谁知。(白居易)(7)桐花万里扬州路，雏凤清于老凤声。(李商隐)(8)旧时王谢堂前燕，飞入寻常百姓家。(刘禹锡)(9)枝上柳绵吹又少，天涯何处无芳草。(苏轼)(10)山重水复疑无路，柳暗花明又一村。(陆游)(11)青山遮不住，毕竟东流去。(辛弃疾)(12)落红不是无情物，化作春泥更护花。(龚自珍)

要求：

(1)引发“随想”的名句，可以是[附录]中的，也可以采自[附录]之外(包括中外现当代作品)。

(2)每则“随想”引用的名句，不限数量；各则“随想”可以有独立的中心意思。

(3)各则之间要空一行。全文(三则)不少于800字，不要写成诗歌。

* 读诗词名句随想 周琬琪

春暖花开

"我只愿面朝大海，春暖花开。"

头发蓬乱，满脸胡须，带着孩子般天真烂漫的笑容——海子——为诗而歌的诗人，为诗而死的诗人。

我的思绪飘到了14年前的那个春天，在被灯光切割得支离破碎的黑暗中，一个小小的身躯安静地躺在山海关的铁轨上。没有恐慌，只是静静地任火车驶过，将他的身体变成两半。他选择了他喜欢的死法，用他的生命祭奠他热爱的诗歌。火车开的速度很慢，他给自己留下了足够的时间思考，既宽容，又不允许太多的恐惧和痛苦。那两半的身体，正如生前时时纠缠他的情绪：一半哭泣，一半耻笑；一半嗔怪，一半恭敬；一半扶摇直上，一半却沉入地狱。命运跟他开了个太大的玩笑，他用自己的生命做赌注，赌自己的诗歌可以把人们的精神引向没有一丝尘杂的天堂。但最后他输了，于是他输了所有。

但至少，他还留下了他用生命书写的诗篇，留下了面朝大海的感动，才可以让我们记得他曾经的追求，和一生执著的坚持……

向日葵

"一切我所向着自然的创作，是栗子，从火中取出来的。啊，那些不相信太阳的人是背弃了神的人。"

一只流血的耳朵——凡·高。他不是诗人，却拥有诗人的情怀与纯净，因此，他将艺术创作看成是火中取栗。他愿意为艺术献身，所以他从火中取出了栗子。

我的思绪飘到了一百多年前的那个夏天，一个疯癫的画家用枪结束了自己的一生。多么凄惨又多么无奈的一幕。他为了艺术，甘愿一生寂寞，他单纯而又热情地追求着，却又一次次承受着失败的痛苦。但相信直到死，他心中的向日葵仍没有凋谢，定会伴他到天堂。他为艺术献出了他的左耳，他的生命，他的一切。

但至少，他将金黄的向日葵留在人间，将灿烂的星空留在大地上，才使我们不会忘怀他一生静默的守候……

为神而歌

“要使生如夏花之绚烂，死如秋叶之静美。”

一个留着长长胡须的白发印度老人——泰戈尔。

我的思绪飘到了一百年前的印度，一个伟大的诗人在那里降生，开始了他绚烂的一生。

他一生的诗歌卷帙浩繁，像是一片汪洋恣肆、博大精深的海洋。他心中充满了美好，他为神而歌，为爱而歌。我们不得不承认他是一个伟大的人道主义者。他的诗歌把人从文明与社会中解脱出来，放到永恒的自然之中，使人们的心灵找到最合适的归宿。他也曾招致了来自各方的误解和诽谤，也曾被法西斯利用，但虚怀若谷的他在人世变故的沧桑中始终保持着一份平和，显示出罕见的伟人风范。

虽然他的死如秋叶之静美，但谁也不会忘记一个伟大诗人如夏花般绚烂的生……

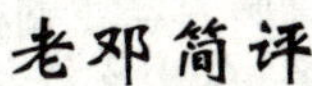

成绩：57分。

这是随想，也是鉴赏！

我相信，你是深谙知人论世之道的。对名句作者生平经历的充分掌握，对其艺术观、人生观的熟知，使文章自然带有几分传记色彩。

最可贵的是作者始终没有忘记所引名句的线索作用，使之贯穿整个随想过程，行文主旨集中，重点突出。

好啊！

杏，荷，菊，梅 陈志强

深巷明朝卖杏花

草长莺飞的时节，是最能读出江南韵味的好日子。

风和日丽，蜂飞蝶舞，吟上几句“蝴蝶穿花”“蜻蜓点水”“春色满圆”“红杏出墙”之类的词句，固然是锦上添花，但我却对微雨薄纱情有独钟。试想，细雨飘飘洒洒，朦朦胧胧，叫人如坠春梦……这该是怎样的意境？

于是，最爱陆放翁的“小楼一夜听春雨，深巷明朝卖杏花”。解放初有个剧本不是就唤作《杏花春雨江南》吗?然而放翁想必是无此雅兴的。作此诗时他已年逾花甲，皇帝派他远赴严州，并且“重要批示”他“可以多作诗文”，这对一个“但悲不见九州同”的忠臣来说是多么大的讽刺?他分明已被视为一个只是弄弄笔头，摇摇笔杆的“作家”了！圣旨难违，放翁便只得去做雅人，半夜三更听雨。雅极！又悲极！

红蕖何事亦离披

你可是李义山诗中的泪珠儿所凝?你可是嫦娥羞愧的红颜儿所染？淡淡地飘零在水上，哪有“映日荷花别样红”的盛世华景？哪有“朝阳借出胭脂色”的大家尊容？惟见数行泪滴清池，漾开淡淡的哀愁。

其实浮世本来多聚散，天下哪有不散的筵席？但求一壶浊酒喜相逢，世事都付笑谈中吧。

其实人生一世，草木一秋，百年之后，黄土一抔，何必挖空心思，你争我夺？何必怨天尤人，泪儿沾巾？但求开时能够“中通外直，不蔓不枝，香远益清，亭亭净植”，谢时能够“化作春泥更护花”，就像周敦颐，就像龚自珍，就像卸装后的你我，留一张清清白白的相片给后人。

采菊东篱下

正值菊黄蟹肥的季节，不由想起了陶渊明。

在中国几千年的文学长廊中，我最爱驻足的是陶渊明的小阁。他是真隐士，可惜不是真忠臣。

其实忠臣是有的，忠而成者也是有的，那是明君的附加值，比如魏徵之于李世民；至于忠而不成者，往往是不幸撞上了昏君，于是有被挖心的，像比干，有被抛尸的，像伍子胥，还有连累全家的，像岳飞。武穆是英雄，倘若早生一千多年，或许卫青，霍去病也只能给他当个副手。可惜他生不逢时，不仅遇上了赵构，还撞上了秦桧。

其实明君朝侧必有君子，昏君榻旁必有小人，历史就是历史。渊明躬亲示范，选择归隐，倘若人人都像他那样淡泊如云，世间又怎会有这么多纷争?无奈,到头来种菊的也就只有他了。唉哉!

梅花香自苦寒来

任你雪有千斤重，任你霜有万丈厚，素心暗香，本性难移，怪不得甚至有人以梅为妻。

怎样的不卑不亢，怎样的亦柔亦刚，于是有了多少“墨池”，多少“七录斋”，多少或苦或甜或浓或淡的佳话。一个民族因此平而更兴，乱而不亡，风雨晴雪五千载。悬梁刺股，不为赏梅吟诗，观鱼填词，不为絮叨一个“十年寒窗苦，一朝金榜上”的老掉牙的故事，不为验证一句“书中自有黄金屋，书中自有颜如玉”的无聊妄语。囊萤映雪，为了长河之源，源不断，为了古木之根，根不息。

乱曰：

杂花生树，花开花落，叶绿叶黄，云聚云散，雨下雨收。古树一棵，生得蓊蓊郁郁，青青葱葱，生在你我的心间，生在历史长河的岸边。

某某年某日某时 陈志强

亲密聊天室

陈志强说：

看邮件最新的，请您回信，谢谢，有急事。我又写了一篇名叫《为了看看阳光，我来到这个世上》(名句)，只有一句，可以吗?我觉得写得不错，明天发给您，还有几个字没有打完，请您速看邮箱(万分火急)电话，急件，急哉，好像多写了一则，没关系吧。

老邓简评

成绩：43 分。

这还是以前的陈志强吗？你的文章令人啧啧称奇！

那么有文气！那么有文采！文章那么有诗心！语言那么有诗韵！我还是不敢相信自己的眼睛啊！看来你的心血确实没有白费呀！

不过必须指出的是：文章整体结构散乱，不规范。切忌！

前两则写得很好，有思想，有情致，主旨明确。而后几则似乎跟它们不在同一个层面上！

1. 第三则对陶渊明褒贬不明！主旨不明！诗句跟忠奸毫无关联！

2. 第四则“为了长河之源，源不断，为了古木之根，根不息。”表意不明。

3. 最后的“乱曰”形式上不伦不类，内容与前文又有何关系？

必须明白写文章的目的在于表达思想情感，而不是玩儿技巧！

还要注意题目要求，不要少写，也不要多写！

现阶段你训练的重点应放在明确题旨，集中选材，重点突出，结构谨严上！

祝你成功！

记者陈志强发表于
2003-5-18
20:46:48

读诗词名句随想（三则）

Fairy

我思故我在

每每品味这句话时都觉得有一种深意在里面。人活在世上并不是因为你恰巧出席了生命的课堂便存在了。而是因为你在思考，思考你为什么要活在这个世界上。在思考中探索，这样你才存在才是真正的活着。

现在医学上不是都把脑死亡的人就定为死亡吗?即使你还有呼吸还有心跳，但是你已经失去了生存的意义，你已经被世界抛弃了。相反即使你的肢体有残缺，即使你只有一根手指在动，但只要你还在思考，你就真真实实地存在着。

科学大师霍金被卢伽雷病永远地固定在了轮椅上，但是他并没有停止思考。世人推崇霍金，因为他是人生的斗士，智慧的英雄。

"我思故我在"，如此简单却如此厚重的一句话。

生当做人杰，死亦为鬼雄

虽然这句诗是描写楚霸王项羽的，但是它却是出自一位文人女子之手。足见其人生的理念有多么的崇高。

自古都说百无一用是书生，但是世人可知，书生的腰杆挺得是最直的，书生的信念是最坚定的。那双无缚鸡之力的手却能为一种文化擎起一片天。

陶渊明不为五斗米折腰；司马迁为完成《史记》忍辱而活；李清照为清白长年漂泊；王国维为一种文化的落寞而献身；嵇康临死前大喊"把琴拿来"而不说一个"求"字。

百无一用是书生，因为书生不懂得如何生计，他们常常断粮，但是他们的信念从不曾断。因为这些书生，中华民族，世世代代的活在那些杰出的生里，亦活在那些杰出的死里。

去的尽管去了，来的尽管来着；
去来的中间，又怎样地匆匆呢?

似水流年，似是涓涓细流不经意间带走了我六千多个日子，又似波涛汹涌的江河一下子吞噬了它们。闭上眼仿佛昨天还是一派天真烂漫地在花草间起舞，睁开眼睛却出现了一张成熟的面孔，好陌生。

有时我想为逝去的做些什么，做个神奇的保险箱?或者写一些回忆性的文章?想着太阳就落山了，星星爬上了枝头，这一天又从我凝望的双眼中流走了，这时我才知道Today is the only time within our control (今天是掌握在我们手中惟一的时间)。

于是我便在永恒无垠的沙漠中用我的时间开垦了一座小小的幻想花园。让去来之间的匆匆中开满了思想的花。

因为在历史的长卷中印下了这些诗词名句，所以我们怀旧，在怀旧中我们挖掘人生。他启迪我们给我们以智慧。因为“不曾怀旧的社会注定沉闷，堕落。没有文化乡愁的心井注定是一口枯井。经济的起飞科技的发达纵然不是皇帝的新衣，到底只能御寒。”让我们在心中为这些文化空一块地方，留一盏灯。

老邓简评

成绩：38分。文章充满遗憾，因为你的审题失误，大量篇幅失去意义!

什么叫“诗词名句”?题目中的例句还不足以说明问题吗?

文章只有第二则是切题的，同时写得很漂亮，特别是结尾句，隽永而深刻!

推敲：

1.“但是它却是出自一位文人女子之手。足见其人生的理念有多么的崇高。”辨析词义，“理念”不是“理想”，没有高下之分。更重要的是，理想的崇高与性别没有必然联系!

2.“为一种文化擎起一片天”，什么“文化”？一定不要虚谈“文化”！要明确“文化”即精神！要明确文化中蕴涵的理想、追求、胸怀、意志、情操……

*读诗词名句随想（三则）

Shmily

“山不厌高，海不厌深。周公吐哺，天下归心。”在曹操的感慨中，我想到了中国历史上名人们求才若渴的心境。千里马是珍贵的，世上有哪一个伯乐不想寻得一匹千里马呢?为了求才，刘备三顾茅庐请得诸葛亮下山助他三分天下；唐太宗赦免了魏徵的罪行，让他辅佐自己；信陵君请能人贤士来做自己的门客……这些觅得了良才的人，最终，都在他们的事业上获得了成功。

而同时，我又想到了那些有才能却没有受到赏识，有志难伸的人才。“古来圣贤皆寂寞，惟有饮者留其名”。仕途不顺，李白只能躲在酒壶中麻痹自己；“同是天涯沦落人，相逢何必曾相识”。白居易的苦闷心情从话语中抒发出来；“塞上长城空自许，镜中衰鬓已先斑”。“胡未灭，鬓先秋，泪空流”。诉出了陆游报国无门的悲哀……

对伯乐而言，没有遇到千里马是一生的遗憾；而对千里马而言，在普通的马厩里终其一生，不能肆意奔跑的苦楚，又该如何发泄呢?

“少年不识愁滋味，爱上层楼。爱上层楼，为赋新词强说愁。而今尽识愁滋味，欲说还休。欲说还休，却道‘天凉好个愁’!”一首词，说出了辛弃疾内心的愁苦与对人生无常的感慨；“白发三千丈，缘愁似个长。”一句话，道尽了李白心中的无限情愁；“梧桐更兼细雨，到黄昏、点点滴滴。这次第，怎一个愁字了得?”李清照的愁，在话语中尽现……

愁、愁、愁，声声叹息中，我看到辛弃疾为国家命运担忧不已的双眼；我听到李白有志难伸的悲歌；我想到李清照勇于张扬个性却为世人所不容的孤苦、凄凉……

虽然，时间见证了他们的伟大，他们的名字与诗文流传千古，为后人所景仰。可是，在当时，他们却是带着满心的遗憾与不甘离开的。

“生当做人杰，死亦为鬼雄。”豪言壮语中，我看到了诗人们不畏生死，坚持追求理想的崇高的品格。

“人生自古谁无死?留取丹心照汗青。”淡然而坚定的一句话，显示了文天祥对国家的忠贞与热爱。说出这话时，他的表情，该是怎样的淡定?怎样的视死如归?

我又不禁想到了岳飞，想到了袁崇焕。这样的英雄，一心精忠报国，驱除鞑虏。“壮志饥餐胡虏肉，笑谈渴饮匈奴血。待从头，收拾旧山河，朝天阙。”他们有着满腔的热忱，他们甘愿为国家抛头颅，洒热血，战死沙场。然而，他们却最终死在了自己人的手下，眼看国家沦陷而无能为力。英雄末路，这样的悲苦，令人痛彻心扉。

回顾历史，再看诗人，多彩的诗词中蕴含着他们丰富的情感。而我们，就在诗人们的情感中，品味着人生。

老邓简评

成绩：50分。

好孩子，文章驰骋联想，深入剖析，内容相当丰富!

你果然在不断提升自己啊!

推敲：

“我想到了中国历史上名人们求才若渴的心境。”“名人们”改为“明主们”更准确。

“道尽了李白心中的无限情愁”、“李清照的愁，在话语中尽现”表意不明确，看不出角度的变化。

* 读诗词名句随想（三则）——曹操 hz

曹操一向被视为奸臣。

“军合力不起，踌躇而雁行。”在曹操目睹了山东军阀上演的那场讨董闹剧之后，一针见血地指出。本图联结天下豪杰，诛逆臣，兴汉室，扶社稷，安天下的他失望了。这是怎样的一个无道的世界啊！诸侯的军队集结起来了，而又有谁真心向前?他们都在盯着别人的后院。“白骨露于野，千里无鸡鸣。生民百遗一，念心断人肠。”惨象，使之断肠。当那本应是正义的战争以混战草草收场；当那本应是救民的战争以伤民、累民、害民结束时，曹操断肠了。从此我们见到的是怎样的一颗忧国忧民的壮心！这等诗句怎么能让人联想到“奸”?

“月明星稀，乌鹊南飞。”东坡有云：“酾酒临江，横槊赋诗，故一世之雄也。”不知这里的这个“雄”指的是不是英雄的“雄”，姑且认为它是。“对酒当歌”，的确是英雄才有的气概。“人生几何”，更只是英雄的感慨。英雄所思所忧者何?“周公吐哺，天下归心。”求才敬才，本身就是英雄所为。位居汉相，居庙堂之高而不忘遍招天下贤才。试问，天下因何而不叮?胸怀安天下之志，身有纳才之量，岂是奸臣所为?

从此，我只看到了一位英雄。一位酾酒临江，横槊赋诗的英雄。

“神龟虽寿，犹有竟时；腾蛇乘雾，终为土灰。”和别人一样，曹操也有老了的一天。而在他晚年时，他又在想什么?“老骥伏枥，志在千里，烈士暮年，壮心不已。”一个“壮心不已”就足以让某些人汗颜！他在想东吴、西蜀还没有归顺，他在想自己统一天下的壮志还没有实现。他直到临死都念念不忘治国平天下。“盈缩之期，不但在天；洋溢致富，可得永年。”面对死亡，他又表现出这样一种平静，一种坦然，甚至是一种超脱。

临死之前有此思，面对死亡如此感者，绝不是奸臣。

这些正是我从曹操留下的名句中所感到的。从这些诗句中，我了解了一位英雄。而他一直被人们称做“奸臣”。

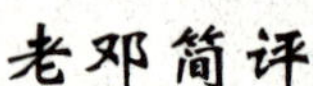

老邓简评

成绩：48 分。

读其诗，识其人，懂其心，为其翻案——好角度！好构思！好胆量！

可惜语言表达不够尽意，不够流畅，感染力不强，文章没有产生预期的震撼效果——唉！

1.“一针见血地指出”向谁指出？令人费解。

2.“白骨露于野，千里无鸡鸣。生民百遗一，念心断人肠。”这句放到“我们见到……”之前，删去“从此”(既生涩，又有歧义！下同)，自然连贯！

3.“试问，天下因何而不叮？”什么意思？

4.“足以让某些人汗颜”为什么不写作“足以让多少人汗颜”？感情太平淡，如何替人翻案？

5. 最要命的是结尾太平庸！不响亮！不精彩！难动人！糟蹋了好题材！

改为：

读着这些或滚烫，或坦荡，或豪迈，或淡定的诗篇，我了解了一位英雄。遗憾的是，千百年来，他却始终被人们扮成白脸，称做“奸臣”！

增加点儿概括，印象多少深刻些！增加点儿对比，感情多少强烈些！

＊＊心底的回答 庞雪

最喜欢北岛的那首《回答》，他说："告诉你吧，世界，我——不——相——信！如果你脚下有一千名挑战者，那就把我算作你第一千零一名。"是啊，我们为什么要屈服于命运呢？在你遍体鳞伤后，不要相信这就是命，用心对命运说"不"，成功便在前方。

面对穷困的生活，面对人们的嘲讽，凡·高的回答是："不！"他不相信命运真是如此的不幸，他不相信生活真是如此的残酷。于是，他用心灵做出自己的回答，他用心灵描绘自己的世界。尽管生活潦倒，尽管四处漂泊，他决不屈服于命运。他就像那向日葵，永远对黑暗说不，永远向往着太阳，他用他那颗对生活无比热爱的心向命运说不；他用他那杆对生活充满渴求的笔对命运说不。他的回答并不响彻云天，但在他的色彩中，那种最单纯的对美的向往，是不对命运屈服的最有力的回答。

1992年，台湾发生了百年来最强的大地震。面对着茫茫废墟，不知道下面埋着多少生命。两个星期后，搜救工作仍在进行。虽然此时生还的希望甚是渺茫，但人们总期待着奇迹发生，终于，在队员们的努力下，一个婴儿从废墟中被抱了出来。他是靠吸吮母亲咬破手指流出的血活了过来。在场的人都潸然泪下，这泪水中有喜悦、有感动。面对命运，地上的队员没有屈服。地下的母亲没有绝望，怀抱中的婴儿更是努力地求生。在他们的心底中，对命运的回答都是："不！"幼小的生命就这样被母亲和人们拉出了死亡线，在这场与死神的战斗中，是对命运的永不屈服使人们取得了最终的胜利。

桑兰，留给人们的总是那张灿烂的笑脸。虽然命运还让她永远也无法再站在平衡木上，但坚强的她并没有向命运低头。面对命运，在她的心底，回答是："不！"她以惊人的毅力积极地做着各项康复训练，并以惊人的速度恢复着。在她的脸上，看不出一位下肢瘫痪病人的愁容，看不出一位柔弱女子的悲伤。有的只是灿烂的笑脸，对生活的希望。那爽朗的笑声，就是对生命最有力的回答；那永不放弃的坚强，使她从坎坷走向美景，风雨后看见彩虹。

命运有时对我们是很不公平,但你就这样屈服了吗?正因为我们对命运说不，才有了医学的发展；正因为我们对命运说不，才有了今天的世界。面对命运，我要做那第一千零一个挑战者，虽然前面有艰难险阻，但心底的呼唤告诉我，向命运说“不”，暴风雨后的天空会更灿烂。

老邓简评

成绩：57分。

也许你会说，我也有丰富的事例呀！可是你会像庞雪这样紧扣论点，对事例作准确、深入地分析吗?

也许你会说，我也有典型的人物呀！可是你会像庞雪这样抓住人物特征，写活人物个性吗?

也许你会说，我也有名句的引用呀！可是你会像庞雪这样不仅首尾呼应，而且情感递进，主题深化吗?

5月19日，学习庞雪日！

这篇文章已被浏览40次。
记者 wojiger 发表于
2003-5-19
17:20:15

读诗词名句随想（三则）
——生命颂歌

庞雪

奉献颂歌

“落红不是无情物，化作春泥更护花。”一路上，我们在别人的帮助和关怀下走过重重险阻，终见顶峰上的阳光。是我们的爱，令天空分外晴朗，令阳光格外灿烂。奉献自己的一点点爱，就会点燃一盏热情的灯，照亮一间寂寞的心房。

落红把自己奉献给泥土，阳光把自己奉献给万物。花谢落叶飘的时节，看着满天的落花残叶悄然凋落，不禁要问问自己：我拿什么奉献给这个世界？答案很简单，不需做什么惊天地、泣鬼魂的壮举，只需用心地生活每一天。生活中多一些笑脸，你已把你的快乐奉献给了朋友；工作中多一分激情，你已把你的青春奉献给了社会。病房中一声关切的问候，奉献的是真情；坎坷中一双坚强的手臂，奉献的是信念。有时候，你的快乐可以令10个在愁苦中的人喜笑颜开；有时候，你的信念会使10个近乎绝望的人重新站立起来。把你的情思奉献给这个社会，把你的爱奉献给生活。在你走后，带走所有忧愁，只留下一语欢歌，你就把你快乐的一生奉献给了世界。花朵为春天增添了色彩，落红使下个春天更加绚烂。

真我之歌

“举世混浊而我独清，众人皆醉而我独醒。”汨罗江畔，屈原面对着茫茫江水，发出感叹。只为保守自己纯洁的理想，做一个真我，他用死亡来完成这千古绝唱。

人在社会上的价值，在于活出真实的自我。有了“任世间风云变幻，我自岿然不动”的信念，便可以以不变应万变，在这眨眼即逝的几十年中，让人们看清你的面容，留下你的身影。时代在不断变化着，周围的人和事也不断变化着。在众人皆醉时，你能否保持清醒?在身入泥潭后，你能否出淤泥而不染？来到这个世界上，并不只为享受已有的生活，更多的应该是去描绘当前的生活。百花园之所以灿烂，是因为千朵万朵各有己色；大自然之所以伟大，是因为世间万物均有个性。活出一个真实的自己，不仅把自己的世界活得精彩，更为大家的世界添一份颜色。

生命之歌

“离离原上草，一岁一枯荣，野火烧不尽，春风吹又生。”我们总是感慨千年古树在饱经风雨依旧挺立，却忽略了一些幼小的生命更加努力地追求生活。

断壁上，总有几棵斜松紧紧地抓着岩石；沙漠中，总有几棵胡杨静静地挺立在风中。在逆境中的生灵往往更有求生的欲望，温室里的花朵稍有不慎就会枯萎。当你陷在困境中，请不要放弃，想想焦黑土地上努力钻出地面的小草吧，是那种对春天、对阳光的渴望使它冲破了泥土；当你处在绝境中，请不要绝望，想想断壁上紧紧盘握着岩石的松柏吧，是那种对生活、对生命的渴望使它傲立山间。生命的礼赞，就在这宽广的大地上，就在我们身边。

老邓简评

成绩：56 分。

果然是音乐高手，文章都是以按“乐章”、成“组曲”的形式出现！

文章结构非常明晰，总分关系既独立又统一，思想情感集中而鲜明。实在漂亮！

作者的感悟飘逸而充满激情，文章的内涵丰富而深刻，文章的语言如行云流水。的确耐读！

精益求精：

“来到这个世界上，并不只为享受已有的生活，更多的应该是去描绘当前的生活”这句话与“真我”有何关系？

瑕不掩瑜！

5 月 19 日，真的是学习庞雪日！

这篇文章已被浏览67次。
记者 wojiger 发表于
2003-5-19
17:27:55

＊＊读诗词名句随想（三则）

李德隆

诗歌，是一个时代文化的精华。我爱读诗，尤其是我国古代的诗，因为他们不仅能带给我艺术上的享受，更能给我情操上的陶冶，展示给我中华一族几千年来发展的脉络。其中，一些脍炙人口广为流传的名句，则更是包容了无限的空间，供我们的思维驰骋。

谈　情

古人很重这个“情”字。“慈母手中线，游子身上衣”说的是亲情；“桃花潭水深千尺，不及汪伦送我情”讲的是友情；“山无棱，江水为竭，冬雷震震夏雨雪，乃敢与君绝”谈的是爱情。此外，还有“鸡声茅店月，人迹板桥霜”的思乡情，“感时花溅泪，恨别鸟惊心”的爱国情……总之，这些名句中体现出来的，皆是拳拳切切深深的浓情厚意。

时隔千秋，如今的生活中，这些情还在么，抑或是是否还来得像原先那般浓烈，像剪不断的丝绢一样缠绵呢?忙碌的工作耽误了回家探亲的时间，利益的驱使淡薄了朋友间的友谊，权色交易之间又哪有什么爱情可言！时代的进步，科技的发展，本应使思乡的情愫更多地变成团聚的欢悦。可是，如今呢?

说　趣

“草色青青柳色黄，桃花历乱李花香。”这是郊游赏景的情趣。“画松一似真松树，且待寻思记得无?”这是笔墨丹青的雅趣。“欲穷千里目，更上一层楼。”这更是追求高远脱俗境界的仙趣。

古人重视趣味的培养，假之以修身，以养性，以怡情，以健身，并将这许多志趣遗传下来，供今人拾之一二，以修德行。然而我们恐怕没能给老祖宗个面子。野郊的花草缤纷怎及得上夜总会的花红酒绿，一纸丹青的光彩哪比得上视觉摇滚的炫彩癫狂，而“登楼”的境界，也该是不如日族韩流的高深了。

只是可惜，让老祖宗们白费心了。

言　志

“安能摧眉折腰侍权贵，使我不得开心颜！”是独善其身的洁身之志；“安得广厦千万间，大庇天下寒士俱欢颜！”是兼济天下的安民之志；“路漫漫其修远兮，吾将上下而求索。”是求真求实的探索之志，“靖康耻，犹未雪；臣子恨，何时灭！”是金钟(编者注 应为精忠)报国的救国之志。

志当存高远，古人尚如此。可今人面对金钱、名誉、权力、美色的诱惑时，又是如何呢？难道就真像那一步步的电视作品描述的一样吗——追求利益的无底《黑洞》，操控权力的幕后《黑手》……

我们那颗包含天地的鹏程之心，哪里去了？

浩浩乎如冯虚驭风，飘飘乎如羽化登仙。诗词名句总能带给我这如仙似梦的享受，我并不复古，也不逃避现实，并且也相信，人总是进步的。但是，当我们的物质文明取得了巨大的进步之后，是不是也该使我们的精神文明得到发展呢？至少，总不至于退步吧。

老邓简评

成绩：58分。

文章看似轻松随意的诗词杂谈，实则切中时弊的“现代忧思录”！看似冷嘲热讽，实则忧心如焚！

面对人文精神的沦丧，呼唤纯净心灵的重建，作者思之深！思之远！思之切！

敬佩你——关注民族命运的热血男儿！

敬佩你——关注人类前程的时代青年！

进一步推敲：

“展示给我中华一族几千年来发展的脉络”，内容太大太泛了！

“抑或是是否”多别扭啊！

“包含天地的鹏程之心”不通！可改为“浩荡之心”。

“至少，总不至于退步吧”不通！

输入错误太多，以致“金钟报国”，多影响阅读情绪啊！

这篇文章已被浏览70次。
记者风之舞者发表于
2003-5-19
17:37:22

读诗词名句随想三则

damantou

“人生自古谁无死，留取丹心照汗青。”文天祥面对着敌人的毒刑拷打，威逼利诱，留下了千古的名句。这是满腔的热血，这是华夏子孙的脊梁，这是中华民族的魂魄——热爱祖国。祖国是生我养我的地方，祖国是我的母亲，热爱祖国是光照千秋的情操！“死去原知万事空，但悲不见九州同。王师北定中原日，家祭无忘告乃翁。”陆游临死前仍心念祖国，破碎的山河，使他死不瞑目，爱国之心，至死不渝。“苟利国家生死以，岂因祸福避趋之”，林则徐目睹着鸦片毒蚀着中华同胞，国家生死悬于一线，身为朝廷重臣，身系千万黎民百姓之安危，惟有担起千斤重担，拯救苍生。

爱国，鲁迅：“寄意寒星荃不察，我以我血荐轩辕”；秋瑾：“拼将十万头颅血，须把乾坤力挽回”；吉鸿昌：“国破尚如此，我何惜此头。”

“天下兴亡，匹夫有责！”

“结庐在人境，而无车马喧，问君何能尔？心远地自偏。”陶渊明在田园，过着农居生活。“方宅十余亩，草屋七八间，榆柳荫后檐，桃李罗堂前”。淡泊名利的生活，使他怡然自乐。向往淡泊，胸襟必宽；追求淡泊，心地必纯；拥有淡泊，天地万物皆为心役。

淡泊，诸葛亮：“非淡泊无以明志，非宁静无以致远”；白居易：“水能性淡为五友，竹解心虚即我师”；陆游：“心闲天地本来宽”；范仲淹：“不以物喜，不以己悲。”此皆淡泊之志也。淡泊是利欲者永远也攀附不到的一种崇高境界；在物欲汹汹、利念滚滚的潮流面前，能把守淡泊，是一种伟大。

“莫等闲，白了少年头，空悲切。”与永恒的时间相比，人的一生是短暂的，在生与死间徘徊。光阴易逝，永不回头。“少壮不努力，老大徒伤悲。”时间是文学家眼中的金子，是医学家眼中的生命，是教育家眼中的知识，是军事家眼中的胜利，是史学家眼中的法官，是美学家眼中的希望，时间是一切的基础。

"一寸光阴一寸金，寸金难买寸光阴。""明日复明日，明日何其多。日日待明日，万事成蹉跎。"珍惜时间，是延长生命。我们像夏夜划破长空的流星，转眼间跨越了光明与黑暗的时空，瞬息之间迸发出自己最绚丽璀璨的光华；而有很多颗星星就黯淡无光，无声无息地消失在无边的宇宙之中。

"少年辛苦终身事，莫向光阴惰寸功。"

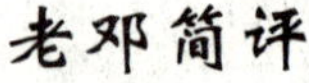

老邓简评

成绩：48 分。

诗词名句连缀成篇，怎能不令人唇齿留香？

"腹有诗书气自华"，大馒头，你想不酷都难啊！

进一步推敲：

1."爱国，鲁迅：'寄意寒星荃不察，我以我血荐轩辕'；秋瑾：'拼将十万头颅血，须把乾坤力挽回'；吉鸿昌：'国破尚如此，我何惜此头。'"这段中，"爱国"一词与后文构成的解释关系不足以突出重点，感染力也不强。可改为"祖国，令鲁迅……；使秋瑾……；让吉鸿昌……"，充分显示祖国的魅力。

2."天下兴亡，匹夫有责！"后面加上"爱国，不仅是一种责任，更是无上荣耀"，更能准确诠释、照应上文内容！而在结构上(结尾总结)与下一则随想更一致！

3."少年辛苦终身事，莫向光阴惰寸功"一句在内容上与前面引用的句子没有显著区别，放在结尾也没有总结的作用，结构与前两篇也不一致，应添加相应内容。

* E-mail传情——读诗词名句随想 皓子

枝上柳绵吹又少，天涯何处无芳草。

姐姐:

好久不见了，你是否一切都好?我这边很好，虽然身在异乡，但这里也有很多中国人，我身边的外国人也都对我很好，不要为我担心。

只是，最近我很烦恼。我的上司正在追求我，他是个法国人，很有魅力，而且对我很好，我已经爱上了他。可是，他已经有了妻子儿女，我不想破坏他的家庭，但我更不想放弃我的爱情，我该怎么办?

愿珍重。

想念你的妹妹

妹妹:

我很好，不要总惦念着我。

你与你的上司相识还不到两个月吧?如今的许多爱情都是“速食”型的，而你却是个相信“天长地久”的人，你要想清楚啊。而且他已经有了家庭，爱情固然可贵，但是破坏别人的家庭终究不太好，不太道德，你说是吧?

“天涯何处无芳草”，你又何必单恋一枝花呢?

仔细考虑考虑，慎重点，希望早日做出决定。但要记住，无论你如何选择，姐姐都支持你。

愿幸福快乐。

牵挂你的姐姐

为什么我的眼里常含泪水？
因为我对这土地爱得深沉……

姐姐：

我已经和我的上司分手了，很高兴我和他仍是好朋友。

昨天在网上听到那个"湖南225事件"。听到那个日本人在湖南电台大骂中国，大骂中国人，我真是气愤极了。日本以前在中国犯下的罪行还不够吗？如今日本人还要在中国大地嚣张，污辱我们的祖国母亲，污辱我们的人民！我真是怒不可遏！

代我向爸妈问好。愿一切顺利。

惦念你的妹妹

妹妹：

爸妈都很好。

很高兴你能想通，能选择一条正确的路。

那个日本人确实很可恨，所以我们要反击。当然不是去骂日本，不是去骂日本人，面对他们那肮脏的言语，我们只要自尊自爱就够了，我们应该尽自己的力量使祖国更加繁荣、富强。腾飞的巨龙总有一天傲然世界，令那些人无话可说！

既然你也深沉地爱着这中华大地，那么快点回来吧。中国在发展，现在的中国需要人才。国内也不比国外差，如今的中国社会还有什么不能满足你的呢？

愿早归。

期待着你的姐姐

Cast a cold eye. On life，on death.
Horsemen, pass by!

姐姐：

读了你的信，我终于明白了为什么当初那么多家国际性公司特邀你到国外工作，你都不去，面对那丰厚的酬劳，你都不理，偏偏选择了这家祖国本土的大型企业。原来如此啊。

记得叶慈说过："投出冷眼。看生，看死。骑士，向前！"面对私利，面对金钱，你冷眼相看。在你的人生道路上，你拥有自己的信念，勇往直前。在你的身上，我真的看到了叶慈所说的骑士精神。怪不得你那么喜欢这个爱尔兰诗人呢。

处理完这边的事，我会尽早回国的。

愿健康快乐。

归心似箭的妹妹

亲密聊天室

皓子问：

老师：这个是不是又不合题目要求了呢？可以这样写吗？不知道啊 ~~ :(

wojiger 回复：

看看，你又不自信了吧？相信自己的叙述能力！相信自己的描写功底！相信自己的抒情语言！

很高兴看到你的写作渐入佳境！

老邓简评

成绩：52 分。

作者巧妙地将诗词名句的内涵作为文章立意，自然引出相关的故事。同时采用两地书的形式，重点展示姐妹二人的内心世界，既看到其生活片段，更了解其最终的心灵归属。形式与内容相当统一，文章给人的启发性、感染力都很强。

推敲、提升：

1. 结构还须进一步完整：片段三形式上缺少姐姐的回复，文章整体不够谨严。而且内容上与上一个片段的主题勾连紧密，本部分的重点倒不突出了。

2. 网上听到那个“湖南 225 事件”，听到？抑或看到？

诗词名句随想——一个逝者的日记

张楠

生命诚可贵，爱情价更高。
若为自由故，两者皆可抛。

爱 情 篇

3月23日 阴

我今天的心情，就像北京的天空一样，充满阴霾。我和她分手了。其实，从我们在一起开始，就注定了这个结果。她是个张扬的人，虽然她很漂亮，但这并不是张扬的理由。她总是在对他身边的其他男人摆弄姿色，每次说她，我总是被她那挥之即出的眼泪弄得不知所措。我见不得自己心爱的女人哭泣，因为在和她恋爱之前，我经历了许多次失败，所以，我十分珍惜这份来之不易的感情。我容忍了她的一切。可她又是一个爱猜忌的人，每次加班晚归，她都要对我进行一番询问，才肯让我休息。本来已经十分疲倦的我，还要忍受她的询问。但这一切，我都默默承受了。因为我不想失去她，不想失去这份爱。

但最后，是她选择离开了我。原因很简单：她对这份感情失去了兴趣。其实，我本不该这么郁闷，其实，这也算是一种解脱吧。

自 由 篇

4月9日 多云

我因为感染了SARS，被关在这家医院里已经一个多礼拜了。我真正感受到了失去自由的痛苦。我是个坐不住的人，一天不出去运动，不出去应酬，我就难受得要命。被关在这里，最痛苦的不是病痛的折磨，而是和亲戚朋友分开后的那份孤独和失去的自由。相对于这些，身体所受的疼痛根本算不上折磨。我现在有点儿同情监狱中的犯人，真想知道他们是怎么面对这种心灵上的酷刑的。也许他们做了很多错事，但这么残酷的惩罚，让人不忍，也许，他们倒更希望受到死刑的惩罚。毕竟，一下子就过去了。没有了自由，就没有了一切。即使是生命与爱情，都没有自由那么珍贵。同室的病友也都是这样的无奈与痛苦，他们看着窗外的街景，是那么痴迷，那么望眼欲穿。可那曾经属于我们的一切，都不再属于我们。那些都属于健健康康的人们。而属于我们的，只有这四面冰冷的墙。还有不知何时就会到来的死亡。

生命篇

4月20日　雨

我喘不过气来了，即使护士在我的鼻腔中插入了氧气管。我的病情恶化了。按照常理，我此时应该惧怕死亡。但我没有。裴多菲先生说："生命诚可贵，爱情价更高。若为自由故，两者皆可抛。"我在一个月内，相继失去了爱情与自由，我的生命，还有什么意义呢？所以，我祈求上苍，能够早日让我解脱。我再也无法承受这份折磨了！

4月24日，这位患者离开了人世，他走的时候，面带着微笑……

亲密聊天室

张楠在做小结：

邓老师，在写这篇文章的过程中，我就意识到了也许我写得不太符合要求。我本应立即停下来。可有一种莫名的冲动，不允许我这样，反而给了我一种动力，促使我写完了这篇文章。希望您除了按海淀试卷的要求给我一个分数和评语后，能再用看待一篇随笔的角度，再给我一个分数和评语，好吗？

wojiger回复：

我能不明白你这种明知不可为却偏要为之的强烈的内心冲动吗？心灵在召唤——那是写作的最佳状态呀！

我也相信你在考场上是会理智审视和恰当处理这种冲动的！

老邓简评

好，我们开始分析文章：

按照试卷要求，文章只能得30分！原因一，不切题。三则只完成了一则！原因二，即使是完成的一则也有如下问题：

1. 日记是裴多菲诗句的随想，但是并没有体现其诗句的精髓！诗人为追寻自由而主动抛弃生命与爱情，其爱情与生命是美好的，其选择更是崇高而坚定；你是爱情、生命受重创而渴望结束一生，无奈而痛苦，其间差异还是明显的吧？

2. 文章中，爱情与自由并没有构成对立矛盾关系，更不存在因选择自由而抛弃爱情的问题，联想的故事与诗句没有必然联系。

3. 对爱情故事一味概述，缺少细腻的心理描写，主人公的痛苦，对爱情的绝望等都看不出来，看不到“日记”的鲜明特征！

所以，如果是平时的随笔，很遗憾，我也最多给你38分！

满意吗？

教你一招：

其实，如果你能化用裴多菲的诗句来表现你对爱情、对生命的绝望和对自由的无奈选择，这倒是一条新思路。但是，这样就要求你必须掌握化用的技巧。

你愿意尝试一下吗？

这篇文章已被浏览45次。
记者 weekday 发表于
2003-5-19
23:32:53

*读诗词名句随想三则

沧海孤舟

之一：隐士

如果你问隐士在哪里，我也只能摇摇头，正如诗句所说“松下问童子，言师采药去。只在此山中，云深不知处”，隐士就像深山中的白云，隐隐约约，不知所之。

“采菊东篱下，悠然见南山”。守着自己一园的菊花，唱着自己的歌，欣赏日落时分的南山。好不惬意的田园生活。再加上没有官场上的尔虞我诈，没有沙场的你死我活，还有谁不想要呢?回归田园就像是鸟从牢笼中飞出，真是“久在樊笼里，复得返自然”，悠哉，妙哉!

我还能说什么呢?我只能说：我愿做隐士。

之二：狂人

“我本楚狂人，凤歌笑孔丘”。这是一种不拘于世俗的叛逆，一种对人生琐事的洒脱。狂人怎会“摧眉折腰事权贵”，试问有哪一种人会有狂人的潇洒?

“人生得意须尽欢，莫使金樽空对月”。狂人喜酒也嗜酒，人生不过短短几十载，何不快乐些潇洒些?“五花马，千金裘，呼儿将出换美酒，与尔同销万古愁”，不错，为何要烦恼，不如痛饮。好也罢，坏也罢，把所有事通通抛到九霄云外，“今朝有酒今朝醉”。

狂人潇洒，狂人狂妄，真是“天子呼来不上船，自称臣是酒中仙”。

我还能说什么呢?我只能说：我愿为狂人。

之三：英雄

“人生自古谁无死，留取丹心照汗青”。试问除了英雄谁还会有这般视死如归的豪情，谁还会有这般精忠报国的赤胆?英雄如高山，高高在上；英雄如江海，宽广雄伟；英雄如悲歌，让人泪湿满襟。英雄无畏强权无畏谗邪无所谓生死，他们就算被冷落被贬谪也要忠国忧国报国卫国，正是“僵卧孤村不自哀，尚思为国戍轮台”。

英雄没有隐士清静的田园生活，因为英雄从不逃避。英雄也没有狂人的洒脱，因为英雄肩负责任。英雄“敢于面对惨淡的人生，敢于面对血淋淋的世界”，英雄之所以为英雄也就在于此。

现在，我还能说什么呢?我只能说：我更愿做英雄，即使我会一生孤独。

老邓简评

成绩：52 分。

好一叶“沧海孤舟”！难怪你更愿意选择英雄，瞧这笔名，分明透出一股苍凉英雄气！

文章内容层层递进，思想情感不断深化，作者的人生追求逐步彰显，表达效果极佳！

写作强手又杀回来了！君君，好样儿的！

这篇文章已被浏览 27 次。
记者赵睿君发表于
2003-5-20
15:59:16

＊＊仁者无敌　云野精灵

重读《水浒》，不觉又翻到了武松打虎这一节。虽然已看了无数遍，但仍忍不住细细读来……“呼——”老虎终于被打死，我也随之长舒一口气。这时发现自己出了一身大汗，感觉像是自己打赢老虎一样酣畅淋漓。

古时候，虎是多么可怕的对手！虽然它给人带来恐惧和伤害，但它也让战胜它的人成为英雄。一个人在与虎的战斗中培养了胆量、力量和智慧，成为强者。人类在与虎的斗争中也极大地增强了生存能力和战斗力。我们不应对虎致敬吗？不但是虎，对那一切在我们成长过程中被我们战胜的对手，难道不该致敬吗？

只可惜，今天虎虽然还有，但昔日的对手已经不在了。每次到动物园，看到笼子里懒洋洋的老虎，就觉得很伤心。昔日的百兽之王竟落到了这步田地。不错，人才是真正的王。我们用武器让老虎彻底屈服。这还不够，我们强行索取它们的皮毛，将他们几乎赶尽杀绝，剩下的也抓到动物园来观赏。我们似乎完全不记得这个曾经的对手带给我们的好处。

人经常这样对待战败的对手。吴王夫差攻破越国，让越王做他的仆人。横扫天下的蒙古人，每破一座城池都要烧杀数日，让全城的人成为奴隶。人残忍地对待已经战败了的对手，为了什么？他们显然都不认为对手对自己有过任何好处。出于泄愤？不，这是出于狭隘的虚荣。

众所周知，吴国不久被卧薪尝胆的越国所灭；蒙古帝国虽盛极一时，却也只持续了几十年便土崩瓦解。他们为什么会亡？因为残忍对待对手时，他们已亲手种下了毒种。战败的对手因为残忍的对待，必然满腔的仇恨。仇恨是一种可怕的力量，并且会不断积聚。最终战胜者的失败就如同火山爆发一样不可阻挡。

那些像老虎一样被人们逼得走投无路的动物，以及那被人类征服又破坏了的森林、草原，它们的仇恨会是怎么样的呢?这会是整个自然的仇恨!到那一天，就是人类的末日。

这时不禁想起孟子的一句话:“仁者无敌。”人总把这句话单纯理解为尽量不打仗。但其实人为了前进，总会有战斗，总会有对手。对手败了，要有仁爱之心，善待战败的对手，消除仇恨。这样才能取得真正的胜利，才能保证自己的发展!这也是“仁者无敌”要告诉我们的。

北京这两年开了些野生动物园，老虎离开了铁笼，可以在比较大的地方活动。工作人员说工作比以前要辛苦得多，但是值得的。我对此很高兴，毕竟人们在改。同时也更企盼老虎真正回到自然的那一天。

即便犯过错，从此善待对手，从此记住“仁者无敌”，人类的前途仍旧灿烂。

亲密聊天室

云野精灵说：

这篇写的是对手，感觉结构上比较繁复，写起来累，有什么较好的简化方法吗?

wojiger 回复：

写成这样一篇优秀的杂文确实是要花费一番心力的。所以不要嫌繁复，不要怕累——有付出才会有收获嘛!

老邓简评

成绩：58分。

文章从看似远离话题的一个情感片段下笔，引发读者兴趣，然后在随意谈天的口吻中渐渐接近话题，并用反问提出自己的看法，由此而进入正题——自然而老到!

纵观全文，作者入虎出虎，虚实结合。由虎及人，说古道今。引经据典，彰显主题。结尾照应开篇，回归虎之命运，点亮人类心灵，深化主题，升华情感。

一个字：妙!

这篇文章已被浏览51次。
记者 wojiger 发表于
2003-5-20
23:25:01

＊“不”字也有两重天

云野精灵

在如今这个日新月异的时代，人们越发崇尚反叛精神。人只有敢于怀疑、否定一切潮流、理论、经验、习俗、权威，才能使腐朽的事物摧毁，创造崭新的未来。许多人认为数千年封建社会残余的意识使当代中国人习惯于顺从，缺乏反叛精神，并在全社会呼吁要敢于说“不”！

可事实上，我们在生活中真的绝少听到“不”字吗？小孩常说“不”，父母告诉他“鱼儿离不开水”，他却偏要偷着把金鱼捞出来；暴发户常说“不”，人们说科技致富，管理致富，他偏要讲“致富全凭一个‘闯’字”；用心险恶的人常说“不”，人们看病都吃药，李洪志却生生弄出一个“包治百病”的法轮功……

我们其实随处可以听到“不”字，但这就是我们所提倡的吗？答案是否定的。

金鱼捞出来一定会死掉。无论小孩怎么不信这个邪，再试几次结果也是一样。这说明：像“鱼儿离不开水”这样的客观规律是不以人的意志而转移的。小孩对它说“不”，是一种凭空的、无中生有的否定，是不科学的，没有任何实际意义。成熟的人，只在有丰富知识，同时对事物本质规律有了更深认识的时候，才会针对现有理论的缺陷和不足提出异议。这是说“不”的科学方法。

一些人靠着“闯”字致了富，这是事实。敢闯，就是敢干别人不敢干的事，敢干条条框框以外的事，也就是敢于说“不”。敢于说“不”的确可以创造一些奇迹，我们应赞叹“不”字的神奇。但有项调查显示，绝大多数暴发户的衰落速度比崛起的速度还要快得多！他们不都善于说“不”吗？那又怎会失败？我们从中总结出一个教训：“不”字并不是万能的。说“不”可以取得飞跃，但所得的成果要靠经验、理论、规则才能维持和发展。只说“不”，一定不会有长久的成功。真正的成功者对说“不”有正确的认识，不贬低“不”的价值，但也绝不迷信于说“不”。

在现实中，人常对现有的一切并不完全满意。说“不”可以迎合人们这种心理，所以居心险恶的人常说“不”，来引导人堕落。李洪志让大家对吃药说“不”；某些犯罪分子诱导青年人对道德说“不”，对社会说“不”；更有反华势力正极力向我们鼓吹向主权、向统一、向党、向社会主义制度说“不”。我们要坚决反对这些“不”，因为它们都是腐蚀心灵、危害社会的毒种。正直的人永远只对邪恶说“不”！

同是说“不”，有错有对，有浊有清，有下有上，这就自然形成了两重天。我们提倡说“不”，提倡的是第二重境界。这就需要我们有科学的方法、正确的认识和是非分明的态度。

亲密聊天室

云野精灵说：

我交三篇文，这篇是：学会说“不”。

好几天前写的，感觉似乎跑题了。题目的意思是拒绝。我这个“不”和“拒绝”似乎还不太一样。

wojiger 回复：

大贝宁，好得很！就照着这条辩证思考的理性之路走下去——这应当是你独有的风格！

老邓简评

成绩：53 分。

需要指出的不足之处：

文章开头段句子之间的关系不明确，意思表达不够准确，影响了主旨的鲜明突出，同时给人不好的印象。

“人只有敢于怀疑、否定一切潮流、理论、经验、习俗、权威，才能使腐朽的事物摧毁，创造崭新的未来”，你对此是肯定还是否定？跟下文如何勾连？与下一段的转折又如何承接？不明确。

开头一定要漂亮，一炮而响，切记！

这篇文章已被浏览 34 次。
记者 wojiger 发表于
2003-5-20
23:26:29

*读诗词名句随想

云野精灵

人总以为诗中写的是风花雪月、爱恨情仇。殊不知诗中还有一种比金子还要宝贵，比钢铁还要坚强的东西，千百年来，从未磨灭……

无　衣

“岂曰无衣?与子同袍。王于兴师，修我戈矛，与子同仇!”

这久远而雄壮的歌声从哪儿传来?从春秋时秦国的军营中来，这是他们的军歌。

那个蛮荒的时代，人民生活很苦，军中的士兵也没有足够的衣服。但他们团结友爱，相互协作，共渡难关，同仇敌忾。这是多么纯朴乐观的战斗精神，激励着士兵们上阵杀敌，保卫家乡，与艰苦的时代抗争。

“岂曰无衣?与子同泽……岂曰无衣?与子同裳……岂曰无衣……”他们继续唱着，并世世代代传唱下去。直到后来伟大的秦王——嬴政，带着秦国的战士横扫六合，一统天下。

有几百年战斗精神的积淀，试问怎能不成功?

《无衣》是中国最早的军歌，它同后来刘邦的“大风起兮云飞扬”一样，是王者平天下的战歌。

易　水

“风萧萧兮易水寒，壮士一去兮不复还。”

悲壮的歌在河上飘荡，这是荆轲启程前唱的歌。他刺杀秦王，要用一己之力挽救整个燕国的命运，扭转乾坤。这是一个人与一个国家的对抗，几乎没有希望，但他仍要拼死一战!

河上已没有荆轲的身影，歌声回荡在遥远的天际。

荆轲走了，他抱着必死的决心，为了知己，他愿献出生命。

他的这种大无畏的牺牲精神，从此长存世间。

《易水歌》是另一种战歌，它和清代谭嗣同的“我自横刀向天笑”一样，是英雄牺牲的战歌。

满江红

“怒发冲冠，凭栏处，潇潇雨歇。”火红的夕阳照耀着岳元帅滚烫的心。

“精忠报国”是岳飞一生的理想。即便山河破碎，朝廷软弱，他仍然渴求着报国！皇帝不等于国，报国亦不是为那昏庸的皇帝，而是为了雪国耻，复河山，为了天下百姓谋幸福。

撼山易，撼岳家军难。是爱国心让岳家军所向无敌。

十三道金牌，岳飞冤死风波亭。他要用死证明爱国之心。

岳飞一生为国而战，青史留名。

《满江红》也是战歌，是爱国者为国家献身的战歌。

悠悠数千载，这些脍炙人口的战斗篇章中，凝聚着我中华民族不畏强暴，勇于开拓，百折不挠的战斗精神。无论强盛还是衰落，这种最宝贵的精神鼓舞着我们向着光明前进。

当今天我们在国旗下高唱《义勇军进行曲》的时候，我们热血沸腾。“起来，不愿做奴隶的人们——”这不是战斗的宣言吗?我们的国歌也是战歌！中国人唱着它结束了屈辱的历史，还将唱着它在21世纪勇往直前。

战歌不朽，中华民族的战斗精神永存。

老邓简评

成绩：52分。

从诗词名句中寻找战歌的身影，挖掘民族的战斗精神，构思可谓新颖而独特！文章各个片段时代不同，场景迥异，却中心明确，主题鲜明。特别是浓郁的抒情色彩，使文章具有很强的感染力！

进一步推敲：

战斗精神跟好战有何区别?应明确。

什么前提下的战斗精神值得歌颂?应深思。

“勇于开拓”体现在何处?不显著。

连交三篇好文章，祝贺你成为本周最佳写

这篇文章已被浏览35次。
记者 wojiger 发表于
2003-5-20
23:22:19

＊诗词名句随想（三则）

faye_1984

其一：枝上柳绵吹又少，天涯何处无芳草。挺好的一句诗，却让我一下子想到了“失落的文化”这么个词。为什么呢？那日顶着烈日骄阳在小学校旁等车，两个小小的小男孩从校门里走出来，一个蔫头耷脑一个摇头晃脑；一个两手无力下垂一个手舞足蹈，一个唉声叹气一个吐沫横飞，冷不丁吐出一句：“哎——兄弟啊，天涯何处无芳草，何必单恋一枝花?!”——被烈日灼烧着的我登时晕倒！其实早就听过这句改装后的“妙语”，好些无聊的人把它当成宝贝铭记在心头，可当它出自一个尚不谙世事的小孩子嘴里时，着实让我吃了一惊。我想如果去问那个小男孩：苏轼的原诗是怎么写的?恐怕九成九答案都是茫然——因为他的身边，大人们从不会把苏诗像那句“妙语”一样整日挂在嘴 边。(前些日子有个电视剧叫《少年包青天》，听名字必定是讲述包拯年少时的轶事。想我当年日日抱着一本几百页厚的《包公案》伏案苦读，对那黑脸老包佩服得是如何的五体投地！“铡美案”震惊全国也使包拯的威名远扬；“乌盆记”神鬼同泣足见包拯的明察秋毫……可是日本“名侦探”培养出的“小侦探”们却给了我美丽的回忆当头一棒：原来包拯小时候遇到的一系列“案情”十有八九跟那个十岁不到的日本小孩遇到的一模一样，解决方法也如出一辙，连口头禅也没区别——“真相只有一个”。这是卑劣的抄袭——导演几十岁的人了，却去剽窃一个外国小学生的“智慧”，这不让我们汗颜吗?虽说他山之石可以攻玉，但是我们自己的历史、文化中难道没有可以借鉴的吗?从包拯破解的那么多惊世奇案难道不能挖掘出一点点我们中国人的才智吗?导演不讲我们的历史，所以轻易就能看出中国电视剧的“日本原版”的孩子们从未听说过曾经名闻天下的开封府铁面无私包青天……）听说现在的孩子虽不看三国，却甚是痴迷于一个叫做“三国”的电脑游戏，设计者为增加产品的“现代气息”，特补充一条游戏规定：凡出三千两白银者可购得鲁肃，五千者得子龙，得孔明者稍难，要翻两番还得换成黄金，还只租不借……金庸老人家的名作《神雕侠侣》，虽说少年读者不少，可孩子们似乎更喜欢看日本拍的卡通片，那里面杨过叫“杨过君”，小龙女叫“龙子”……我们曾经不可一世的豪情和气节正随着曾经灿烂得让人不敢直视的文化一同消逝。小小的小男孩嘴里喊“天涯何处无芳草，何必单恋一枝花”，却不知道苏轼是何许人，我们是不是应该好好反思一下我们的社会究竟给原本纯真的孩子带来了什么…… 救救孩子!

其二：“安能摧眉折腰事权贵，使我不得开心颜”——他吟着诗人的句子，像诗人当年一样醉得不省人事，控制不住自己一下倒在了床上。女儿去给他沏茶解酒，妻子一边替他脱鞋一边嗔怪他：“我说你就不能少喝点吗?每次回来都酒气熏天，有谁掐着脖子灌你酒喝了?酒是人家的，身子是你自己的啊! 唉，你去冲个澡再睡觉，解乏。”说完便转身出门去给他放洗澡水。他的耳旁隐隐地响着哗哗的水声，胃里突然一阵翻江倒海，顿时只觉天旋地转，所有吃进去的东西好像都争着要漾出来。他很艰难地用无力的双臂支撑着身体，把头探到床帮外面——然后“哇——”的一声——吐了。她们都在忙，没听见他那里的声音。吐过之后他稍稍舒服了一些，胸口堵着的感觉好多了。他就那样上半身悬空地趴在床上，静止着——头脑中却又快速地重现出在饭店的情景。这对他来说是很平常的一幕：他敬酒，老板坐在上座——是合作单位的老板，红光满面豪气冲天一杯接一杯地喝，酒兴正浓之时还不忘亲自给他这个小办事员斟上几盅，要他同饮，不醉不归。喝酒的时候他挂念着家里的老婆孩子，领导给倒了酒自己还曾经“不知趣”地推托，老板嫌他摆架子，生了气，他的“差事”也就落实不了。没了差事，拿不到工钱，回家哪有钱交给老婆?没有钱，老婆偶尔会埋怨：怨他天生嘴笨，混了十几二十年还是个当差的，还要看人家脸色，还是穷得响丁当…… 可他希望老婆和女儿过上好日子，没办法，转一个圈，还是要回到酒桌上；没办法，领导赏脸给咱斟酒咱就要“一口闷”；没办法，只能“不醉不归”……“活儿”抢下来了，几个小钱儿，跟着这一身的酒气，一块儿塞给了他。女儿给他端来茶水，发现爸爸呕吐的污物，急急地抓来墩布把地上收拾干净了。他总是不忍心看女儿这么懂事：直到现在——女儿已经上高中了，自己还没有余力给她添置一台电脑——那玩意儿在别的孩子眼里已算是普通玩具了吧。他眼神有点发直地环顾四周：有点陈旧的木质地板，不算太高档的家具，普通棉布剪成的窗帘，还有老婆梳妆台上散落的那套廉价化妆品…… 老婆一般都会开解他说：“有总比没有强。”是啊，他的厂子是个没有效益的空壳，要不是自己有点手艺，四处“抢”活干，恐怕这个家早就撑不下去了。“抢活”就要低声下气地求那些发了大财的小老板们。老板们只有在不清醒时才最好说话，所以他只能一次又一次地“陪喝”、“陪笑”、“陪醉”……谁说“钟鼓馔玉不足贵”?谁说“惟有饮者留其名”? 我愿长醉不醒，愿乘风归去，但我要养家啊，我还有温柔的妻和懂事的儿啊！——他有些嫉妒诗人的洒脱。一瞬间，他突然很疲倦，转个身，睡了。

其三：托尔斯泰的诗，“落日问：‘谁能接替我的工作？’瓦灯说‘您放心地交给我吧！’”别说瓦灯自不量力。他有万夫不当之勇。有个成语叫明哲保身，说的是无论遇到什么事，都要先把自己择出来，千万不能蹚一身浑水。有句话叫“各人自扫门前雪，休管他人瓦上霜”，说的是只要管好自己的事就行了，用不着管他人的闲事。一个词，一句话，说的都是一个意思：自私，冷漠。太阳落山了，要找个接班的，灿烂如花的火把躲开了，它说：“夜里风大，我身体孱弱，恐怕难负重托！”喧嚣时照彻天地风光无限的霓虹灯躲开了，它说：“我的任务就是吸引人们的眼球，夜里没有人，我自然要休息了！”就在这时，貌不惊人的瓦灯突然憨憨地说：“嗯，嗯……我的力量虽然不大，但是每一个在无边的黑暗里看到我的人都会觉得温暖，都会觉得安全……我会尽力的！”这盏瓦灯，就是哈里希岛上的那盏孤灯，就是迷航的船在海上的惟一目标，就是所有的人在绝望中看到的一点点希望的光芒！

亲密聊天室

faye_1984 说：

您还在啊？

wojiger 回复：

那您的意思是我已经牺牲了？这么晚了你还在网上干什么？招扁哪？

faye_1984 说：

这不是被我妈赶着上来学习知识嘛！您在这关键时刻给我们巨大的支持啊！我能不来领会精神么？

wojiger 回复：

孩儿啊，到了6日晚上绝不能熬夜！如果做不到，休想让我再搭理!!!!!!!

faye_1984 说：

一不小心又写得太长了。本意不是这样的，可是左改右改就成了这样子。其实写前两段我费了不少心思，第三段只用了不到10分钟，可感觉第三段的效果是最好的，而且字数也差不多符合要求。您看第三段这样行吗？还用不用升华主题什么的？我发现我写作文时常在一些词语、句子结构的选择上拿捏不定，可能思路还就此中断了。您说这样有必要吗？

wojiger 回复：

用不着老师点评了，因为你对自己文章的认识相当清楚嘛！不过是想得到老师的认可而已，对吗？

老邓简评

成绩：54分。

千字文，精练集中为好，尽量避免繁冗。斟酌字句而中断思路，当然是因小失大！

文章巧用诗词名句引出传统文化被人淡忘、人生理想遭受扭曲等现实问题，针砭时弊，反思生活，呼唤精神回归，内涵丰富，具有很强的思想力度！

精益求精：

1. 片段一中两个小孩儿误读苏轼背后的内容挖掘不够深入，分析还须进一步到位。

2. 结尾有高度概括的总结会更好。

精彩花絮

收件人：wojiger 发件人：花自飘零 主题：关于绝壁边缘

发送时间：2003-5-16 是否已被收件人浏览：True

这篇文章，故事来自一本书《槲寄生》，选择荃不是走上一条不归路，而是代表需要很大勇气放弃明菁，两个女主角本来就没有什么贵贱之分，都很完美。只是主角更加喜欢荃，(我个人认为爱没有理由)而对明菁他始终没有勇气说不。面对明菁不紧张是因为对她是一种朋友间的感情，无须紧张，面对荃，是爱情所以自然会紧张啊。为后面选择荃做铺垫的。

当然，这只是我个人的想法。写得也不是那么明白，让你劳神了。主要是写太多的议论文，应试作文，最近又看了这本书很是感动，所以想写一篇这样的文章。早知道不应该放到这里浪费你的时间批阅，我感到很抱歉，真的。老师对不起。不过，您放心，高考的时候我不会这么写的了。

精彩花絮

老邓回复:

没有什么对不起的! 书写自己的心声，这正是写作的本质啊——我最欣赏这样的写作内容。只不过意思表达不够清楚，我没看懂而已，有什么好道歉的呢?

放胆说你想说的话，放胆写你想写的情——只要它是真、善、美的东西，只要写得真切自然，有感染力，你不需要有什么顾忌!

收件人: wojiger 发件人: 枯叶狂草 主题: 作文

发送时间: 2003-5-19 是否已被收件人浏览: True

新发了一篇，后两个材料好像不是很好，没有说服力。

老邓回复:

你的感觉很敏锐! 好好看老师的评语吧，还不明白接着问。

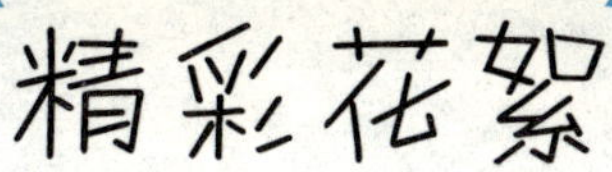

枯叶狂草回复:

好像写得有点没得写了，或者是写不下去了……

老邓回复:

这是黎明前黑暗时期的正常反应！相信自己！

枯叶狂草说:

总觉得自己早一点的文章要更生动，更有文采，思想也更深刻一点。

不知道是为什么，是作文禁锢我了么？还是我对新形式运用得不自如？

不过现在除了用画面式，什么也不会用了。

我该怎么办？

老邓回复:

你想得全能冠军啊？没必要嘛！有你的一招鲜不就行啦？愁什么呢？

精彩花絮

收件人：wojiger 发件人：faye_1984 主题：无标题

发送时间：2003-5-21 是否已被收件人浏览：True

啊！亲爱的邓老师，怎么我苦苦分了那么多段，您一下子给鼓捣得只剩三段了?!还有我那么充满想象力的名字也被您删掉了，5555......(　奋力疾哭!)

上午交作文的时候您还在，我交了三次就死了三次机，叫您跑掉了！：)

我看人家的文章，三段有个统一的主题读起来整体感很强，是不是比较容易接受?我这样三段完全没有联系，对文章整体的感觉又没有影响呢?

明天就要见到您了，好激动哟~

老邓回复：

题目不是说三段可以独立吗?所以说审题最要紧！按要求行事最要紧！

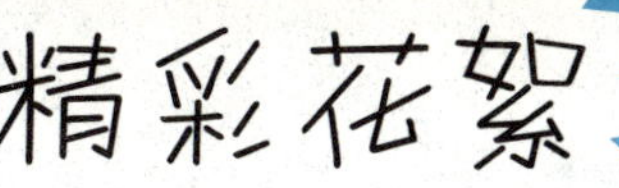

大宝贝儿啊，就连这三段也是老身猜测着分的！你的邮件里哪有“段”啊！

比窦娥她奶奶还冤的你亲爱的老师！

faye_1984 回复：

这是什么破系统啊！枉我嘿咻嘿咻地分段呵分段！到了您那儿就变成一片了！！

您真是辛苦了！每天都审那么多文章费那么多脑细胞，发给您一朵大红花！您早点休息吧！想想明天就能见到我了，您激动不?(呵呵，找抽呢)

晚安！

老邓回复：

自己脑子进水却责怪系统犯病！姑且信之！如果关键时刻真糊涂，我决不轻饶！

看到你这么激动，于是乎我也异常激动起来啦！

精彩花絮

收件人：wojiger 发件人：seraph 主题：关于写作文

发送时间：2003-5-25 是否已被收件人浏览：True

我有点问题请教。写作文的时候总会出现这样两种情况：一、已经打好草稿了，动笔写了一半了，可是却一下子发现和想的不大一样，就卡住了，不知道是改回去还是就这样顺下去；二、在写作文的过程中，猛然间记起一个很好的材料，觉得相当适合这个文题，可是又不知道应该插在哪里，要知道原本的文章是一个整体，现在却……

假期写作文的时候总是会卡住，大部分是因为以上的原因。有些害怕，因为作文写完了之后，心里很没底，就像这次二模——感觉不好。挺担心考试时要再碰见这种情况，我该怎么办呢？

老邓回复：

没想好之前一定不要动笔！

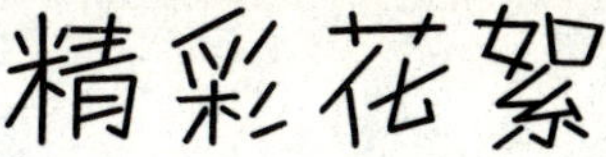

精彩花絮

之所以会半途写不下去，主要原因还是事先没有想透彻，想完整。如果此时急于动笔，其结果可想而知！而且还耽误了宝贵时间，事倍功半！

另外，材料插不进去，说明材料与文章联系并不密切！那就要忍痛割爱！千万不要为了某个材料而耽误整体构思，得不偿失！

收件人：wojiger 发件人：赵睿君 主题：无标题
发送时间：2003-5-26 是否已被收件人浏览：True

老师呀，我那篇《剑客三心》您怎么没评呀？
是不是不知道是我写的？
拜托，我觉得写得挺好的，评一下吧，Ok？
Thank you anyway.

精彩花絮

老邓回复：

大宝宝，实在没想到你刚结束考试就完成了一篇文章！我还以为大家会见作业而头痛呢！低估你的创作激情和创作才能了！对不起，马上就去评！

落幕啦！

2003/6/9(网上作文告别！)

最后的公告

老邓

我亲爱的孩儿们：

与你们网上倾情的高三学年即将结束，

怎不叫人百感交集！

那些一触即发的灵感，那些惺惺相惜的激动，

那些孜孜以求的期盼，那些充满信赖的等待，

那些急不可耐的催促，那些来自深夜的

问候……

呜呼，我说不出话！

想起我们的实验是以一曲《I'll be right here waiting for you》开场，泪眼中翻出自己珍爱的唱片，就让我以臧天朔的一曲《朋友》与你们作别吧：

朋友啊，朋友，
你可曾想起了我？
如果你正承受不幸，
请你想起我！

朋友啊，朋友，

你可曾记起了我？

如果你正享受幸福，

请你忘记我！

朋友啊，朋友

你可曾记起了我？

如果你有新的，

新的彼岸，

请你离开我——离开我……噢！

离开吧，亲爱的孩儿们！去到新的人生彼岸，去寻找新的知心朋友！

再见了，最后一次叫你们——我亲爱的孩儿们

一……生……祝……福……你！

(蓦然回首，老邓正泪眼婆娑呆立灯火阑珊处！)

实验链接

媒体报道

学生反馈

家长反馈

专家意见

媒体报道

网络教育的大胆探索

——记北京师范大学附中邓虹老师的“高三网上作文实验”

《光明日报》记者　郭扶庚

实事求是地讲，在仔细阅读材料、对邓虹老师进行深入采访之前，许多问题始终困扰着记者，也同样令邓老师的许多同行为她担心忧虑。

邓虹老师是北京师范大学附中语文教研组组长，近半年多来对她的采访十分困难，首先是她带着高三年级两个毕业班的语文课，还要负责教研组的许多事务，工作繁忙可想而知，在学校很难看到她的身影，即使看到也是匆匆一瞥、寥寥数语，令人不忍心过多打搅她。而在电话里采访似乎更加困难：无论什么时候打她家里的电话，好像永远占线——不用说，邓老师正在网上和她的“孩儿们”进行激烈而愉悦的思想交流。

一次大胆的探索

传统课堂作文常常要求“全民”参与，但是受课堂条件限制，作文指导或训练往往难以顾及每一个学生，特别是优缺点都不突出的学生很容易被忽略，课堂似乎只成了少数写作精英巡展的舞台。如何才能在作文教学中激发情趣，让学生真正产生写作的欲望甚至冲动？这是包括邓虹在内许多老师长期教学实践中始终没有解决的问题。

随着信息技术的发展，敏感的邓老师及时地捕捉到了网络教学的信息，于是，经过长时间的思考、论证、准备，一个大胆的想法成熟了：利用学生喜爱的网络进行作文实验。

邓虹老师的“高三网上作文实验”选择在2002年的12月开始，结束于2003年6月5日，即高考进行的前一天，历时半年之久。在各种游戏和聊天室充斥网络的时候，让高三毕业班的学生利用网络学习作文，相信许多人都难以接受这样的大胆实验。

然而，正是在这段紧张的日子里，邓虹老师和她的几十名“孩儿们”同呼吸、共命运，一起走过了一段不平凡的历程。

邓虹老师的网上作文实验面对所有参加实验的学生，让他们每个人都有权发言，每个人都有机会“露脸”，每个人都能脱颖而出，每个人都能得到老师和同学的欣赏、赞美、鼓励、鞭策。正是由于使每一个学生都看到了自己的成果和力量，深切感受到了自己的独立存在，找回了失落在课堂的自尊，增强了在线写作的自信，从而最大限度地调动了所有学生的写作积极性，特别是强烈激发了平时课堂作文中“名不见经传”者的创作热情。而老师则针对每一个学生具体评价，针对不同问题个别点拨，回复每一封“人民来信”，将关注投射到每一个心灵，把期待寄托于每一篇作品。于是，你常常可以在“实验基地”看到写作新人的浮出水面，看到网络快手的闪亮登场；看到学生完成规定作业后的“即兴表演”，看到沉醉者一发不可收的“激情大写意”……网上作文不仅公平而且公开。个人的创作轨迹、发展变化、风格特点清晰可见，老师对自己、对他人的评价公开陈列，整个集体的思想情感、创作氛围、创作水平可以清晰感知，这样的写作环境无疑给每个学生建立了相对完整的“写作档案”，使他们的写作行为充满自我意识。

参加实验的学生普遍认为，网上作文轻松愉快，特别是能很快看到自己和同学的作业，能很快得到老师的评价、同学的点击，非常激动，非常过瘾。经常有不少同学发送作业之后，马上点击老师信箱，追着老师评析，迟迟不愿下线。一旦老师发布“最佳写手”信息，为某些同学加“星”，就会引得大家立刻争相点击，先睹为快。写作情况除了能从老师那里得到及时反馈，聊天室也是“最新消息”的发布地。同学们随时可以从这里获取他人的写作动向、进程、结果等方面的信息，及时给予自己相关的写作提示，便于准确定位。

激情互动，开辟作文教学新天地

作文是一个情动于心而发之于文的完整过程。动情才能动笔，动情才能投入，动情才能动人。邓老师的网络辅导的基本思路就是有效利用网络技术，力求在师生交互、生生交互式作文活动中，构建一个情感交流、智力交锋、相互启迪、设问释疑、轻松和谐的“场”，使老师更加贴近，甚至尽量切入学生写作的流动过程，及时把握学生写作的思维动向，使辅导点拨尽可能地深入到学生的心中。同时，通过这个富含智力与非智力因素的“交流基地”，融化写作这块“坚冰”，让它能够逐渐从学生的心底自然流出，让写作最终成为生命的一部分。

实验中，老师从发布公告，布置作业开始，直到接收来信，加入聊天，评价作业，及时反馈，各个环节都有意识快速传递激情，力求用诚挚感染学生，为学生创设一个各显其才、相互欣赏的情感空间。邓老师认为，情感与心灵的认同有时比单纯的文章评析更能打动学生，如果师生之间真情涌动甚至惺惺相惜，作文教学定会获得最佳效果。事实上，这种效果在网上作文实验过程中已经得以实现。例如：老师为充满才情的文章及时送上赞美与欣赏，于是被赏识者常常一次交上多篇作品；老师随时发现文章问题，立刻给予建议性点拨，于是随即有学生送上心悦诚服的修改稿；老师披沙拣金，挖掘平凡文章的闪光之处，及时给予鼓励，并让他翻看“作文档案”，看到自己的长足进步，于是不少人除去自卑，增强信心，力求篇篇作业有亮点……学生感受着老师的热情，他们对自己的写作更是充满期待。他们热切盼望获得肯定，踌躇满志准备一试身手。聊天室里使用频率最高的话语常常是：“老师，您评完我的作业了吗？”“老师，我今天这篇怎么样？”“老师，晚点儿发给您，您能坚持吗？”于是，家有宽带网的就一直吊在线上，拨号上网的就算好时间按时查询，临时上不去的就先输入到电脑中改日再发；于是，老师的评语几乎每篇都能背下来，上课见了面还激动不已；于是，部分学生有意识模仿老师的语言风格，进一步锤炼自己的语言……用学生的话说，我们的实验基地已经成为一个“气场”，每周都会感受到它的引力。甚至有个别学生企图“作弊”，提前来打听作业内容，以求先声夺人！

网络实验让师生之间互动起来，摆脱了单一的授受式关系，同时更让生生之间相互开启心智，激荡情感，比学赶追，争显个性。这种互动关系的影响力同样不可小视。

最令人意想不到的是，这个实验将作文教学活动延伸到了师生之外。实验过程中，不断有学生家长跟随学生一起浏览实验基地，及时了解孩子的写作情况及写作水平，扭转了以前对孩子语文学习特别是写作知之甚少、甚至一无所知的被动局面；有的与孩子一起选择有价值的文章或时事新闻，及时扩充版块内容；有的在工作之余为孩子下载相关素材，协助孩子写作；有的帮孩子保存作品，增强孩子的成就感……

桃李不言，下自成蹊

天下没有不散的筵席，令人难忘的实验在高考前一天戛然而止。而在高考结束的第二天，邓老师关于实验的调查问卷就已经发放到了学生和家长的手中。

在这份“高三网上作文实验调查问卷”里，邓虹老师一如平常地以“你们的老邓”的名义表达了对“孩儿们”的感谢，她饱含深情地回顾了和同学们一起走过的那一段不平凡的历程：“对我来说，网上作文辅导是一种全新的教学方式，更是一次大胆的教学尝试。没有你们的绝对信任，没有你们的无私帮助，没有你们的积极配合，没有你们的倾力表现，我的实验寸步难行！正因为有了你们交付给我的真情保障，才有了我们师生24周绵绵不绝的心灵燃烧，激情作文！才有了我们高三生活的执著无悔，才情飞扬！”

翻阅学生和家长的答卷，不禁让人感慨万千。我们无需过多地评说，兹抄录一些学生的感受，就可以窥见这一段难忘的经历在他们心中的分量：

“经过这次实验，我常在想：写作应是一种生活方式。我绝成不了苏轼，也绝不是李白。诗文不会成为我人生的主线。但时不时写些什么，读点什么，这却正是生活本身。”

“实验满足了我们学习作文知识的渴求，激发出我们对写作及文学的热情，又将我们的思想由肤浅带向深邃。”

“网上的交互学习，比传统的课堂交互内容更丰富，思路更自由，表达更明晰。实验中，邓老师的敬业精神令我们异常感动。可以说，实验的成功80%是因为邓老师持之以恒的努力……”

一位家长说，实验激发了孩子对语文学习的兴趣和学好语文的自信，在实验中体会到的写作快乐将使孩子终身受益。老师在实验中所体现出的敬业、博学、真诚、尽责，以及渗透在孩子们习作批语中的对学生的爱，也同样深深地感动着我们家长。

北京著名特级教师顾德希等看到了邓虹的网络教学实验以后，都做出了高度评价。顾老师认为，邓老师经验的普遍意义在于它证明了网络确实能为语文教学开辟一片崭新的天地，即使是沉重的高考压力也不会遮掩这片天地的光辉。它启示我们要进一步充分认识并有效利用网络功能。网络平台的这种功能，对语文教学改革具有革命性作用。这在邓老师的实验中已初见端倪。

对于已经取得的成绩，邓老师谦逊地表示，她的实验尚属起步阶段，虽说成果不错，但个性化色彩浓厚，其中蕴涵的规律性、普遍性价值与意义还有待进一步论证。目前，她正在筹划新的网络作文教学实验，从高一开始做起，希望更系统、更完整、更周详，以积累更多的网络教学与作文教改经验。她希望自己的行动能够感染并带动一批志同道合者，不发虚言，多做实事。

摘自《光明日报》2003年8月7日
“教育周刊”版

学生反馈

●您搞的这次实验，突破了作文教育的条条框框，以全新的诠释手段带领我们如何写好作文，这种教学手法使我们思路大开，写作条理清晰，值得继续在学弟学妹身上开展。

●如春之细雨滋润了我们饥渴的心田；
如夏之火热点燃了我们内心的激情；
如秋之清风平静了我们心灵的喧闹；
如冬之沃雪收藏了我们来年的企盼。

——寄我们的基地

●总之，实验满足了我们学习作文知识的渴求，激发出我们对写作文及文学的热情，又将我们的思想由肤浅引向深邃，并对我们的用心之作保留至今。我们感谢基地，更感谢老师的良苦用心。我建议将基地永久保存，吸纳更多的同学来参加(但我们这些“老人”同样可以参加)，将我们的作文作为“作文题库”供以后同学参考(可去粗取精)。

我相信只要基地存在，我们这些从前的学生(记者)，一定会继续关注基地和它的成长，继续在我们的“老邓”带领下努力学习好语文；如果可能的话，还可看到其他科目基地的诞生。我们企盼着!!!

●很成功的一次尝试，使同学们有了创作的兴趣与乐趣，激发了同学们的创作意识与斗志。

在感叹其他作者的文章之美妙时，也开始有了写文章的愿望。老师提供的丰富资讯使人心里顿觉豁然开朗，也使我们关注了现实的社会与世界。及时的评语既改善了文章又增强了我们的信心。总之，这是个人性化、使人备觉亲切与温暖的实验，其效用也是显而易见的。希望不断改进，在实践中摸索到前进的道路，继续坚持。

请相信，支持您的人数都数不清，要注意权益问题。

●一次成功的实验。

起码更强烈地调动了我写作的积极性，激发了更多对写作的热情，让我们不觉间有了更多的审题、思考的过程(即使不写成文也是会审一下题的)。

另一方面也让我们有了了解他人作文水平的机会，这刺激了我想要超越他们的愿望，这对提高写作水平来说也起到了积极的作用。

还有，辛苦您了！

● 这次实验给予我们的不仅是一个全新的学习方式，而且给予我们对于自身修养的加强和写作的信心。通过高三的写作学习和网上作文，我发觉我的作文水平与日俱增，再也不厌恶写作了，而且一次比一次写得好。因此，此实验对我们大有帮助。

● 我觉得这是一次全新的尝试，并且实验证明它的确对我有帮助。因为网络更快速也更方便，可以在完成作文之后马上就得到点评，就像请家教一样，并且网上写作更放松，而且在没有灵感的时候可以看着别人写的，对自己很有帮助。看到别人的作品也开阔了自己的眼界。其中老师提供的充足的材料不但为写作提供了素材，而且很多文章对我进入社会、面对人生都很有启发。我觉得它不仅是一个作文“基地”，更是一个很好的德育“基地”，它不是说教，而是在写作当中，在阅读当中让我们明白深刻的哲理。总之就是Very Good!

● 感谢老师给了我们这样一个晴朗的天空，
感谢老师给了我们表达自己的机会。
它就像一张画纸，
我们用键盘在上面表达自己的思想。
我们更有一种忘我的感觉，没有太多的束缚。
老师在上面就像我们的朋友，点滴的关怀使我们进步！

● 尽管网上作文已经结束了，但在网上度过的时光已经成为我生命中一份弥足珍贵的财富。忘不了构思文章时的苦恼，忘不了提交作文时的忐忑，忘不了一次次心灵的展示，忘不了一次次真情的抒发，忘不了一次次激情的涌动，忘不了……

岁月即将把这一页翻过，一切都将成为记忆，只能留在心里。在人生路上走累的时候，不妨回一回头，昨日的花朵依旧美丽，依旧鲜活。

俗话说：天下没有不散的筵席，人生路上没有可以一路同行到终点的旅伴，但却可以拥有相伴到老的美好记忆。或许社会的大潮将会磨平我身上的棱角，或许在品尝人生的苦辣酸甜后将会变得很世故。但至少我还拥有美丽的回忆，至少在生命中我曾拥有这段时光，可以自由地流露自己的情感，不必有太多的顾忌，至少我曾拥有过一片心灵上的绿洲。

该结尾了，只想起一句话："我等过你。"

● 尽管网上学习作文的次数屈指可数，但我仍为能在高三冲刺时进行这样的实验而庆幸。庆幸什么？赶上了一位好老师还是自己没有电脑仍能上网？也许都有。

实验给我们带来了一种新鲜的、区别于其他作文辅导的形式。在实验中，每个人都可以"火线"提交自己的作文让老师评价，避免了在办公室中人山人海等待面批(当然，事后证明，还如分餐制一样有利于控制非典)；每个人都可以拿自己的文章与别人的进行对照，优劣各在哪里，一目了然；每个人都可以尽兴遨游在名家名作的世界中，采撷有益的果实。效果是不言而喻的。这从您历次专题讲评作文的神态里便一目了然。

临别赠言：幸承恩于实验，问卷作复，是所望于恩师。虽留校不长，实验难得，然青山不老，绿水长流。老邓伏案，志在千里；学生升学，壮心不已。且存真情青崖间，须行即忆访大千。安能忘恩负义浑不记，使您不得开心颜?!

● 我认为这次实验是相当不错的，尤其是互动性强，可以随时看到别人的文章，摘抄别人文章里的名句，可以说是"集思广益"，比在班里点评要好，那样太空泛了，无针对性，这种网上交流就好多了，像映射一样，一对一的，还可以看别人的文章及点评，可以说是一个题目的作文，可以多角度了解其写作内容与方式，还可以了解别人文章的缺点，便于自己改正，从别人文章里可以了解许多素材与创新形式，对自己写作文很有帮助，还可以看一些老师提供的文章及老师写的文章，对人很有帮助，只不过更新更快，这还需要我的帮助。总之，我认为这种方式相当好，可以继续下去，"发扬光大"。

● 啊……看了别人的文章挺感动的，看自己的初稿挺丧气的，看自己修改后的文章挺骄傲的(自大，狂妄……)。我羡慕那些有情趣有文采有志气的同学，也羡慕老师，于是也在各方面对自己进行了挖掘，取得了一定成效，很高兴，也很感谢老师和同学们。

真的很感谢你为我们提供了这样一块学习基地，不但充实了我们的课余生活，也提高了我们的作文水平。

● 这是您事业上的又一种辉煌，您用无私奉献的爱心哺育了我们这群对作文如饥似渴的孩童；这个作文网站的成功建立，不但是我们提高作文成绩的保证，也是你含辛茹苦地付出后的一种回报。相信没有谁能比您更能尝到这种成功的甜美滋味。

● 禅语：不可语。
一切尽在不言中。
花易老，苍水易浓。
此情可待，流光易逝。
真水无香，情思“野火”。
神似烟波，千尺寒冰。
秋末汉玉，无限别情!
蓝花相处，独来读网。
叶叶心心，舒卷有余情。

● 这是一次很有价值的实验。

此前我曾见过无数作文教学网站，总的感觉是像一本大作文参考书，价值不大，对学生吸引力不强。但作文实验基地中的“评改快讯”栏目取得的效果令人赞叹。它的全交互式教学方式有很强的针对性和时效性，吸引了大批同学前来参与。网上的交互学习，比传统的课堂交互内容更丰富，思路更自由，表达更明晰。这些特点都是以往我没有意识到的。

实验中邓老师的敬业精神令我异常感动。可以说此实验的成功，80%是因为邓老师持之以恒的努力。作为一个在实验中受益的学生，我对邓老师的付出表示衷心的感谢。

● 这个夏季，山的颜色和天的颜色像两块油彩，重重地涂在时空的画布上，现实在结束的那一刻完全崩溃，于是多少梦想，多少希望，多少执著，多少奋斗，多少激情，多少灿烂都在即将爆发的那一刹那倏然间定格在了苍白的长空中，然后无情地被击碎，随着泪水流过，昨天曾经灿烂耀眼的画卷，逐渐凝固。终有一天，时间会冲淡所有的痛，骄傲的我不会回头，但终会不时想起，那端坐在桌前不停点击、翻阅文章的日日夜夜，想到许多个周末坐在电脑前望着闪烁的屏幕浮想联翩，然后微笑着敲击些自己喜欢的文字直到深夜，期待着老师温柔的鼓励的话语，一夜好梦。生活一直在继续，明天会是什么颜色，我终会背上自己的行囊，离开熟悉的温暖的地方，刻一个怎样的世界。幸好有一些回忆令我温暖令我微笑，并且一直深深感激在高三最后的日子里，还有这样一片乐土，一直温暖着我的脆弱的心灵，在我被理综折磨得不行时，总有个理由让我放纵一下自己，做一些自己喜欢的事。

也许现在我还很难做到，但终有一天我会洒脱地忘记高考试卷上的结果，然后认真地把这美丽的过程唱给自己听——在我终于长大的那一天。

● 诗人、文人一生与诗文纠缠，剪不断，理还乱。杜甫痛道："文章憎命达。"为才名所累的诗人、文人又有多少！"高处不胜寒"，倘若苏轼不是文坛领袖、词中豪杰，仕途上是否会顺利些？由羡慕生妒再生恨的流言蜚语、小人中伤是否会少些？

但使他们永立历史长河中，时时由后人思念的也正因这些诗词，即便让他们重新选择，也仍会抱着这"冤家"在人生路上跌跌撞撞地走。诗文是他们的生命，是让他们能超越人这孱弱、卑微的躯壳的惟一途径。诗文让他们生命有了重量，可以不被历史的浪花打击。

经过这次实验，我常在想 写作应是一种生活方式。我绝成不了苏轼，也绝不是李白，诗文不会成为我人生的主流。但时不时写些什么，读点什么，这却应是生活本身。记录下思想的灵光，抒发些激越的情感，让轻若鸿毛的生命增些重量，在浮世中为心灵留下一处沉静的地方，不至于在诱惑、假象中迷失。写作不应是一种生活方式吗？

家长反馈

● 对老师"高三网上作文实验"深表敬佩，写作能力是一个人的基本能力，借用高三这样一个非常时期，借用高考这样一个非常时刻，提高学生的写作能力和写作兴趣，这不仅是及时的，而且是大胆的，绝对是开拓性的。

尽管说高考是人生的重要时期，但与一个人的基本能力相比较，前者仍然是标，后者才是本。而提高学生的写作能力是中学语文教学的重要任务，借用高三网络构建一座作文的突击平台，就我的孩子的实践是比较成功的。从他的12篇作文来看进步很大。

其实人是很实际的，很少有人为提高写作能力而写作文，而高考作文这样一个非常实际的峰峦立在前面，为了攀登那座山，人们容易汇集在这样一座平台前。而这座平台若是搭在高二或高一也许没有高三这样的效果。

由于不了解其他同学的情况，比如参与人数、平均篇数、有无死角等，不好对这一工作成果作更多的评价，但对老师的事业心、责任感和开拓性深表敬意。工作之中具有开拓性已很难得，有开拓性又有成果则不仅难得，又让人愉快，而开拓性+成果+效益给人的感觉不光是愉快而且幸福，这时候的工作不再是苦是累而是一种享受。

● 自从您的网上作文实验开办以后，我有时间就同孩子一起浏览，在这里可以看到许多优秀的作文及精彩点评，使我受益匪浅，当然孩子是第一受益者，看着他在电脑前时时为他人的文章而喝彩，我也常被感染，同时我也看到他兴奋地拿着您批改后的作文给我看，我知道是您的鼓励给了他自信。通过这次实验感到孩子会欣赏好的文章了，大大提高了鉴赏能力，由此作文的写作也比以前提高了许多。

● 此项活动很有意义，对学生而言及时而必要，相信很多学生都受益很大，在高考作文中也希望他们能够取得令我们大家都十分满意的成绩来，能取得这样的好成绩与您组织和创办的这项网络学习活动是分不开的，所以在这里先衷心地感谢您！也衷心祝贺您！其次我认为这项活动的确对学生的益处非常大，不单单从高考这个角度讲，通过这项活动，可以提高自己的写作能力和写作兴趣，开拓思维、拓展眼界，学会用"分格子"来表达自己的思想，我认为这样很好，希望这个活动能够继续办下去，能够继续进入学生们的大学生活，成为大家的一块"心灵的栖息地"。最后，再一次感谢您！

●感谢您给予孩子这样的学习机会，我想它对秦晓宇今后的写作、表达等方面的意义是深远的，我曾这样想过，几个月孩子的作文就有如此大的进步，如果再早两年有这个网上作文，他的语文水平就会“乌鸦变凤凰”。如果秦晓宇今后还有兴致在这个网上交上自己写的文章，仍希望您在百忙之中给予指点，万分感谢。

同时还要说一下，孩子不仅通过这个网上写作学到了知识，而且学到了许多做人的道理，您的才华、您的敬业让他折服，您的鼓励成为他学习的动力，您不仅是孩子学习的榜样，也是我们家长学习的榜样，网上作文实验给了孩子的一个表现自我的空间，它应该算是新的教育手段的成功尝试。

●我认为这次实验对孩子们的写作能力是一个很好的锻炼，同时还能使他们增强对写作的兴趣。希望能继续进行下去，必会有丰厚的收获。

感谢邓老师对孩子们所付出的辛勤劳动。师恩难忘，他们及他们的家长会永远记得给予他们知识，教他们做人道理的老师们。

●首先感谢邓老师三年来对孩子的培养。网络教学是一种新兴的教学方式，邓老师走在了时代的前列。特别是这次突如其来的“SARS”，更使人感受到网络教学的重要性。希望老师继续把“高三网上作文实验”进行下去，让更多的孩子从中得到好处。

●实验是成功的，对拱固的作文提高帮助很大。非常感谢邓老师网上作文实验对拱固的指导和帮助。望今后认真总结经验，继续大胆探索，使网上实验越办越好，成效显著，走出一条成功教学之路——邓氏网上作文教学之路。

再次表示家长对老师的谢意!

●本次实验给我最大的感受就是及时、有效，尤其是在非典这一特殊情况下，网上作文指导显得格外珍贵，我认为这次实验的成功即在于老师与同学之间及时的沟通，它的影响是巨大的，甚至影响孩子的一生。

●实验中的人文训练对孩子日后的生活、学习将会产生非常大的影响，将使他们受益终身。第一，这种训练是一次难得的人文思想的教育。经过网上多角度的互动，会更加彰显生活中的真善美，抹掉孩子心中的灰色。这种人文教育对于他们这个年龄段的孩子尤为重要。第二，培养了孩子良好的阅读习惯，爱读书，会读书，在他们不宽的生活圈子里，不断扩大视野。第三，使孩子具备了良好的语言表达能力，即使是理科学生，也像获得了一双翅膀。今后在不同的专业领域中能使自己要表达的思想走得更快，走得更远，绝不会出现因语言滞涩而表达不清的情况。这些益处将伴随着孩子度过一生，他们将会因此而永远感念母校。

●从孩子的口中知道“网上作文”，邓老师是很辛苦的，他经常告诉我，已经很晚了，老师还在网上，尤其是“非典”时期，他也经常对我讲：邓老师还在网上指导作文呢。如果说给我的感觉，就是老师太辛苦了。从这个方面上讲，鼓动同学互相讲评也不妨是个方法，毕竟都是高三的学生，互相评判一下作文也是个提高过程，和邓老师相比，对孩子的学习我们关心太少了，从心里感谢老师。

●对新的有益的事物总要支持，无论是谁，总有第一个去做的人，在这一事物上您就是第一个尝试的人，我的孩子也是第一个受益的人。

●是您给我们的孩子提供一块良好的学习基地，帮助孩子在写作水平上有很大的提高，还丰富了他们的课余生活。他们从不爱写作文、逃避写作文，发展到喜爱写作文，还能用语言表达出来，提高作文的成绩。特别对我们这样的家长——对电脑一窍不通，文化水平不高，不知从何下手，不能帮助孩子——很有帮助。看到您的网上作文，快速指导孩子提高写作水平和思想境界，我们家长衷心感谢“高三网上作文实验”活动。祝愿您网上作文越办越好。

●这种教学方式是对传统教学的一种革新。只要家长配合老师和自己孩子学习，这种方式对孩子学习作文还是有帮助的。原来孩子不怎么玩电脑和上网，因此这种方式使孩子对学习产生兴趣，同时增强了微机操作知识。感谢老师三年来在语文方面对孩子的教育。

●您的“高三网上作文实验”搞得活，有情趣，不但孩子爱学爱看，家长也可以从中受益，增长知识。

通过实验，孩子对写作不再发怵，从不爱写到爱写。

在介绍给自己的亲朋好友后，普遍认为水平高，语言丰富，值得一看。希望您能继续进行该种教学模式，使更多的孩子、家长受益。

最后，感谢您对我们孩子的无微不至的关怀和热情、耐心的教育。

● ①这种实验应当继续坚持下去，而且不只是作文，语文基础也可以尝试。

②其他科目的学习也应当照此办下去，各科目都有将会对学生的学习有很大帮助，当然，各科都搞就差不多成了网校了！这需要花老师太多的精力。

③实验是成功的，它激发了孩子对语文学习的兴趣和学好语文的自信，在实验中体会到的写作快乐将使孩子终身受益。老师在实验中所体现出来的敬业、博学、真诚、尽责，以及渗透在孩子们习作批语中的对学生的爱，也同样深深地感动着家长。在这里，我们作为孩子的父母，向老师深表感谢！

④老师一个人撑着这个网上学习园地太辛苦了，要注意身体，多找几个帮忙的学生。

● 我的孩子是一个典型的不喜欢语文的孩子，尤其不愿意写作文。他笔下的文字枯燥而滞涩，了无生色。一篇作文一般要写上几个小时才能“憋”出来。经过这次网上的强化训练，孩子的作文获得了长足的进步，语文高考获得112分的较好成绩(当然是和他自己相比)，这不能不说是一个实实在在的硬道理。我由衷地感谢邓老师的这项网络教学实验。

作文网络教学实验是一次崭新的尝试，它无限延展了教室的空间，不受时间、地点、人数的限制，极大地方便了教学。很难想象：深夜十一二点师生还在切磋作文，这在传统课堂教学中是难以做到的，可网上却能！特别是家长也能看到自己孩子的文章。这是让我最兴奋的！孩子进入高中以来，由于青春期的封闭心态，很少向家长出示作业，网络教学为家长弥补了这一缺憾。网页中的栏目设置也非常好，特别是“评改快讯”、“素材扩充”、“T型展台”、“及时点拨”，全方位地给学生提供了从素材、立意、构思到出文的方便条件，老师见文即改，学生能以极快的速度获得反馈，这是传统纸媒作文、黑板教学想也不敢想的。我曾在与邓老师的电话交流中听邓老师提出了一个“场”的概念，我非常赞同！我理解的这个场就是师生互动、学生互动、心灵碰撞、激发灵感、展示才华、你追我赶的一个教学氛围，它是这次实验的灵魂所在，传统的一对一的单线教学是形不成这个“场”的。

作为学生家长，我谈不出关于教学专业方面的问题，使我感受更多的却是学生作文以外的东西，这种感受在我心里时时涌动着、撞击着，大有不吐不快之感。我认为这次的网络教学是老师个人素质的体现，与其说是网络教学，莫如说是老师在织一张网。这是一张用炽烈的激情、横溢的才华和浓热的心血织出来的网，我把老师喻为“织网人”！

“织网人”有怎样的激情——

进入网站，扑面而来的是滚滚奔涌的激情。在这里，没有板起面孔的说教，没有苍白乏味的批语，没有居高临下的教导。每位学生的作文后面，都是一段段用火一般激情写就的文字：“我触动了怎样一座火山，让她炽热的才情如滚烫的熔岩冲天而喷发！我撞击了怎样的一口心钟，让她豪迈的气魄如雄浑的地音震荡每一个胸怀！”谁得到这样的评语不怦然心动?！又有谁能不从心底油然而生发一股擎天拔地的力量?！当孩子把一篇用心写好的习作发给老师以后，若是获得赞许，他们会收到：“我心爱的徒儿，飞来拥抱一下吧！”、“你们的光芒晃得我睁不开眼！”的批语。孩子们兴奋得欢呼雀跃，接踵而来的是篇篇佳作从学生的手里飞出。深夜，孩子们还在奋笔疾书，渴望着老师能为他批上最后一篇文，又担心老师能否等到这么晚，这时屏幕上会出现老师的话：“乖！我等着！”当孩子们的文中出现了审题标准重复错误、故态复萌的时候，他们的批语后会出现“揪心的老邓”、“昏厥的老邓”、“咬牙切齿的老邓”……何等的形象！孩子们见此能不警醒吗?相比之下，那些对学生的高声训斥显得多么无力！

心灵的撞击与契合，换来了孩子们的倾情相诉，在一些作文的字里行间，依稀可以看出有的孩子可能遏制了个人感情问题，文章写得无比伤感，有的并不是老师布置的作业，只是有感而发的即兴文也发给了老师。这时文后会有老师发人深省、催人奋进的话语，像一双温柔的手抚平孩子心灵上的皱褶。

我们看到了“织网人”在“孩儿们”拼搏的队伍中领跑，在呼啸前进中冲刺，老师的一腔热情有如奔涌的大江，直泻而下，激起了莘莘学子的万丈豪情。他们用冰冷的键盘敲出了炽热的文字，在他们青春的胸膛里，迸发出石破天惊的烈焰红辉。在这激情四射的网上，孩子们豪气冲天，他们的笔下有金戈铁马为国捐躯的豪情壮志，有对中华民族几千年华章的纵情讴歌，从三皇五帝到海伦、霍金，从泰戈尔到武则天，笔锋所至，气吞山河，细腻之处，毫发毕现，孩子们的笔下，有冷峻的思考，有缜密的思辨，有绚丽的文字，有感人的情辞；笔下生发着勃勃的英气，这情这景描绘了一幅激情大写意画。

时间在飞奔，高考在即，老师一篇荡气回肠的《最后的公告》宣布了网上训练的结束，在亲切的呼唤中，送走了“孩儿们”，让他们去寻找“新的人生彼岸”，给孩子留下的是对这张网的无限眷恋！

“织网人”有怎样的才情——

附中的孩子一个个都是小精灵，没有深厚功力的老师在附中的讲台上是难以立足的，网上亦然！

使我们惊奇与感佩的是，老师给学生布置完作文以后，自己也要写！我得知这种做法在业内称为“写下水文”，我理解的就是老师要与学生共同涉水。

写下水文需要勇气——不怕学生评头论足；写下水文需要才学——写出来的就得是范文。我推测，不会是每个老师都敢这样做，都愿这样做。

在网上，我见到邓老师频频“下水”，多篇范文展示在“师文师心”栏里，《诺言》、《窗外》、《师语》、《福兮？祸兮？》、《气由心生》以及《汉字是我家》等，原来我只知道邓老师是一位非常负责任且深受学生爱戴的青年教师，不曾有其他接触。这次网上训练，令我眼界大开，让我们领略到邓老师迷人的才华。

老师笔下的下水文气象万千，她以丰富的知识、开扩的视野写就了一篇篇心灵之作，古今中外信手拈来，纵横捭阖，游刃有余，或大气磅礴，或委婉细腻，正如老师写给一个同学的评语：“思接千里，心骛八方，唱出了民族的血脉经络，开拓出人类生命的本原。那么大气，那么深厚，那么悠远，那么深邃，放得开，收得拢。”这正是“师文师心”栏目的真实写照，这一篇篇文章博得学生们的阵阵喝彩！其中我认为《汉字是我家》为其代表作，在这篇文章里，中国汉字构造的艰涩的“六书”理论，已神奇地造化成一幅流光溢彩的中国工笔画，那雕梁画栋的中国式庭院美不胜收！奇巧的构思，斐然的文采，形成独创的邓氏风骨与神韵。这横溢的才情倾倒了莘莘学子，引得学子们争先效仿。他们像攀岩一样去攀登“师文师心”的高峰。在学生们后期的作文里，渗透与浸润其间的邓氏风骨、邓氏神韵已是清晰可辨，这群幸运的孩子可谓得到邓氏真传！这种文化的孕育，是何等了不起！

使我赞叹不已的还有老师高屋建瓴的视角以及诗一般的评语。

老师写给学生的评语是全景式的，多方位的，其中包含的知识点极多。从立意、架构、思路、视角、内涵，到语言、句式、韵律、气势、色彩以及“快速构思法——10分钟拿下”等实践技巧。有时只用寥寥数语便一针见血地点出文中之误，如“立意缩水”、“结构较乱”等，有时只用几句话便会给学生梳理出一个新的框架来，使学生茅塞顿开。每篇文后的评语绝无敷衍之作，每篇评语都像是一首精心打磨的诗。我看到一位学生写了一首23行字的小诗，老师都给了长达百字的评语，诗一般的文字令人叹为观止：

“感谢你用五彩的画笔为我们描绘这斑斓的爱的画面，
感谢你用心灵的音符谱写这生生不息爱的诗篇，
感谢你让我们跟随你置身于这爱的天宇中……”

在一篇学生写怀念姥爷的习作《想念》的后面，老师有这样的评语：

“世间最美丽的故事是由真情叙写，
世间最动人的歌是用真情谱曲，
真情浇灌的花朵用不着刻意修剪花枝，
真情流淌的文章用不着精心地雕琢语言，
——我希望你的文章永远都有真情在！”

然而老师也有拍案而起、怒不可遏之时，那就是当学生的心灵即将被文化垃圾污染之际，老师的才情化作了支支匕首，笔直刺向污染源，她荡涤着污泥浊水，做孩子们的护花神，《福兮？祸兮？》就是一篇声讨垃圾辞典的作者王同亿的檄文。她一改柔美的文风，以严密的论证、犀利的言辞，厉声质询这种坏书的道德价值何在?! 科学价值何在?!

就这样，一篇篇，一首首，老师的才情有如绵绵的细雨，涓涓的细流，浸润了学生的心田，老师用才情铸就着一双双搏击蓝天的翅膀，老师用才情编织着一个孕育伟人的摇篮，谁敢说本世纪的文学之星不会从这里升起？谁敢说未来中华民族的大厦中没有附中人顶天立地的脊梁？这都是附中的老师用那绵长无尽的才情孕育出来的啊！

“织网人”有怎样的坚忍——

在这一强化训练的过程中，我看到老师的巨大付出。我深知，一个有责任心的人面对着一项工作铺天盖地而来的时候，即使力所不能及，也必须三头六臂、钢筋铁骨般地硬撑下来，“织网人”不就是这样么？然而她的身体竟是如此的柔弱！

我叹服老师能如此长久地保持着那样一腔火热的激情而不衰，有如一张拉得满满的弓，一时一刻也不松扣，这需要多大的定力！我常想“激情”这东西不是什么时候想要都能来的，保持短时间内的激情并不困难，难的是持久。人，没有困倦慵懒的时候吗？人，没有心情不畅的时候吗？人，没有身体不适的时候吗？没有！这里全没有！人一挂到网上就百病全无，一如僧人入定般地专注，这真是奇迹！我找不出是什么理由使然，若用“敬业”、“刻苦”来表达那是很苍白的。

我没有数过网上共有多少文，也没数过老师共写了多少字，我只知道从头到尾的学生习作篇篇评点，无一遗漏。不论长与短，绝无应付之作，试想一个人只有两只手，要应对那么多生龙活虎的学生，面对一个晚上发来的几十篇作文，既要当时出思想，当时敲上去，问题有应对，聊天有回话，又要保持"火一般的激情"、"诗一般的语言"，还要有一针见血的说服力，却几乎连一点思考的时间都没有！这是什么人能做到的?！邓老师做到了！

进了这个网，就像进了魔幻世界，学生们一直处在亢奋状态，兴之所至，佳作连篇。已是深夜了，大家还挂在网上不肯离去，不时可以看到这样的话语："老师，你等着，我再给您发一篇！""您再等一会儿行吗?"孩子们哪里知道，每加批一篇作文，都要加倍熬耗着老师的心血！

这里是一块学术的净土，闻不到一丝丝商业铜臭气息，这里没有每人限交几篇的约束，没有限时上网的清规，连不是作业的文章老师也给判。面对孩子们全天候的"狂轰滥炸"，老师全然不设防，来者必应，这是怎样的一种境界？又是怎样一种胸怀?

我叹服老师在每一篇学生习作中都能找出"亮点"，尽管是平平之作。我想，如果没有足够的耐心、爱心，与敏锐的职业素养，那是很难做到的！

当我阅读这些平平之作时，免不了越看越困，可是在这些文后，老师以独特的视角称赞文中的可贵之处，在我看来这是一件很困难的事，因为这需要很多时间去思考，去沙里淘金。对文中仅有的闪光点不能不说，又不能说过，这笔底的分量是很需要工夫的！老师深知笔下的分量有多重：我一句鼓励的话，也许会多造就出一个人才，多一句冷言语，也许就会浇灭一个火星，老师不经意间的一句话，都会在孩子的心灵中产生巨大的作用，因此，老师用心呵护着每一棵嫩芽，为中下等成绩的孩子注入信心，注入勇气，让他们摆脱自卑，摆脱怯懦，直起腰来迅跑。

我还叹服老师在批改大量作文之外，还能为学生们提供那么多的素材，像是建起了一座"原料库"，使孩子们不必在紧张备考的同时，再去四处搜寻素材。我原想，孩子到了高三，家长的任务一定很重，也曾设想过帮孩子找素材之类的事，不成想却让邓老师"承包"了(我仅找过的一点材料也被孩子毙掉了，主要是不合用)。在"素材扩充"栏目里收有各种时文，题材广泛，数量充足，然而这都是老师一份份地寻来，又一份份地敲上去的。此时老师要面对八面来风，起到一个接收台的作用。真真是一个"思接千里，心骛八方"，这又是需要投入多大的精力?

在网上有诸多网外学子慕名追网而来，情辞恳切地希望能接纳他们，但是这个网给老师带来的工作量已经饱和得不能再饱和了，许多孩子无法实现这一愿望。回过头来再看一看，我们的孩子是多么幸运!

这一届的孩子已经放飞了，魂牵梦绕的将是他们心灵的基地——野火网站(注: 为作文实验网站的名称)。这一段美好的时光将珍藏在他们心里最圣洁的殿堂里，伴随着孩子们度过一生。作为孩子的家长，请邓老师接受我向您致以的最最诚挚的谢意!

愿邓老师的网站经年久月再铸辉煌!

专家意见

北京师范大学刘锡庆教授认为：

这是有关高三“高考”前作文辅导的一本网络作文新作。这样的编著，以前很少见。因它反映了“信息时代”的特点，开启了“网络作文指导”的新路，所以有新意，有价值，是完全应当尽快出版的。

邓老师的指导活泼生动，实话实说，不乏尖锐，亦很及时到位，击中要害，大大拉近了师生的距离——这都很可取。

但是因为太偏重于“高考”的“应试”，故对整个高中的“作文教学”——语文教学的一个重要且困难的部分——没有做正面、完整的回应。这是一个不足和遗憾。我认为，邓老师如最初即有通盘考虑，从高一即开始做起(每年一册)，到高三(下)收尾，搞出一套“高中作文训练”的完整体系、方法，意义将更为重大!

首都师范大学饶杰腾教授认为：

这是一次有益而可贵的大胆尝试。在高考的冲刺阶段，敢于借助网络激发学生兴趣，快速提升学生的思维——写作水平，是非常有说服力的。更为难能可贵的是在短短半年内所迸发出来的师生互动的探索精神。实验是初步的，需要反复验证。

作为初步尝试的成果显示，主要是为了提供一条新思路、一种新模式，进而宣扬一种革新精神。我想起胡适在85年前所说的，不做“言之无物”、“无病呻吟”的文字，要有话说，方才说话；有什么话，说什么话；要说自己的话，别说别人的话。这一实验正是给学生松绑，诱发学生不吐不快的表达激情，使写作成为学生的生活。

人民教育出版社庄文中编审认为：

报告中记录了网上作文辅导的新内容和新方式。有三个主要特点：

一、这是在特定条件下对特定对象为完成特定教学目的的一次特定教学活动。

二、利用网络技术，凸显师生互动、学生互动的学生写作过程，体现现代作文教学的普遍规律——师生互动化、写作个性化、题材生活化、教学过程化。

三、上述的特点促成一个转变——变学生被动地交作文为学生主动地过写作生活，即是说写作成为学生自身生活的一部分。写作成为学生展现自己心灵、参与社会生活的一种生活方式。

鉴于此，报告具有实用和创新以及研究的价值，推荐出版、推广。

中国写作学会会长裴显生认为：

利用网络进行作文教学，这是时代的呼唤，能解决语文教学中许多难题。在国内，有许多中学语文教师想到这一点，但未能进行具体的实验。邓虹老师勇敢地跨出了这一步，并大胆地在高三毕业班实验，取得了令人瞩目的成功。对邓老师的勇于探索和科学求实的精神，我和写作学界的朋友都深表钦佩。

从所提供的教学成果看，邓虹老师实验的基本思想是正确的，符合写作教学的规律，取得的效果是显著的。

网络确实能为语文教学开辟一个新的天地。我看完有关材料后，得到很多有益的启示。我以为：这是一次十分成功的实验，这个“实验基地的报告”可以出书，推广邓虹老师大胆探索的成功经验，推进作文教学改革。商务印书馆热心支持这一“实验”，决定出书，是完全正确的。

北京市中学教育专家顾德希认为：

“能力立意”还是“知识立意”，一直是作文教学中亟待解决而不容易解决的难题。以知识的传授为出发点和落脚点的教学思路，可简称为知识立意。长期以来，一部分同志习惯于按照写作知识系统进行作文教学。比如先讲关于选材的知识，然后让学生按照所讲的知识去选材作文；先讲论证方法的知识，然后让学生用所学的方法去发表议论。这样的作文教学思路，即所谓“知识立意”。这样做，不是绝不可行，但弊端很多。因为绝大多数学生的作文能力，并不是由那些写作“知识点”逐项迁移所形成的。对那些知识有点了解，对学生并非无益，但以学那些知识为“纲”的作文教学，却罕受学生欢迎，更难激发学生主动作文的热情。

作文教学要取得成功，一定要冲破知识立意的禁锢，要转变思路，要以能力的培养为作文教学的出发点和落脚点。但这很不容易。邓虹老师的实验，是这条探索之路上独树一帜的新成果。

她的实验，以解决学生写作过程中的实际问题为纲，反映了鲜明的“能力立意”的教学观。走“能力立意”的作文教学之路，就要有针对性而又比较系统地、恰当地解决学生在写作过程中的实际问题。

她的实验与以往作文教学不同的另一突出特点，是充分利用“网络”。网络的应用，极大拓展和丰富了语文教学的空间和资源，为突破传统教学模式下的局限提供了强有力的支持。这不仅极大拓展了教学空间，同时也有助于学生的作文与学生生活的方方面面对接，使他们写作文的主动性、积极性得到充分满足。

可以说，这个基地打破了传统作文教学所受的条件限制，给每个人以亮出自我、展示自我的充分可能。在传统课堂教学中是难以实现的，而这里却提供了实现的条件和场景。

当然，网络功能与作文教学规律的整合，还需要不断地深入探索。邓老师的探索只是开端，应进一步推广开来，深入下去。

后 记

相信我的03届毕业生们手捧这样一本特殊的“纪念册”是会心潮起伏的。

我一直渴望大家把这本书当成故事书来读，当成记录片来看。不单浏览我们的文章，也猜猜我们的心，也听听我们的笑，然后你判断，我们是不是在丰富，在成长。

生命就像一叶扁舟，文字就是橹，就是桨。高三的最后六个月，我们就是这样紧张而愉快地摇着，划着，努力着，到达了人生的另一个渡口。

人生就像一本书，文字留下了，生命的痕迹就显现出来了；文字留下了，岁月的歌就飘散开去了。

感谢商务印书馆为我们留存这样一幅珍贵的人生剪影，感谢年轻而聪颖的责任编辑为我们的人生记忆增色添光。

感谢顾德希老师对实验全程的密切关注与宏观指导。

感谢裴显生、刘锡庆、饶杰腾、庄文中等专家的鼓励与鞭策。

感谢参与实验的学生们、家长们以及所有关心作文改革的朋友们。

——留一张心影，让我永久珍藏！

邓 虹

2003年12月

图书在版编目(CIP)数据

激情作文点击：来自高三实验基地的报告 / 邓虹编著.
—北京：商务印书馆，2004
(中学语文互动系列)
ISBN 7-100-04008-6

Ⅰ.激… Ⅱ.邓… Ⅲ.作文课-高中-教学参考资料
Ⅳ.G634.343

中国版本图书馆 CIP 数据核字(2003)第 113451 号

JĪQÍNG ZUÒWÉN DIǍNJĪ
激 情 作 文 点 击
邓 虹 编著

商 务 印 书 馆 出 版
(北京王府井大街 36 号 邮政编码 100710)
商 务 印 书 馆 发 行
北 京 中 科 印 刷 有 限 公 司 印 刷
ISBN 7 - 100 - 04008 - 6 / H · 999

2004 年 4 月第 1 版　　开本 880×1230 1/32
2004 年 4 月北京第 1 次印刷　　印张 13 5/8
印数 8 000 册

定价:28.00 元